Diogenes Taschenbuch 71

Agatha Christie

Villa Nachtigall

Dreizehn Kriminalgeschichten
Auswahl und Einleitung
von Peter Naujack
Aus dem Englischen
von Günter Eichel

Diogenes

Die deutsche Erstausgabe dieser Auswahl
erschien 1964 im Diogenes Verlag

Die Geschichte ›Villa Nachtigall‹ wurde
von Peter Naujack
ins Deutsche übertragen
Umschlagzeichnung von Tomi Ungerer

100/79/9/5
ISBN 3 257 20133 8

Inhalt

Vorwort

Forscht man nach dem Ausmaß der seit den zwanziger Jahren nicht abreißenden Beliebtheit der geistigen Erzeugnisse jener inzwischen dreiundachtzigjährigen, weißhaarigen alten Dame mit dem charmanten Lächeln, so wird man auf eine gewiß überraschende Feststellung stoßen. Was weder dem ehrenwerten Sir Arthur Conan Doyle mit seinem Superdetektiv Sherlock Holmes noch Edgar Wallace mit der Unzahl seiner Detektive, Polizeikommissare, wahnsinniger Mörder, finsterer Chinesen, ausgeklügelter Todesfallen und raffinierter Mordinstrumente gelang, hat sie geschafft: sie ist, was die Auflagenhöhe ihrer Werke betrifft, an die Spitze aller Detektiv- und Kriminalgeschichtenschreiber vorgestoßen, seit Edgar Allan Poe im Jahre 1841 diese Gattung mit der Veröffentlichung seiner Erzählung *Der Doppelmord in der Rue Morgue* aus der Taufe hob. Nach einer kürzlich erfolgten Erhebung der UNESCO über die Verbreitung von Werken der Weltliteratur – wobei mit Literatur nicht etwa jene von manchen Kritikern verstandene Auswahl von Werken mit übernationaler und überzeitlicher Gültigkeit, sondern der Gesamtbestand des Schrifttums der Völker gemeint ist – steht sie sogar mit ihren über siebzig in einhundertneun Sprachen übersetzten Büchern an dritter Stelle hinter der mit Abstand führenden Bibel und den Werken von Lenin. Schon 1950, als sie ihren fünfzigsten Kriminalroman veröffentlichte: *A Murder Is Announced,* schätzte man die Gesamtauflage ihrer Bücher in allen Sprachen auf über 100 Millionen; seitdem ist sie unaufhaltsam weitergeklettert.

Dieser Erfolg ist nicht so ohne weiteres einleuchtend. Hatte Agatha Christie der Gattung doch nichts eigentlich Neues hinzugefügt; sie hielt sich, bis auf wenige Ausnahmen - auf die eine oder andere werden wir noch zu sprechen kommen –, an die überlieferten, typisch englischen Formen. Ihre Morde spielen sich meist in abgelegenen, vorzugsweise viktorianischen und entsprechend möblierten Häusern ab, und der Täter, dessen Identität nicht vorzeitig preisgegeben werden darf, wird am Ende von dem Detektiv der Polizei als Hüterin von Recht und

Ordnung übergeben. Zuvor allerdings muß der Leser sich in einer brillanten Schlußfolgerung von dem Detektiv klarmachen lassen, was er auf Grund der mehr oder minder geschickt zwischen den Zeilen verstreuten Indizien schon längst hätte wissen müssen. Manchmal hilft dem Leser jedoch auch die Superintelligenz eines Sherlock Holmes nichts – wenn nämlich Autor und Detektiv sich zum Falschspiel verschworen haben und die Trumpfkarte bis zum Schluß im Ärmel verborgen halten. Wahrscheinlich liegt das Geheimnis der Beliebtheit Agatha Christies aber gerade darin, daß sie den literarischen Mord gewissermaßen verbürgerlichte, ihm das Abstoßende und Grauenhafte wirklicher Verbrechen nahm und ihn mit viel Phantasie ansprechend herausputzte, ohne dabei die notwendige Spannung zu vernachlässigen. Aber ›aufregend‹ – wie etwa die Produkte von Edgar Wallace – sind ihre Romane kaum. Margery Allingham charakterisierte das Erfolgsrezept ihrer Kollegin einmal mit dem treffenden Satz: ›Sie appelliert direkt an die aufrichtige menschliche Neugier in uns allen.‹

Agatha Mary Clarissa Miller erblickte im Jahre 1891 in Torquay, einem beliebten Seebad und Winterkurort an der Südküste Englands in der grünen Grafschaft Devon das Licht der Welt, wo sie nach ihren eigenen Worten eine sehr glückliche Kindheit verbrachte. Sie brauchte nicht zur Schule zu gehen, sondern wurde von ihrer Mutter zu Hause unterrichtet, was ihr viel Spaß machte. Schon damals erfand und erzählte sie phantastische Geschichten. Ihre Mutter, die ihr Talent frühzeitig erkannte und überhaupt davon überzeugt war, daß ihre Kinder alles fertigbrächten, half ihr bei der Auswahl ihres Lesestoffes und ermutigte sie zum Schreiben. Als ihre Tochter einmal mit einer starken Erkältung das Bett hüten mußte und sich zu Tode langweilte, ordnete sie einfach an: »Dann schreibst du am besten eine Geschichte. Und glaub ja nicht, daß du's nicht kannst! Natürlich kannst du's!« Die kleine Agatha fand Gefallen an der Sache und vergnügte sich mehrere Jahre damit, sentimentale Gedichte und finstere Gruselgeschichten in bester englischer Gespenstertradition zu schreiben, in denen allerdings fast alle vorkommenden Personen der Reihe nach draufgingen. Mit sechzehn Jahren brachte ihre Mutter sie auf eine Schule in Paris, wo sie gleichzeitig ein Gesangs- und Klavierstudium aufnahm. Zum Glück ganzer späterer Generationen begeisterter Detektivromanliebhaber entdeckte sie jedoch bald, daß ihr schriftstellerisches Talent ihr musikalisches bei weitem überstieg, und schrieb weiter Geschichten, von denen sie ab und zu eine veröffentlichen konnte.

Während eines mit ihrer Mutter in Kairo verbrachten Winters begann sie einen Roman mit einer unmöglichen Anzahl von Personen zu schreiben, den sie jedoch selbstkritisch unvollendet in der Schublade verschwinden ließ. 1914 heiratete sie dann ihren ersten Mann, den gutaussehenden Lebenskünstler und Obersten im Königlich Britischen Fliegerkorps Archibald Christie.

Gegen Ende des Ersten Weltkrieges – den sie als Krankenschwester in verschiedenen Rotkreuz-Lazaretten in England und Frankreich verbrachte – begann sie ihren ersten Detektivroman. Herausgefordert wurde sie dazu von ihrer Schwester, die behauptete, es gäbe kaum einen Detektivroman, in dem sie den Täter nicht gleich zu Anfang herausfände. *Die geheimnisvolle Affäre bei Styles* wurde 1921 veröffentlicht und brachte ihr einen Vertrag mit einem großen Londoner Verlag ein. Gleich zu Beginn ihrer schriftstellerischen Karriere schuf sie hier Monsieur Hercule Poirot, einen kleinen, agilen und äußerst eitlen Belgier mit gewachstem Schnurrbart und Eierkopf, der alle Verbrechen mit Hilfe der ›kleinen grauen Zellen‹ seines Gehirns löst und gleichzeitig mörderische Angriffe auf die englische Sprache führt. Er wurde zur Zentralfigur von über fünfzig weiteren Romanen und zum auflagenmäßig erfolgreichsten Detektiv der Welt, obgleich es ihm nie gelang, den legendären Ruhm eines Sherlock Holmes, Father Brown, Dr. Thorndyke, Inspektor French und in jüngster Zeit Maigret und Lemmy Caution zu erreichen, deren Glanz den Namen ihrer geistigen Väter überstrahlt hat.*

Weitere fünf Romane folgten in den nächsten Jahren, und Agatha Christie begann sich als Schriftstellerin zu fühlen. Doch der große Erfolg ließ auf sich warten. Erst das Jahr 1926 mit *The Murder of Roger Ackroyd* (hierzulande bekannt unter dem nüchternen Titel *Alibi*) brachte den Durchbruch. Er war eine brillante *tour de force* mit einer verblüffenden Lösung, auf die der Leser mangels Indizien einfach nicht kommen konnte. Nur Poirot kann mit Hilfe seiner kleinen grauen Zellen und einer

* Mary Hottinger hat die vielschichtigen Ursachen dieses Phänomens in ihrer geistreichen ›Elegie für den Großen Detektiv‹ (in *Mehr Morde*, Diogenes Verlag) so interessant und erschöpfend behandelt, daß dem nichts mehr hinzuzufügen ist.

mehr intuitiven als logischen und realistischen Methode den Doppelmörder überführen: es ist der biedere, vertrauenerweckende Landarzt Dr. Shepard, der die ganze Geschichte vom ersten Kapitel an selbst erzählt. Genußvoll verschlungen vom breiten Publikum, brachte er schriftstellernde Kollegen auf den Plan. In der Criterion-Bar am Piccadilly Circus trafen sich die Mitglieder des neugegründeten Detection-Clubs und diskutierten lange und hitzig über die Legitimität der Mittel der Dame Christie (die am wenigsten verdächtige Person ist der Täter!), wenn sie ihr auch uneingeschränkt großes Geschick in der Anwendung dieses Kunstgriffes zugestanden.
Schließlich einigte man sich unter der Wortführung von Dorothy Sayers, Austin Freeman, Gilbert Keith Chesterton, Pater Ronald Knox und S. S. van Dine über die Regeln für den Detektivroman, deren Einhaltung in Zukunft jeder Anwärter feierlich beschwören mußte, wenn er in den Detection-Club aufgenommen werden wollte. Ihren deutschen Wortlaut finden wir zusammengefaßt in Ulrich Klevers *Roman vom Kriminalroman:*

1. Der Leser muß die gleichen Möglichkeiten haben, das Geheimnis zu enträtseln, wie der Detektiv. Alle Tatsachen müssen offen dargelegt werden!
2. Verpönt sind unbekannte, nicht nachweisbare Gifte sowie geheimnisvolle Chinesen.
3. In einem Roman ist nicht mehr als ein Geheimgang oder ein Geheimzimmer erlaubt.
4. Der Verbrecher muß im ersten Teil der Erzählung schon auftauchen. Er braucht jedoch die Gedanken der Leser nicht ungewöhnlich zu beschäftigen.
5. Alle übernatürlichen Fähigkeiten des Verbrechers wie des Detektivs sind verboten.
6. Zwillingsbrüder und Doppelgänger sollen nicht auftreten, es sei denn, sie wurden dem Leser versteckt oder offen angekündigt.
7. Der Verbrecher darf die Tat nicht begangen haben, weil er wahnsinnig ist. Der Autor muß die Tat dem Leser glaubhaft erklären können. Das Unmögliche muß also doch möglich gewesen sein, mag es aussehen wie es will.
8. Der Detektiv darf die Tat nicht selbst begangen haben.

Leider haben sich hinfort nur wenige an diese Regeln gehalten, die dem Leser ein Mitwirken bei dem vergnüglichen Spiel der

Verbrecherjagd im sicheren Schutz seiner vier Wände ermöglichen sollen.

Im Jahre 1927 verstrickte sich Agatha Christie selbst in eine geheimnisvolle Affäre, von der man nur noch hier und da munkeln hört. Man fand ihr Auto verlassen zwischen den Hügeln in der Nähe der Küste von Sussex – keinerlei Fußabdrücke, Spuren von Gewaltanwendung oder einem anderen Fahrzeug, das sie zum Umsteigen benutzt haben konnte, zeugten von ihrem mysteriösen Verschwinden. Sie schien sich in Luft aufgelöst zu haben. Eine fieberhafte Suche von Landpolizei und Scotland Yard setzte ein, die Zeitungsartikel überschlugen sich buchstäblich in wilden Gerüchten und Spekulationen, bis schließlich ein Polizeirevier einen rätselhaften Brief mit verschlüsselten Hinweisen erhielt, dessen Handschrift eine unverkennbare Ähnlichkeit mit der der großen Vermißten aufwies. Elf Tage später entdeckte man sie unter dem Namen einer anderen Frau – der Frau, die Archibald Christie später heiratete – in einem kleinen Hotel in Harrogate. Wohlwollende Leute bezeichneten es als einen Fall von Gedächtnisschwund, Lästerzungen als geschickte Eigenpropaganda im rechten Augenblick, und heute weiß wahrscheinlich nur noch Agatha Christie selbst, was an der ganzen Geschichte dran war.

Nach ihrer Scheidung im Jahre 1928 ging sie mit ihrer Tochter Rosalind auf Reisen und lernte 1930 bei einem Besuch der Ruinen von Ur in Mesopotamien ihren zweiten Mann, den Archäologen Max Mallowan kennen. Mit ihm hat sie seitdem viele Forschungsreisen und Ausgrabungen im Vorderen Orient unternommen. Zurückgezogen und öffentlichkeitsscheu lebt sie heute mit ihm in der Nähe ihres Geburtsortes in einem großen weißen Landhaus im georgianischen Stil. Dort verfaßt sie auch weiter jährlich ein bis zwei Detektivromane, für die sie ihren Worten nach drei Wochen bis neun Monate zum gedanklichen Entwurf und anschließend drei Monate zur endgültigen Niederschrift benötigt. Außerdem hat sie noch einige Hörspiele und Theaterstücke – ihr berühmtestes, *Die Mausefalle*, läuft seit 22 Jahren ununterbrochen in London – geschrieben sowie einen lebendigen und humorvollen Bericht über die verschiedenen Expeditionen mit ihrem Mann nach Syrien: *Come, Tell Me How You Live*. Weiterhin veröffentlichte sie unter dem Pseudonym Mary Westmacott zwei Romane: *Absent in the Spring* (1944) und *The Rose and the Yew Tree* (1948). Und natürlich eine große Anzahl von Kurzgeschichten.

Damit kommen wir zu unserer Auswahl, bei der wir uns nicht ausschließlich von den oben zitierten Regeln des Londoner Detection-Clubs leiten ließen. Sie will nur einen möglichst durchgehenden Querschnitt durch das vielseitige Schaffen Agatha Christies geben, immer mit dem Hauptziel, den Leser gut zu unterhalten. Außer dem bereits vorgestellten Monsieur Poirot begegnen wir hier einigen bei uns noch weitgehend unbekannten Detektiven, die sie jedoch mit der gleichen Liebe zum Detail schildert und lebendig macht.
Da ist Mr. Parker Pyne, ein beleibter, glatzköpfiger Mann mit starker Brille und kleinen, zwinkernden Augen, der mit sehr unorthodoxen Geschäftsmethoden auf verblüffende Weise die oft reichlich ausgefallenen Probleme seiner aus allen Kreisen stammenden Klienten löst. Sein Spezialgebiet ist das weite Feld der menschlichen Kümmernisse und Komplexe, vom ungetreuen Ehemann bis zum kleinen Angestellten und pensionierten Offizier, die mit ihrem langweiligen und ereignislosen Leben unzufrieden sind. Hier wie in den letzten drei Geschichten können wir vor allem die überschäumende Phantasie und die rasche, sich nie verhakende und mit einem tüchtigen Schuß Humor gewürzte Erzählweise der Autorin genießen.
In *Die Zigeunerin* und *Der seltsame Fall des Sir Arthur Carmichael* dagegen kommt uns Agatha Christie von einer ganz anderen Seite. Das wohl jedem Bewohner der britischen Inseln innewohnende Gefühl, daß es ›mehr Dinge zwischen Himmel und Erde‹ gibt, als sie der menschliche Geist erklären kann, scheint ihr hier die Feder geführt zu haben. Eine ähnliche, bei aller Handfestigkeit traumhaft verschwebende Atmosphäre finden wir in den drei Geschichten, in denen der mysteriöse Mr. Quin auftritt. Das Vorbild für seine Figur gab der Harlequin der italienischen *commedia dell'arte,* der Agatha Christies große Liebe von früher Jugend an galt. Er bleibt unsichtbar und tritt nur in Erscheinung, wenn er den Moment für gekommen hält, steht nur mit einem Bein in der Welt der Menschen und ist doch ihren Problemen verbunden, ein Freund der Liebenden und Anwalt der Toten, die nicht mehr für sich selbst sprechen können. Mit ihm entstand Mr. Satterthwaite, ein unscheinbarer, kleiner älterer Mann mit liebenswerten Zügen, der persönlich nie der Romantik oder dem Abenteuer begegnet ist. Er ist ein Zuschauer auf der Bühne des Lebens, der sich ständig danach sehnt, selbst eine aktive Rolle zu übernehmen, und unwiderstehlich

von den Spuren echten menschlichen Dramas angezogen wird. Mit Hilfe des mysteriösen Mr. Quin gelingt es ihm, unmöglich scheinende Lösungen geheimnisumwobener Fälle zu finden.
Der Spiegel des Toten wiederum ist ein klassisches Beispiel für die Detektivgeschichte, in der alle Spuren vor den Augen des Lesers ausgebreitet werden; doch so gerissen und einfallsreich, daß wohl letzten Endes die kleinen grauen Zellen von Hercule Poirot im Wettbewerb mit dem Leser als Sieger hervorgehen werden.
Die Zeugin der Anklage und *Villa Nachtigall* dürften schon eher bekannt sein. Sie wurden trotz anfänglicher Bedenken wieder aufgenommen, weil sie Agatha Christies Talent für überraschende Lösungen von der besten Seite zeigen.

Peter Naujack

Der Fall des unbefriedigten Soldaten

Major Wilbraham zögerte vor der Tür zum Büro des Mr. Parker Pyne, um – nicht zum erstenmal – jene Anzeige aus der Morgenzeitung zu lesen, die ihn hierhergeführt hatte. Sie hatte folgenden einfachen Text:

PERSÖNLICHES
Sind Sie glücklich? Wenn nicht, besuchen Sie Mr. Parker Pyne, 17 Richmond Street
FLORA – ich warte schon so lange!
Franz. Familie nimmt Paying Guests auf, 15 Min. v. Paris, gr. Haus auf eig. Grundstück

Der Major holte tief Luft und stürzte unvermittelt durch die Pendeltür, die in das Vorzimmer führte. Eine junge Frau sah von ihrer Schreibmaschine auf und warf ihm einen fragenden Blick zu.

»Mr. Parker Pyne?« sagte Major Wilbraham und wurde dabei rot.

»Wenn Sie bitte mitkommen wollen.«

Er folgte ihr in das Büro – in die Gegenwart des freundlichen Mr. Parker Pyne.

»Guten Morgen«, sagte Mr. Pyne. »Nehmen Sie doch bitte Platz. Und jetzt erzählen Sie, was ich für Sie tun kann.«

»Mein Name ist Wilbraham ...« begann der andere.

»Major? Colonel?«

»Major.«

»Aha! Und kürzlich aus Übersee zurückgekehrt? Aus Indien? Ostafrika?«

»Aus Ostafrika.«

»Ein schönes Land, wie ich annehme. Gut, und jetzt sind Sie also wieder daheim – und es gefällt Ihnen nicht. Ist das Ihr Kummer?«

»Sie haben vollständig recht. Zwar kann ich mir nicht vorstellen, woher Sie es wissen ...«
Mr. Parker Pyne wedelte eindrucksvoll mit der Hand. »Es gehört zu meinem Beruf, alles zu wissen. Sehen Sie: fünfundvierzig Jahre meines Lebens war ich damit beschäftigt, in einem Regierungsbüro Statistiken zusammenzustellen. Jetzt bin ich pensioniert, und da bin ich auf den Gedanken verfallen, diese Erfahrung zu verwerten – und zwar auf neuartige Weise. Alles ist ganz einfach. Wenn ein Mensch unglücklich ist, kann man diesen Zustand in vier hauptsächliche Rubriken einordnen – mehr sind es nicht, das versichere ich Ihnen. Sobald man erst einmal die Ursache eines Leidens kennt, ist eine Heilung keineswegs unmöglich.
Ich nehme eine Stellung ein, die der eines Arztes entspricht. Der Arzt diagnostiziert die Erkrankung des Patienten, und dann erst empfiehlt er eine bestimmte Behandlung. Es gibt Fälle, in denen keine Behandlung von Nutzen ist. Wenn dies der Fall ist, sage ich offen, daß ich nichts tun kann. Wenn ich aber einen Fall übernehme, garantiere ich praktisch für die Heilung.
Ich kann Ihnen versichern, Major Wilbraham, daß sechsundneunzig Prozent der pensionierten Erbauer des Empire – wie ich sie nenne – unglücklich sind. Sie vertauschen ein aktives Leben, ein Leben voller Verantwortung, ein Leben möglicher Gefahren, gegen – gegen was wohl? Gegen eingeengte Verhältnisse, ein scheußliches Klima und das allgemeine Gefühl, ein Fisch zu sein, der aufs Trockene geraten ist.«
»Alles, was Sie sagen, stimmt«, meinte der Major. »Was mir zu schaffen macht, ist die Langeweile. Die Langeweile und das endlose Geschwätz über belanglose dörfliche Angelegenheiten. Aber was kann ich daran ändern? Abgesehen von meiner Pension besitze ich noch etwas Geld. Ich habe ein hübsches Häuschen in der Nähe von Cobham. Ich kann es mir aber nicht leisten, auf die Jagd zu gehen oder zu fischen. Ich bin unverheiratet. Meine Nachbarn sind durchweg nette Leute, aber über unsere Insel reicht ihre Phantasie nicht hinaus.«
»Kernpunkt der ganzen Angelegenheit ist also, kurz gesagt, daß das Leben Ihrem Geschmack nach schal ist«, sagte Mr. Parker Pyne.
»Verdammt schal.«
»Lieber sind Ihnen Aufregung, möglicherweise Gefahr?« fragte Mr. Pyne.

Der Soldat zucke die Schultern. »So etwas gibt es in diesem vollgepfropften Land nicht.«
»Ich muß vielmals um Entschuldigung bitten«, sagte Mr. Pyne ernsthaft,« aber hier irren Sie. Wenn man weiß, wo man sich hinwenden muß, findet man selbst hier in London genügend Aufregung, genügend Gefahren. Sie haben nur die Oberfläche unseres englischen Lebens gesehen, die ruhig und angenehm ist. Es gibt jedoch auch noch eine andere Seite. Wenn Sie es wünschen, kann ich Ihnen diese andere Seite zeigen.«
Major Wilbraham sah ihn nachdenklich an. Irgend etwas Beruhigendes lag über diesem Mr. Pyne. Er war stattlich, um nicht zu sagen: dick. Er hatte einen kahlen, eindrucksvoll geformten Schädel, starke Brillengläser und kleine blinzelnde Augen. Und er verbreitete eine Atmosphäre – eine Atmosphäre der Verläßlichkeit.
»Ich sollte Sie jedoch darauf aufmerksam machen«, fuhr Mr. Pyne fort, »daß ein gewisses Risiko damit verbunden ist.«
Die Augen des Soldaten leuchteten auf. »Das geht schon in Ordnung«, sagte er. Dann, unvermittelt:
»Und – Ihr Honorar?«
»Mein Honorar«, sagte Mr. Pyne, »beträgt fünfzig Pfund, zahlbar im voraus. Sollten Sie sich in einem Monat immer noch im gleichen Stadium der Langeweile befinden, werde ich den Betrag zurückzahlen.«
Wilbraham überlegte. »Wirklich ein faires Angebot«, sagte er schließlich. »Ich bin einverstanden. Den Scheck schreibe ich Ihnen gleich aus.«
Die Verhandlungen wurden zu Ende geführt. Mr. Parker Pyne drückte auf einen Knopf, der sich an seinem Schreibtisch befand.
»Es ist jetzt ein Uhr«, sagte er. »Ich möchte Sie bitten, mit einer jungen Dame zu Mittag zu essen.« Die Tür öffnete sich. »Ach, Madeleine, meine Liebe, darf ich Ihnen Major Wilbraham vorstellen, der mit Ihnen zu Mittag essen wird.«
Wilbraham blinzelte leicht, was keineswegs verwunderlich war. Das Mädchen, das das Zimmer betrat, war schwarzhaarig und katzenhaft, hatte wundervolle Augen und lange schwarze Wimpern sowie eine vollkommene Erscheinung und einen sinnlichen dunkelroten Mund. Daß sie ausgesucht gekleidet war, brachte die biegsame Anmut ihrer Figur noch mehr zur Geltung. Von Kopf bis Fuß war sie vollkommen.

»Äh – entzückt«, sagte Major Wilbraham.
»Miss de Sara«, sagte Mr. Parker Pyne.
»Ihre Adresse habe ich«, gab Mr. Parker Pyne bekannt. »Morgen früh erhalten Sie weitere Instruktionen von mir.«
Major Wilbraham und die liebreizende Madeleine verabschiedeten sich.

Es war drei Uhr, als Madeleine zurückkehrte.
Mr. Parker Pyne blickte auf. »Na?« fragte er.
Madeleine schüttelte den Kopf. »Vor mir hat er Angst«, sagte sie. »Er hält mich für einen Vamp.«
»Das hatte ich mir schon gedacht«, sagte Mr. Parker Pyne. »Haben Sie meine Anordnungen befolgt?«
»Ja. Wir haben uns freimütig über die Gäste an den anderen Tischen unterhalten. Sein Typ ist blondhaarig, blauäugig, etwas blutarm und nicht zu groß.«
»Das dürfte nicht schwer sein«, sagte Mr. Pyne. »Bringen Sie mir Plan B herüber; mal sehen, wen wir im Augenblick auf Lager haben.« Er ging eine Liste durch, bis sein Finger bei einem Namen anhielt. »Freda Clegg. Ja, ich glaube, Freda Clegg paßt ausgezeichnet. Ich werde aber noch mit Mrs. Oliver darüber sprechen.«

Am nächsten Tag erhielt Wilbraham eine Notiz folgenden Inhalts: »Gehen Sie Montag vormittag um elf nach Eaglemont, Friars Lane, Hampstead, und fragen Sie nach Mrs. Jones. Geben Sie dabei an, Sie kämen von der Guaca Shipping Company.«

Gehorsam machte sich Major Wilbraham am folgenden Montag, der zufällig der Bankfeiertag war, auf den Weg nach Eaglemont, Friars Lane. Er machte sich auf den Weg – aber eintreffen tat er dort nie. Denn noch ehe er dort ankam, geschah etwas.
Alle Welt schien nebst Ehefrauen auf dem Weg nach Hampstead zu sein. Major Wilbraham wurde von Menschenmengen eingeschlossen, wurde in der Untergrundbahn fast erstickt und hatte große Schwierigkeiten, die genaue Lage der Friars Lane zu erkunden.
Sie war eine Sackgasse, eine verwahrloste Straße voller Schlaglöcher, und an beiden Seiten lagen die Häuser ein Stück von der Straße entfernt. Es waren geräumige Häuser, die einmal bessere Zeiten gesehen hatten und jetzt langsam verfallen durften.
Wilbraham schlenderte dahin und versuchte, die kaum mehr les-

baren Namen an den Gartentoren zu entziffern, als er plötzlich etwas hörte, das ihn erstarren und aufmerksam werden ließ. Es war eine Art gurgelnder, halberstickter Schrei.
Er ertönte wieder, und diesmal war andeutungsweise das Wort ›Hilfe‹ zu verstehen. Er kam aus dem Grundstück jenseits der Mauer, an der er gerade entlangging.
Ohne auch nur einen Augenblick zu zögern, stieß Major Wilbraham das gebrechliche Gartentor auf und rannte die von Unkraut überwucherte Auffahrt hinauf. In einem Gebüsch wehrte sich ein Mädchen verzweifelt gegen den Griff zweier riesiger Neger. Sich krümmend, windend und mit den Füßen stoßend, lieferte sie einen tapferen Kampf. Trotz ihrer wütenden Anstrengungen, den Kopf frei zu bekommen, hielt ihr der eine Neger den Mund zu.
Völlig von ihrer Auseinandersetzung mit dem Mädchen beansprucht, hatte keiner der Neger Wilbrahams Annäherung bemerkt. Zum erstenmal wurde ihnen seine Anwesenheit bewußt, als ein gewaltiger Schlag gegen die Kinnlade jenen Neger, der dem Mädchen den Mund zuhielt, rücklings zu Boden warf. Vor Überraschung wie gelähmt, lockerte der andere den Griff, mit dem er das Mädchen festhielt, und drehte sich um. Wilbraham war darauf vorbereitet. Wieder schoß seine Faust vor; der Neger taumelte zurück und fiel hin. Wilbraham wandte sich dem anderen zu, der sich ihm von hinten näherte.
Aber die beiden Männer hatten bereits genug. Der zweite rollte sich auf die Seite, setzte sich auf, sprang dann hoch und rannte plötzlich in Richtung der Gartenpforte. Sein Genosse folgte ihm dichtauf. Wilbraham machte sich sofort an ihre Verfolgung, überlegte es sich dann jedoch anders und kehrte zu dem Mädchen zurück, das keuchend an einem Baumstamm lehnte.
»Oh, ich danke Ihnen!« sagte sie, nach Luft ringend. »Es war entsetzlich.«
Zum erstenmal sah Major Wilbraham, wem er eigentlich – gerade noch rechtzeitig – zu Hilfe geeilt war. Es war ein Mädchen von vielleicht ein- oder zweiundzwanzig Jahren, blond, blauäugig und auf farblose Weise hübsch.
»Wenn Sie nicht gekommen wären!« sagte sie schweratmend.
»Schön ruhig«, sagte Wilbraham besänftigend. »Jetzt ist alles wieder gut. Ich glaube, wir sollten lieber von hier verschwinden. Möglicherweise kommen diese Kerle noch einmal zurück.«
Ein leises Lächeln zeigte sich auf den Lippen des Mädchens. »Das

glaube ich nicht – nach allem, wie Sie mit den beiden umgesprungen sind. Ach, Sie waren hinreißend!«
In der Wärme ihres bewundernden Blickes wurde Major Wilbraham rot. »Aber nicht doch«, sagte er verwirrt. »Das war gar nichts Besonderes und selbstverständlich. Damen belästigt man nicht. Sagen Sie: können Sie gehen, wenn Sie meinen Arm nehmen? Es war ein fürchterlicher Schock – ich weiß.«
»Ich bin jetzt wieder in Ordnung«, sagte das Mädchen. Dennoch nahm sie den angebotenen Arm. Sie war doch noch ein bißchen zittrig. Als sie durch die Pforte gingen, blickte sie noch einmal schnell zu dem Haus zurück. »Ich verstehe es nicht«, murmelte sie. »Das Haus steht doch ganz deutlich leer.«
»Leerstehen tut es, das stimmt«, bestätigte der Major, der die geschlossenen Fensterläden und die ganze verkommene Atmosphäre bemerkte.
»Und Whitefriars heißt es auch.« Sie deutete auf einen kaum mehr leserlichen Namen an der Pforte. »So hieß das Haus, zu dem ich gehen sollte.«
»Machen Sie sich jetzt doch darüber keine Gedanken«, sagte Wilbraham. »Gleich sind wir in einer Gegend, wo wir bestimmt ein Taxi finden. Dann fahren wir irgendwohin und trinken eine Tasse Kaffee.«
Am Ende der Straße kamen sie in eine belebtere Gegend, und wie der Zufall es wollte, hatte ein Taxi gerade einen Fahrgast vor einem der Häuser abgesetzt. Wilbraham winkte den Wagen heran, nannte dem Fahrer eine Adresse, und sie stiegen ein.
»Versuchen Sie nicht zu sprechen«, ermahnte er seine Begleiterin. »Lehnen Sie sich zurück. Sie haben Fürchterliches erlebt.«
Dankbar lächelte sie ihn an.
»Übrigens – äh – mein Name ist Wilbraham.«
»Und ich heiße Clegg – Freda Clegg.«
Zehn Minuten später nippte Freda an einer Tasse heißen Kaffees und blickte ihren Befreier über den kleinen Tisch hinweg dankbar an.
»Es kommt mir vor wie ein Traum«, sagte sie. »Wie ein böser Traum.« Sie erschauerte. »Und noch vor ganz kurzer Zeit wünschte ich, es würde irgend etwas passieren – irgend etwas! Ach nein, Abenteuer liegen mir doch nicht.«
»Jetzt erzählen Sie mir erst einmal, wie es dazu gekommen ist.«
»Ach Gott, wenn ich es Ihnen genau erzählte, fürchte ich, daß ich auch sehr viel über mich selbst erzählen muß.«

»Ein ausgezeichnetes Thema«, sagte Wilbraham mit einer leichten Verbeugung.

»Ich bin Waise. Mein Vater – er war Kapitän – starb, als ich acht Jahre alt war. Meine Mutter ist vor drei Jahren gestorben. Ich bin in der City beschäftigt, bei der Vacuum Gas Company – als Angestellte. In der vergangenen Woche saß zu Hause ein Herr, der auf mich wartete. Es war ein Rechtsanwalt, ein Mr. Reid aus Melbourne.

Er war sehr höflich und stellte mir verschiedene Fragen nach meiner Familie. Er erklärte, er hätte meinen Vater vor vielen Jahren persönlich gekannt. Genaugenommen hatte er einige Geschäfte für meinen Vater abgewickelt. Dann kam er zum Zweck seines Besuches. ›Miss Clegg‹, sagte er, ›ich habe Grund zu der Annahme, daß Sie möglicherweise in den Genuß einer finanziellen Transaktion kommen, die von Ihrem Vater etliche Jahre vor seinem Tod eingeleitet wurde.‹ Ich war natürlich äußerst überrascht.

›Es ist sehr unwahrscheinlich, daß Sie bisher irgend etwas über diese Angelegenheit erfahren haben‹, erklärte Mr. Reid. ›Ich kann mir vorstellen, daß John Clegg die Affäre überhaupt nicht ernstgenommen hat. Unerwarteterweise hat sie sich jedoch äußerst günstig entwickelt; allerdings fürchte ich, daß jeder Anspruch, den Sie erheben, davon abhängen dürfte, daß sich bestimmte Papiere in Ihrem Besitz befinden. Diese Papiere gehörten zum Vermögen Ihres Vaters, und es ist natürlich gut möglich, daß sie als wertlos vernichtet worden sind. Besitzen Sie vielleicht noch irgendwelche Unterlagen von Ihrem Vater?‹

Ich erklärte, daß meine Mutter verschiedene Sachen meines Vaters in einer alten Seekiste aufbewahrt hätte. Aus Neugierde hätte ich einmal ihren Inhalt durchgesehen, aber nichts entdeckt, was von Interesse war.

›Sie würden die Bedeutung dieser Dokumente vermutlich auch gar nicht merken‹, sagte er lächelnd.

Ich öffnete also die Kiste, holte die wenigen Papiere heraus, die noch darin lagen, und gab sie ihm. Er blätterte sie durch, meinte jedoch, daß man beim flüchtigen Durchsehen unmöglich sagen könnte, ob sie mit der fraglichen Angelegenheit in einem Zusammenhang stünden. Er würde sie daher mitnehmen und sich wieder mit mir in Verbindung setzen, wenn sich irgend etwas herausstellen sollte.

Am Sonnabend erhielt ich mit der letzten Post einen Brief von

ihm, in welchem er vorschlug, ich sollte zu ihm nach Hause kommen, um weiter über den Fall zu sprechen. Er teilte mir auch die Adresse mit: Whitefriars, Friars Lane, Hampstead. Heute vormittag um Viertel vor elf sollte ich dort sein.
Weil die Straße nicht einfach zu finden war, hatte ich mich etwas verspätet. Ich lief also durch die Gartenpforte und auf das Haus zu, als plötzlich die beiden schrecklichen Männer aus dem Gebüsch auf mich lossprangen. Ich hatte gar keine Zeit zum Schreien. Der eine hielt mir sofort den Mund zu. Ich verrenkte mir fast den Hals, um meinen Kopf frei zu bekommen und um Hilfe zu rufen. Glücklicherweise hörten Sie mich. Und wenn Sie nicht gewesen wären ...« Sie verstummte. Ihr Blick war vielsagender als alle Worte.
»Ich bin heilfroh, daß ich zufällig zur Stelle war. Bei Gott – am liebsten würde ich mir diese beiden Bestien einmal vorknöpfen. Kennen tun Sie die beiden sicher nicht?«
Sie schüttelte den Kopf. »Was hat das Ihrer Ansicht nach wohl zu bedeuten?«
»Schwer zu sagen. Aber eines scheint doch ziemlich sicher. Unter den Papieren Ihres Vaters ist irgend etwas, das irgend jemand haben will. Dieser Reid hat Ihnen bestimmt ein Märchen erzählt, um Gelegenheit zu bekommen, die Papiere genau durchzusehen. Offenbar hat er dabei nicht gefunden, was er suchte.«
»Oh«, sagte Freda. »Jetzt fällt es mir wieder ein. Als ich am Sonnabend nach Hause kam, hatte ich das Gefühl, daß jemand in meinen Sachen herumgewühlt hatte. Um ehrlich zu sein: ich hatte schon meine Wirtin im Verdacht, sie hätte aus Neugier in meinem Zimmer herumgeschnüffelt. Aber jetzt ...«
»Sie können sich darauf verlassen, daß Ihre Wirtin es nicht war. Irgend jemand hat sich Zutritt zu Ihrem Zimmer verschafft und es durchsucht, ohne jedoch zu finden, was er holen wollte. Er hatte den Verdacht, Sie kennten den Wert des Papiers, was es auch gewesen sein mag, und nahm an, Sie trügen es deshalb bei sich. Folglich plante er diesen hinterhältigen Überfall. Hätten Sie es bei sich gehabt, hätte er es Ihnen abgenommen; wenn nicht, hätte er Sie eingesperrt und versucht, aus Ihnen herauszubringen, wo es versteckt ist.«
»Aber was kann es denn nur sein?« rief Freda.
»Das weiß ich nicht. Da er sich aber soviel Mühe macht, muß es für ihn von einigem Wert sein.«
»Das ist doch unvorstellbar!«

»Ach, das will ich nicht unbedingt sagen. Ihr Vater war Seemann. Er kam in ziemlich abgelegene Gegenden. Vielleicht ist er dabei auf eine Sache gestoßen, deren wahrer Wert ihm niemals klargeworden ist.«
»Glauben Sie das wirklich?« Eine leichte Röte der Aufregung stieg in die blassen Wangen des Mädchens.
»Allerdings! Die Frage ist nur: was machen wir jetzt? Zur Polizei werden Sie, wie ich annehme, nicht gehen wollen?«
»O nein – bitte nicht.«
»Ich bin sehr froh, daß Sie das sagen. Ich kann mir nämlich nicht vorstellen, was die Polizei dabei nützen soll, und für Sie würde es doch nur Unannehmlichkeiten bedeuten. Ich mache Ihnen daher den Vorschlag, daß Sie mir erlauben, Sie irgendwo zum Essen einzuladen, und daß ich Sie dann nach Hause begleite, damit ich sicher bin, daß Sie dort gesund ankommen. Und dann könnten wir vielleicht auch nach dem Papier suchen. Weil es nämlich irgendwo sein muß – verstehen Sie?«
»Vielleicht hat Vater es selbst vernichtet?«
»Das ist natürlich möglich, aber die andere Seite ist offenbar nicht dieser Ansicht, und damit sieht die Geschichte für uns ziemlich hoffnungsvoll aus.«
»Um was kann es sich Ihrer Meinung nach wohl handeln? Um einen verborgenen Schatz?«
»Bei Gott – das wäre möglich!« rief Major Wilbraham, und diese Anregung ließ bei ihm das Kind im Manne voller Freude auferstehen. »Aber jetzt, Miss Clegg, wird erst einmal gegessen!«
Es war für die beiden eine angenehme Mahlzeit. Wilbraham erzählte Freda sein ganzes Leben in Ostafrika. Er schilderte Elefantenjagden, und das Mädchen war hingerissen. Nach der Mahlzeit bestand er darauf, sie in einem Taxi nach Hause zu bringen.
Sie wohnte in der Nähe von Notting Hill Gate. Als sie dort ankamen, hatte Freda eine kurze Unterhaltung mit ihrer Wirtin. Dann kehrte sie zu Wilbraham zurück und führte ihn in die zweite Etage, wo sie ein winziges Schlafzimmer und ein ebenso winziges Wohnzimmer gemietet hatte.
»Es ist genauso, wie wir angenommen haben«, sagte sie. »Am Sonnabend vormittag erschien ein Mann, der eine elektrische Leitung legen wollte; er erklärte, in meinem Zimmer müßte in der Leitung ein Kurzschluß sein. Und er hielt sich hier eine ganze Weile auf.«

»Zeigen Sie mir die Seekiste Ihres Vaters«, sagte Wilbraham.
Freda zeigte ihm die messingbeschlagene Kiste. »Sehen Sie«, sagte sie und klappte den Deckel hoch, »sie ist leer.«
Der Soldat nickte nachdenklich. »Und irgendwo anders haben Sie keine Papiere aufbewahrt?«
»Ganz bestimmt nicht. Mutter hat alles immer hier hineingetan.«
Wilbraham prüfte das Innere der Kiste. Plötzlich stieß er einen Ruf aus. »Hier ist ein Schlitz im Futter.« Sorgsam schob er seine Hand hinein und tastete herum. Ein leises Knistern belohnte ihn. »Irgend etwas ist hier hineingerutscht.«
Im nächsten Augenblick hatte er seinen Fund herausgezogen: ein mehrmals zusammengefaltetes Stück schmutzigen Papiers. Er glättete es auf dem Tisch; Freda blickte ihm über die Schulter. Sie stieß dabei einen Ruf der Enttäuschung aus.
»Das sind doch bloß ein paar komische Zeichen!«
»Das Ding ist in Swahili geschrieben. Ausgerechnet in Swahili!« rief Major Wilbraham. »Das ist ein ostafrikanischer Eingeborenendialekt, verstehen Sie?«
»Wie merkwürdig!« sagte Freda. »Können Sie es denn lesen?«
»Einigermaßen. Aber erstaunlich ist es schon.« Er trat mit dem Papier ans Fenster.
»Hat es etwas zu bedeuten?« fragte Freda bebend. Wilbraham las es zum zweitenmal durch, und dann kam er zu dem Mädchen zurück. »Ja«, sagte er leise lachend, »hier haben Sie tatsächlich Ihren verborgenen Schatz.«
»Meinen verborgenen Schatz? Das ist doch nicht wahr! Meinen Sie damit spanisches Gold – eine untergegangene Galione – oder etwas Ähnliches?«
»Vielleicht ist es nicht ganz so romantisch. Aber es läuft aufs gleiche hinaus. Auf diesem Papier ist das Versteck angegeben, in dem Elfenbein verborgen ist.«
»Elfenbein?« fragte das Mädchen erstaunt.
»Ja. Von Elefanten, verstehen Sie? Es gibt ein Gesetz, das genau vorschreibt, wieviel Elefanten man schießen darf. Irgendein Jäger hat es geschafft, dieses Gesetz in erheblichem Umfang zu umgehen. Man war ihm bereits auf der Spur, als er das Zeug versteckte. Es muß eine gewaltige Menge sein – und dieser Zettel enthält ziemlich genaue Angaben, wie man zu diesem Versteck kommt. Hören Sie zu: dieser Sache müssen wir – Sie und ich – unbedingt nachgehen.«

»Sie meinen, daß eine Menge Geld darin steckt?«
»Ein ganz hübsches Vermögen für Sie.«
»Aber wie ist dieses Papier unter die Sachen meines Vaters geraten?«
Wilbraham zuckte die Schultern. »Vielleicht hat der Bursche im Sterben gelegen oder so ähnlich. Vielleicht hat er das Ding vorsichtshalber in Swahili geschrieben und es Ihrem Vater gegeben, der mit ihm irgendwie befreundet war. Und da Ihr Vater es nicht lesen konnte, maß er ihm auch keine Bedeutung bei. Das ist zwar nur eine Vermutung, aber ich wage zu behaupten, daß sie nicht allzusehr neben das Ziel schießt.«
Freda stieß einen Seufzer aus. »Wie schrecklich aufregend!«
»Die Frage ist nur: was machen wir jetzt mit diesem kostbaren Dokument«, sagte Wilbraham. »Hierlassen möchte ich es nicht gern. Die Kerle könnten wiederkommen und noch einmal nachsuchen. Mir würden Sie es wahrscheinlich nicht gern anvertrauen?«
»Aber natürlich würde ich das! Aber – könnte es für Sie nicht gefährlich sein?« stammelte sie.
»Ich bin ein zäher Bursche«, sagte Wilbraham grimmig. »Meinetwegen brauchen Sie sich keine Gedanken zu machen.« Er faltete das Papier zusammen und legte es in seine Brieftasche. »Darf ich Sie morgen abend wiedersehen?« fragte er. »Bis dahin habe ich dann auch einen Plan ausgearbeitet und die verschiedenen Orte auf meiner Karte nachgesehen. Um welche Zeit kommen Sie aus der City nach Hause?«
»Gegen halb sieben komme ich nach Hause.«
»Großartig. Wir werden ein Palaver veranstalten, und anschließend darf ich Sie dann vielleicht zum Essen ausführen. Das müssen wir nämlich feiern. Also bis morgen um halb sieben!«
Pünktlich erschien Major Wilbraham am folgenden Tag. Er läutete und fragte nach Miss Clegg. Ein Dienstmädchen hatte die Tür geöffnet.
»Miss Clegg? Sie ist weggegangen.«
»Ach!« Wilbraham wollte nicht den Vorschlag machen, im Haus zu warten. »Ich komme nachher noch einmal vorbei«, sagte er.
Wartend wanderte er auf der Straße hin und her; von Minute zu Minute rechnete er damit, daß Freda auf ihn zu trippeln würde. Die Minuten verstrichen. Viertel vor sieben. Sieben. Viertel nach sieben. Immer noch keine Freda. Ein Gefühl des Unbehagens überkam ihn. Er kehrte zu dem Haus zurück und läutete wieder.

»Hören Sie«, sagte er. »Ich hatte mich mit Miss Clegg für halb sieben verabredet. Wissen Sie ganz genau, daß sie nicht zu Hause ist, oder hat sie vielleicht – äh – irgend etwas hinterlassen?«
»Sind Sie etwa Major Wilbraham?« fragte das Dienstmädchen.
»Ja.«
»Dann habe ich einen Brief für Sie. Er ist abgegeben worden.«
Wilbraham nahm ihn in Empfang und riß ihn auf. Er hatte folgenden Wortlaut: »Lieber Major Wilbraham, etwas sehr Merkwürdiges ist geschehen. Mehr will ich nicht darüber schreiben, aber können wir uns im Haus Whitefriars treffen? Kommen Sie, sobald Sie können. Ihre ergebene Freda Clegg.«
Wilbraham zog beim Lesen die Augenbrauen zusammen. Geistesabwesend holte seine Hand einen Brief aus der Tasche. Er war an seinen Schneider adressiert. »Ob Sie mir vielleicht mit einer Briefmarke aushelfen könnten?« fragte er das Dienstmädchen.
»Mrs. Parkins wird es wahrscheinlich können.«
Wenig später kehrte sie mit einer Briefmarke zurück. Bezahlt wurde die Marke mit einem Shilling. Gleich darauf befand Wilbraham sich bereits auf dem Weg zur Untergrundbahn, und im Vorübergehen ließ er den Brief in einen Briefkasten fallen.
Fredas Brief hatte ihn höchst unruhig gemacht. Was war der Grund, daß das Mädchen – und noch dazu allein – zum Schauplatz der gestrigen unheilvollen Begegnung gegangen war?
Er schüttelte den Kopf. Etwas Dümmeres hatte ihr wohl nicht einfallen können! War dieser Reid wieder aufgetaucht? War es ihm vielleicht auf irgendeine Art und Weise gelungen, das Vertrauen des Mädchens wiederzugewinnen? Was hatte sie nach Hampstead geführt?
Er blickte auf seine Uhr. Beinahe halb acht. Bestimmt hatte sie damit gerechnet, daß er um halb sieben aufbrechen würde. Eine ganze Stunde später also. Zuviel! Wenn sie nur so vernünftig gewesen wäre und ihm irgendeinen Hinweis gegeben hätte!
Der Brief irritierte ihn. Irgendwie paßte sein selbstbewußter Ton nicht zu Freda Clegg.
Es war zehn Minuten vor acht, als er die Friars Lane erreichte. Langsam wurde es dunkel. Er blickte sich aufmerksam um; kein Mensch war zu sehen. Vorsichtig drückte er gegen die morsche Pforte, so daß sie sich lautlos in ihren Angeln drehte. Die Auffahrt war verwaist. Das Haus lag im Dunkeln. Aufmerksam folgte er dem Weg und behielt dabei die beiden Seiten ständig

im Auge. Er hatte nicht die Absicht, sich überraschen zu lassen. Plötzlich blieb er stehen. Für einen kurzen Augenblick war ein Lichtschimmer durch einen der Fensterläden gedrungen. Das Haus stand also nicht leer. Irgend jemand befand sich drinnen.
Leise verschwand Wilbraham im Gebüsch und arbeitete sich zur Rückfront des Gebäudes vor. Schließlich entdeckte er, was er suchte. Im Erdgeschoß war eines der Fenster nicht fest verschlossen. Es war das Fenster zu einer Art Abwaschküche. Er schob es hoch und ließ den Schein der Taschenlampe, die er auf dem Herweg in einem Laden gekauft hatte, durch den leeren Raum wandern; dann kletterte er hinein.
Vorsichtig öffnete er die Tür. Nichts war zu hören. Wieder ließ er die Taschenlampe aufblitzen. Eine Küche – leer. Vor der Küche sah er ein halbes Dutzend Treppenstufen und eine Tür, die offensichtlich zum vordern Teil des Hauses führte.
Er stieß die Tür auf und lauschte. Nichts. Er schlüpfte hindurch. Jetzt befand er sich in der vorderen Diele. Immer noch war kein Laut zu hören. Sowohl auf der rechten als auf der linken Seite befand sich jeweils eine Tür. Er entschloß sich für die rechte, lauschte eine Weile und drückte dann die Klinke hinunter. Sie gab nach. Zentimeter für Zentimeter öffnete er die Tür und trat in das Zimmer.
Wieder ließ er die Taschenlampe aufblitzen. Der Raum war unmöbliert und kahl.
Genau in diesem Moment hörte er hinter sich ein Geräusch, fuhr herum – aber zu spät. Irgend etwas landete auf seinem Kopf, und er stürzte vornüber in Bewußtlosigkeit ...
Wieviel Zeit verstrichen war, bis er das Bewußtsein wiedererlangte, konnte Wilbraham nicht sagen. Seine Rückkehr ins Leben war schmerzvoll; sein Kopf dröhnte. Er versuchte, sich zu bewegen, und stellte fest, daß es unmöglich war. Er war mit Stricken gefesselt.
Plötzlich konnte er wieder vollkommen klar denken. Jetzt erinnerte er sich. Er hatte einen Schlag auf den Kopf bekommen.
Ein schwacher Schimmer hoch oben an der Wand verriet ihm, daß er sich in einem kleinen Keller befand. Er sah sich um, und sein Herz machte einen Satz. Etwa einen Meter vor ihm entfernt lag Freda, gefesselt wie er selbst. Ihre Augen waren geschlossen; aber noch während er sie besorgt anschaute, seufzte sie, und ihre Augen öffneten sich. Ihr verwirrter Blick fiel auf ihn, und als sie ihn erkannte, leuchteten sie freudig auf.

»Sie auch!« sagte sie. »Was ist geschehen?«
»Ich habe Sie fürchterlich im Stich gelassen«, sagte Wilbraham. »Kopfüber bin ich in die Falle gestolpert. Sagen Sie – haben Sie mir einen Brief geschickt, ich solle mich hier mit Ihnen treffen?«
Vor Erstaunen wurden die Augen des Mädchens ganz groß. »Ich? Aber Sie waren es doch, der mir einen Brief schickte!«
»Ach so, ich habe Ihnen einen Brief geschickt?«
»Ja. Im Büro habe ich ihn bekommen. Sie schrieben, ich solle mich nicht bei mir zu Hause, sondern hier mit Ihnen treffen.«
»Bei beiden von uns also dieselbe Methode«, ächzte er, und dann erklärte er ihr alles.
»Ich verstehe«, sagte Freda. »Und die Idee bei dem ganzen war...«
»Das Papier zu bekommen. Man muß uns gestern verfolgt haben. Auf diese Weise sind sie auf meine Spur gekommen.«
»Und – haben sie es bekommen?« fragte Freda.
»Unglücklicherweise kann ich leider nicht nachsehen«, sagte der Soldat und betrachtete reuevoll seine gefesselten Hände.
Und dann fuhren beide zusammen. Denn eine Stimme sprach – eine Stimme, die aus der leeren Luft zu kommen schien.
»Ja, vielen Dank«, sagte sie. »Jetzt habe ich es. Daran besteht kein Irrtum mehr.«
Die unsichtbare Stimme ließ beide erschauern.
»Mr. Reid«, murmelte Freda.
»Reid ist nur einer meiner Namen, meine liebe junge Dame«, sagte die Stimme. »Nur einer von vielen. Denn ich habe sehr viele Namen. Leider muß ich feststellen, daß ihr beide meine Pläne gestört habt – eine Sache, die ich nicht zulassen kann. Daß Sie das Haus entdeckt haben, ist eine sehr ernste Angelegenheit. Noch haben Sie es nicht der Polizei verraten, aber diese Möglichkeit besteht weiterhin.
Ich befürchte sehr, daß ich euch in dieser Angelegenheit nicht trauen kann. Versprechen könnt ihr mir viel – aber gehalten wird ein Versprechen nur selten. Und ihr müßt verstehen, daß dieses Haus für mich sehr nützlich ist. Es ist, wie man so sagt, eine Verrechnungsstelle – ein Haus, von dem es keine Wiederkehr gibt. Wer einmal hier ist, landet anderswo. Es tut mir zwar leid, aber auch ihr beide werdet anderswo landen. Bedauerlich – aber notwendig!«
Die Stimme schwieg sekundenlang, um dann fortzufahren.
»Ohne Blutvergießen. Ich verabscheue so etwas. Meine Methode

ist viel einfacher – und, soweit ich orientiert bin, auch lange nicht so schmerzvoll. Aber ich muß jetzt weiter. Guten Abend – ihr zwei beide!«
»Hören Sie zu!« Jetzt war es Wilbraham, der sprach. »Machen Sie mit mir, was Sie wollen. Aber diese junge Dame hat nichts getan – gar nichts. Es dürfte Ihnen doch nichts ausmachen, sie freizulassen.«
Es ertönte jedoch keine Antwort.
Im gleichen Augenblick stieß Freda einen Schrei aus. »Wasser – das Wasser!«
Trotz der damit verbundenen Schmerzen drehte Wilbraham sich um und schaute in die Richtung ihres Blickes. Aus einem Loch nahe der Decke quoll ständig Wasser.
Freda schrie hysterisch auf. »Man will uns ertränken!«
Auf Wilbrahams Stirn brach der Schweiß aus. »Noch sind wir nicht am Ende«, sagte er. »Wir werden um Hilfe rufen. Bestimmt hört uns irgend jemand. Los, und zwar zusammen!«
Sie schrien und brüllten, so laut sie konnten. Und erst als sie heiser waren, hörten sie damit auf.
»Ich fürchte, es hat keinen Sinn«, sagte Wilbraham betrübt. »Der Keller liegt zu tief, und wahrscheinlich sind die Türen abgedichtet. Und ich bin überzeugt, daß diese Bestie uns geknebelt hätte, wenn die Möglichkeit bestünde, uns zu hören.«
»Oh!« rief Frieda. »Und das alles ist meine Schuld. Ich habe Sie in diese Sache hineingezogen!«
»Darüber brauchen Sie sich nun wirklich keine Gedanken zu machen, meine Kleine. Vielmehr sind Sie es, um die ich mich sorge. Ich persönlich habe schon mehr als einmal in einer ziemlichen Klemme gesteckt und bin immer wieder herausgekommen. Verlieren Sie nur nicht den Mut. Ich bringe Sie hier schon wieder hinaus. Zeit haben wir genügend. Wenn das Wasser nicht stärker fließt, dauert es noch Stunden, ehe das Schlimmste passiert.«
»Wie wunderbar Sie sind!« sagte Freda. »Noch nie habe ich einen Mann wie Sie kennengelernt – außer in Romanen.«
»Unsinn – dazu braucht man nur eine Portion Vernunft. Aber jetzt muß ich erst einmal diese teuflischen Stricke lockern.«
Nach Ablauf einer Viertelstunde und vielem Zerren und Ziehen hatte Wilbraham das befriedigende Gefühl, daß seine Fesseln einigermaßen locker waren. Es gelang ihm, den Kopf so weit hinunter und die Hände so weit nach oben zu bringen, daß er in der Lage war, die Knoten mit seinen Zähnen zu erreichen.

Nachdem seine Hände frei waren, war das übrige nur noch eine reine Zeitfrage. Verkrampft und erstarrt, aber frei, beugte er sich über das Mädchen. Nach einer Minute war auch sie befreit. Das Wasser reichte ihnen erst bis zu den Knöcheln.
»Und jetzt«, sagte der Soldat, »nichts wie hinaus.«
Die Tür des Kellers lag einige Stufen höher. Major Wilbraham betrachtete sie prüfend.
»Das hier ist nicht schwierig«, sagte er. »Brüchiges Zeug! Die reißt schnell aus den Angeln.« Er lehnte sich mit der Schulter gegen die Tür und drückte kräftig dagegen. Das Holz fing an zu knacken – ein Krachen, und die Tür riß sich aus den Angeln. Draußen befand sich eine Treppe. An ihrem oberen Ende war eine Tür zu erkennen – aber diesmal war es eine Tür aus stabilem Holz, mit Eisen beschlagen.
»Das dürfte etwas schwieriger sein«, sagte Wilbraham. »Nanu – da haben wir aber Glück. Sie ist nicht abgeschlossen!«
Er stieß sie auf, blickte sich um und bedeutete dann dem Mädchen mit einer Kopfbewegung, ihm zu folgen. Sie kamen in einen Gang, der hinter der Küche lag. Im nächsten Augenblick standen sie in der Friars Lane unter den Sternen.
»Oh!« Freda schluchzte ein wenig. »Oh, wie schrecklich war das alles!«
»Mein armer Liebling!« Er nahm sie in die Arme. »Du bist so wunderbar tapfer gewesen. Freda, Liebling – mein Engel – könntest du vielleicht – ich meine, würdest du – ich liebe dich, Freda. Willst du mich heiraten?«
Nach einer entsprechenden Zeit, die für beide Seiten höchst zufriedenstellend verlief, sagte Major Wilbraham mit einem unterdrückten Lachen: »Und noch wichtiger ist, daß das Geheimnis des Elfenbeinverstecks uns immer noch gehört.«
»Aber sie haben dir das Papier doch abgenommen!«
Wieder lachte der Major. »Genau das haben sie eben nicht! Weißt du – ich habe einen zweiten Zettel mit falschen Angaben beschrieben, und bevor ich heute abend hierher kam, habe ich den richtigen in einen Briefumschlag gesteckt und an meinen Schneider geschickt. Die anderen haben jetzt nur den falschen Plan – und dazu wünsche ich ihnen viel Vergnügen! Weißt du, was wir jetzt machen, Liebstes? Wir fahren in den Flitterwochen nach Ostafrika und suchen das Versteck.«

Mr. Parker Pyne verließ sein Büro und stieg zwei Treppen höher.

Hier, unter dem Dach des Hauses, saß Mrs. Oliver, Verfasserin von Sensationsromanen und jetzt Mitglied von Mr. Pynes Stab. Mr. Parker Pyne klopfte an die Tür und trat ein. Mrs. Oliver saß an einem Tisch, auf dem sich eine Schreibmaschine, verschiedene Notizbücher und ein großes Durcheinander von Manuskriptseiten sowie eine große Tüte mit Äpfeln befanden.
»Eine sehr gute Geschichte, Mrs. Oliver«, sagte Mr. Parker Pyne heiter.
»Ist es gutgegangen?« fragte Mrs. Oliver. »Das freut mich.«
»Die Sache mit dem Wasser im Keller«, sagte Mr. Parker Pyne. »Glauben Sie nicht, daß sich für zukünftige Fälle – vielleicht – etwas Originelleres ...« Er machte diesen Vorschlag mit entsprechender Schüchternheit.
Mrs. Oliver schüttelte den Kopf und holte einen Apfel aus der Tüte. »Das glaube ich nicht, Mr. Pyne. Sehen Sie: die Leute sind daran gewöhnt, solche Dinge zu lesen. Wasser, das in den Keller läuft, Giftgas und so weiter. Weil sie darüber bereits Bescheid wissen, bedeutet es für sie eine besonders große Aufregung, wenn sie es nun endlich selbst erleben. Das Publikum ist konservativ, Mr. Pyne. Es hat eine besondere Vorliebe für die alten abgedroschenen Kniffe.«
»Na ja, Sie müssen es wissen«, gab Mr. Parker Pyne zu; dabei dachte er auch an die sechsundvierzig erfolgreichen Romane der Autorin, die alle in England und Amerika zu Bestsellern geworden waren und von denen freie Übertragungen ins Französische, Deutsche, Italienische, Ungarische, Finnische, Japanische und Abessinische existierten. »Und die Kosten?«
Mrs. Oliver schob ihm einen Zettel hin. »Alles in allem sehr bescheiden. Percy und Jerry, die beiden Neger, bekommen nicht viel. Lorrimer, der Schauspieler, hatte sich bereit erklärt, die Rolle des Mr. Reid für fünf Guineen zu übernehmen. Und die Sache im Keller hatten wir natürlich auf Platte aufgenommen.«
»Whitefriars ist für mich bisher äußerst nutzbringend gewesen«, sagte Mr. Pyne. »Ich habe es für ein Butterbrot gekauft, und mittlerweile ist es der Schauplatz von elf aufregenden Dramen gewesen.«
»Ach, das habe ich ganz vergessen«, sagte Mrs. Oliver. »Johnnys Honorar. Fünf Shilling.«
»Wer ist Johnny?«
»Der Junge, der mit Wasserkannen das Wasser durch das Loch in den Keller gegossen hat.«

»Ja, richtig! Übrigens, Mrs. Oliver – woher können Sie Swahili?«
»Das kann ich gar nicht.«
»Aha. Wahrscheinlich also das Britische Museum?«
»Nein – Delfridges Informationsbüro.«
»Wie wunderbar sind doch die Quellen des modernen Handels«, murmelte er.
»Das einzige, was mir Kummer macht«, sagte Mrs. Oliver, »ist, daß diese beiden jungen Leute keinen Elfenbeinschatz finden werden, wenn sie hinfahren.«
»Man kann auf dieser Welt nicht alles haben«, sagte Mr. Parker Pyne. »Statt dessen haben sie ihre Flitterwochen.«

Mrs. Wilbraham saß in einem Liegestuhl. Ihr Mann schrieb gerade einen Brief. »Welches Datum haben wir heute, Freda?«
»Den Sechzehnten.«
»Den Sechzehnten, bei Gott!«
»Was ist denn, Liebster?«
»Nichts. Mir fiel nur eben ein Mann mit Namen Jones ein.«
Auch wenn man noch so glücklich verheiratet ist, gibt es bestimmte Dinge, über die man nicht spricht.
Verdammt noch mal, überlegte Major Wilbraham, *eigentlich hätte ich doch noch vorbeigehen und mir das Geld zurückgeben lassen sollen.* Da er jedoch ein gerechter Mann war, betrachtete er auch die Kehrseite der Frage. *Schließlich habe ich den Vertrag nicht eingehalten. Wenn ich Jones aufgesucht hätte, wäre wahrscheinlich auch irgend etwas passiert. Und wie sich inzwischen herausgestellt hat, hätte ich Fredas Hilferufe nie gehört und sie nie kennengelernt, wenn ich nicht gerade zu diesem Jones unterwegs gewesen wäre. Folglich hat er indirekt also beinahe einen Anspruch auf jene fünfzig Pfund!*
Auch Mrs. Wilbraham verfolgte einen bestimmten Gedankengang. *Wie konnte ich nur so albern sein, das Inserat ernst zu nehmen und diesen Leuten noch drei Guineen zu bezahlen! Natürlich haben sie nichts dafür getan, so daß auch nichts passiert ist. Wenn ich vorher nur geahnt hätte, was alles passierte – zuerst dieser Mr. Reid, und dann die seltsame und romantische Art und Weise, wie Charlie in mein Leben trat. Und wenn ich überlege, daß ich ihm eigentlich nur aus purem Zufall begegnet bin!*
Sie wandte sich um und lächelte ihren Mann bewundernd an.

Der Fall der enttäuschten Hausfrau

Ein viermaliges Grunzen, eine unwillige Stimme, die fragte, warum eigentlich niemand seinen Hut in Ruhe lassen könnte, eine zugeknallte Tür, und Mr. Packington hatte sich auf den Weg gemacht, um den Zug um acht Uhr fünfundvierzig noch zu erreichen. Mrs. Packington setzte sich wieder an den Frühstückstisch. Ihr Gesicht war gerötet, ihre Lippen waren verzerrt, und der einzige Grund, warum sie nicht weinte, war, daß ihr Kummer in der letzten Minute von Ärger abgelöst worden war.
»Ich halte es nicht mehr aus«, sagte Mrs. Packington. »Ich halte es nicht mehr aus!« Grübelnd blieb sie noch eine kurze Weile so sitzen, und dann murmelte sie: »Diese Göre! Diese gemeine und gerissene Katze! Wie kann George nur so dumm sein!«
Der Ärger verschwand; der Kummer kehrte wieder zurück. Tränen stiegen Mrs. Packington in die Augen und rollten langsam die nicht mehr jungen Wangen hinunter.
»Es ist schön und gut, wenn man sagt, man hielte es nicht mehr aus – aber was kann ich dabei tun?«
Plötzlich kam sie sich allein, hilflos und völlig verloren vor. Langsam griff sie nach der Morgenzeitung und las, nicht zum erstenmal, auf der Titelseite eine Anzeige.

PERSÖNLICHES
Sind Sie glücklich? Wenn nicht, besuchen Sie Mr. Parker Pyne, 17 Richmond Street
FLORA – ich warte schon so lange!
Franz. Familie nimmt Paying Guests auf, 15 Min. v. Paris, gr. Haus auf eig. Grundstück

»Albern!« sagte Mrs. Packington. »Richtig albern!« Und dann: »Aber erkundigen könnte ich mich vielleicht . . .«
Was erklärt, daß Mrs. Packington um elf Uhr, ein wenig aufgeregt, in Mr. Parker Pynes Privatbüro geführt wurde.
Wie bereits gesagt, war Mrs. Packington ein wenig aufgeregt,

aber auf völlig unerklärliche Weise vermittelte der bloße Anblick Mr. Parker Pynes ein Gefühl der Geborgenheit. Mr. Pyne war stattlich, um nicht zu sagen: dick. Er hatte einen kahlen, eindrucksvoll geformten Schädel, starke Brillengläser und kleine blinzelnde Augen.

»Nehmen Sie bitte Platz«, sagte Mr. Parker Pyne. »Sie sind auf Grund meiner Anzeige hierhergekommen?« fügte er hilfsbereit hinzu.

»Ja«, sagte Mrs. Packington und verstummte wieder.

»Und Sie sind nicht glücklich«, sagte Mr. Parker Pyne in heiterem und sachlichem Tonfall. »Das sind nur sehr wenige. Sie wären erstaunt, wenn Sie wüßten, wie wenige Leute glücklich sind.«

»Wirklich?« sagte Mrs. Packington, ohne jedoch anzunehmen, es sei wichtig, ob andere Leute glücklich sind oder nicht.

»Das interessiert Sie nicht – ich weiß«, sagte Mr. Parker Pyne, »aber für mich ist es sehr interessant. Sehen Sie: fünfundvierzig Jahre meines Lebens war ich damit beschäftigt, in einem Regierungsbüro Statistiken zusammenzustellen. Jetzt bin ich pensioniert, und da bin ich auf den Gedanken verfallen, diese Erfahrung zu verwerten – und zwar auf neuartige Weise. Alles ist ganz einfach. Wenn ein Mensch unglücklich ist, kann man diesen Zustand in vier hauptsächliche Rubriken einordnen – mehr sind es nicht, das versichere ich Ihnen. Sobald man erst einmal die Ursache eines Leidens kennt, ist eine Heilung keineswegs unmöglich.

Ich nehme eine Stellung ein, die der eines Arztes entspricht. Der Arzt diagnostiziert die Erkrankung des Patienten, und dann erst empfiehlt er eine bestimmte Behandlung. Es gibt Fälle, in denen keine Behandlung von Nutzen ist. Wenn dies der Fall ist, sage ich offen, daß ich nichts tun kann. Ich versichere Ihnen jedoch, Mrs. Packington, daß ich für die Heilung praktisch garantiere, wenn ich einen Fall übernehme.«

War so etwas möglich? War alles nur Unsinn, oder stimmte es vielleicht doch? Hoffnungsvoll blickte Mrs. Packington ihn an.

»Sollen wir Ihren Fall erst einmal diagnostizieren?« sagte Mr. Parker Pyne lächelnd. Er lehnte sich weit zurück und legte die Fingerspitzen zusammen. »Der Kummer betrifft Ihren Mann. Ihre Ehe war, alles in allem glücklich. Ihr Mann hat, wie ich annehme, beruflich Erfolg gehabt. Ich glaube, daß eine junge Dame in diesen Fall verwickelt ist – vielleicht eine junge Dame aus dem Büro Ihres Mannes.«

»Eine Stenotypistin«, sagte Mrs. Packington. »Ein gemeines, aufgedonnertes Mädel – nichts als Lippenstift, seidene Strümpfe und Locken.« Diese Worte sprudelten nur so aus ihr heraus.
Mr. Parker Pyne nickte besänftigend. »Es ist überhaupt nichts dabei – das ist die Redensart Ihres Mannes, wie ich annehme.«
»Genau das sagt er immer.«
»Warum also sollte er sich nicht der reinen Freundschaft mit dieser jungen Dame erfreuen und daran gehindert werden, ein wenig Glanz und Freude in ihr so trübes Leben zu bringen? Das arme Kind, es hat so wenig Spaß am Leben. Das sind, wie ich mir vorstelle, seine Ansichten.«
Mrs. Packington nickte mit großem Nachdruck. »Humbug – alles nur Humbug! Er geht mit ihr an die Themse – ich selbst gehe auch gern dorthin, aber vor fünf oder sechs Jahren sagte er, das würde sich schlecht mit seinem Golfspiel vereinbaren lassen. Ihretwegen hat er das Golfspiel jedoch sogar aufgegeben. Ich gehe gern ins Theater – George hat immer gesagt, er wäre abends zu müde zum Ausgehen. Jetzt geht er mit ihr zum Tanzen – stellen Sie sich vor: zum Tanzen! Und kommt um drei Uhr morgens nach Haus. Ich – ich ...«
»Und zweifellos beklagt er die Tatsache, daß Frauen so eifersüchtig, so unvernünftig eifersüchtig sind, wenn im Grund überhaupt kein Anlaß für Eifersucht existiert?«
Wieder nickte Mrs. Packington. »So ist es!« Mißtrauisch fragte sie: »Woher wissen Sie denn das alles?«
»Aus den Statistiken«, sagte Mr. Parker Pyne schlicht.
»Ich bin so unglücklich«, sagte Mrs. Packington. »Ich bin George immer eine gute Ehefrau gewesen. Früher habe ich mich bis zur Erschöpfung abgeplagt. Ich habe ihm geholfen weiterzukommen. Nie habe ich einen anderen Mann auch nur angesehen. Seine Sachen waren immer gestopft, er bekam gut zu essen, und sein Haushalt wurde von mir gut und sparsam geführt. Und jetzt, wo wir es endlich geschafft haben, uns verschiedenes leisten könnten, worauf ich mich damals immer gefreut hatte, weil es eines Tages vielleicht möglich sein würde – da kommt es so!« Sie schluckte schwer.
Mr. Parker Pyne nickte ernst. »Ich versichere Ihnen, daß ich Ihren Fall restlos verstehe.«
»Und – können Sie irgend etwas dabei tun?« Fast flüsternd fragte sie dies.
»Aber gewiß, meine liebe Dame. Es gibt ein Heilmittel. O ja, es gibt tatsächlich ein Mittel.«

»Und welches?« Mit großen Augen blickte sie erwartungsvoll.
Mr. Parker Pynes Worte kamen ruhig und fest. »Sie werden sich mir völlig anvertrauen, und das Honorar beträgt zweihundert Guineen.«
»Zweihundert Guineen?«
»Sehr richtig. Ein Honorar in dieser Höhe können Sie bezahlen, Mrs. Packington. Für eine Operation würden Sie diese Summe bestimmt zahlen. Glück ist jedoch genauso wichtig wie körperliche Gesundheit.«
»Die Bezahlung erfolgt wahrscheinlich hinterher?«
»Ganz im Gegenteil«, sagte Mr. Parker Pyne. »Sie bezahlen im voraus.«
Mrs. Packington erhob sich. »Ich fürchte, ich habe leider keine Möglichkeit ...«
»Die Katze im Sack zu kaufen?« sagte Mr. Parker Pyne fröhlich. »Ja, vielleicht haben Sie recht. Eine ganze Menge Geld steht dabei auf dem Spiel. Aber andererseits müssen Sie dahin kommen, daß Sie mir vertrauen – verstehen Sie? Sie zahlen das Geld und bekommen damit eine Chance. Das sind meine Bedingungen.«
»Zweihundert Guineen?«
»Sehr richtig. Zweihundert Guineen. Das ist eine Menge Geld. Auf Wiedersehen, Mrs. Packington. Geben Sie mir bitte Nachricht, wenn Sie Ihre Ansicht geändert haben.« Er schüttelte ihr die Hand und lächelte sie an, ohne im geringsten verärgert zu sein.
Als sie gegangen war, drückte er auf einen Summerknopf an seinem Schreibtisch. Eine abschreckend aussehende junge Frau mit Brille kam daraufhin herein.
»Einen Aktenordner bitte, Miss Lemon. Und vielleicht sagen Sie Claude Bescheid, daß ich ihn wahrscheinlich in Kürze benötige.«
»Eine neue Klientin?«
»Ja, eine neue Klientin. Im Augenblick ist sie zwar noch störrisch, aber sie wird schon zurückkommen. Wahrscheinlich heute nachmittag gegen vier. Lassen Sie sie dann gleich herein und führen Sie sie zu mir ins Büro.«
»Plan A?«
»Plan A, natürlich. Interessant übrigens, daß jeder glaubt, sein Fall wäre einmalig. Na schön – sagen Sie Claude Bescheid. Und sagen Sie ihm gleich: nicht zu fremdländisch! Kein Parfüm, und die Haare soll er sich lieber kürzer schneiden lassen.«
Es war Viertel nach vier, als Mrs. Packington das Büro von Mr.

Parker Pyne betrat. Sie holte ein Scheckheft hervor, schrieb einen Scheck aus und gab ihn ihrem Gegenüber. Eine Quittung wurde ausgestellt.
»Und jetzt?« Mrs. Packington sah ihn hoffnungsvoll an.
»Und jetzt«, sagte Mr. Parker Pyne lächelnd, »gehen Sie wieder nach Hause. Morgen, mit der Frühpost, erhalten Sie bestimmte Anweisungen, und ich wäre sehr froh, wenn Sie sie genau ausführen würden.«
In einem Zustand freudiger Erwartung ging Mrs. Packington nach Hause. Mr. Packington war bei seiner Heimkehr in abwehrbereiter Stimmung – bereit, seine Ansicht zu beweisen, falls die Szene, die sich beim Frühstück abgespielt hatte, fortgesetzt werden sollte. Erleichtert stellte er jedoch fest, daß seine Frau sich anscheinend nicht in Kampfesstimmung befand. Sie war vielmehr ungewöhnlich nachdenklich.
George hörte Radio und überlegte, ob Nancy, das liebe Kind, wohl erlauben würde, daß er ihr einen Pelzmantel schenkte. Sie war, wie er wußte, sehr stolz. Er wollte sie auf keinen Fall beleidigen. Andererseits hatte sie über die Kälte geklagt. Ihr Tuchmantel war nur ein Fähnchen; wärmen tat er bestimmt nicht. Vielleicht konnte er es so drehen, daß sie nichts dagegen haben würde...
Sie müßten bald wieder einmal abends ausgehen. Es war ein Vergnügen, mit einem Mädchen wie Nancy in ein nettes Restaurant zu gehen. Immer merkte er genau, daß verschiedene junge Burschen ihn beneideten. Sie war auch ungewöhnlich hübsch. Und sie liebte ihn. In ihren Augen war er, wie sie selbst gesagt hatte, kein bißchen alt.
Er blickte auf und merkte, daß seine Frau ihn ansah. Plötzlich fühlte er sich schuldbewußt, was ihn ärgerte. Was war Maria doch nur für eine engstirnige, mißtrauische Frau! Nicht einmal ein kleines bißchen Glück gönnte sie ihm.
Er drehte das Radio ab und ging zu Bett.
Am folgenden Morgen erhielt Mrs. Packington zwei unerwartete Briefe. Der eine bestand aus einem Vordruck, mit welchem ein bekannter Schönheitsspezialist die vereinbarte Behandlung bestätigte. Der zweite war die Bestellung zu einem Schneider. Ein dritter stammte von Mr. Parker Pyne und bat sie um das Vergnügen, am gleichen Tag mit ihm im Ritz zu Mittag zu essen.
Mr. Packington erwähnte, daß er möglicherweise nicht zum Abendbrot nach Hause komme, da er noch eine geschäftliche

Besprechung hätte. Mrs. Packington nickte lediglich geistesabwesend, und als Mr. Packington das Haus verließ, gratulierte er sich selbst, daß er dem Sturm entronnen war.
Der Schönheitsspezialist war unvergeßlich. Soviel Nachlässigkeit! Warum denn nur, Madam? Vor Jahren hätte schon etwas unternommen werden müssen. Jedenfalls war es immer noch nicht zu spät.
Ihr Gesicht wurde bearbeitet; es bekam Kompressen, wurde geknetet und mit Dampf behandelt. Dann wurde es mit Schlamm beschmiert. Dann wurde es mit Crèmes massiert. Dann wurde es mit Puder bestäubt. Und schließlich bekam es den letzten Schliff. Als letztes reichte man ihr einen Spiegel. *Ich glaube, ich sehe tatsächlich jünger aus*, überlegte sie.
Die Anprobe beim Schneider verlief genauso aufregend. Als sie wieder herauskam, hatte sie das Gefühl, hübsch, modern und großartig auszusehen.
Um halb zwei erschien Mrs. Packington zu ihrer Verabredung im Ritz. Mr. Parker Pyne – makellos gekleidet und in eine Atmosphäre besänftigender Ruhe gehüllt – erwartete sie bereits.
»Bezaubernd«, sagte er, und sein erfahrener Blick betrachtete sie von Kopf bis Fuß. »Ich habe mir erlaubt, einen White Lady für Sie zu bestellen.«
Mrs. Packington, die noch keine Erfahrung mit Cocktail-Gewohnheiten besaß, zierte sich nicht. Während sie eifrig an der anregenden Flüssigkeit nippte, lauschte sie ihrem wohlwollenden Lehrmeister.
»Ihr Mann, Mrs. Packington«, sagte Mr. Parker Pyne, »muß in maßloses Erstaunen versetzt werden. Sie verstehen – in Erstaunen versetzt werden! Um dem etwas nachzuhelfen, werde ich Sie mit einem jungen Freund von mir bekannt machen. Sie werden heute mit ihm zu Mittag speisen.«
In diesem Augenblick kam ein junger Mann näher, der sich aufmerksam umblickte. Er erspähte Mr. Parker Pyne und trat höflich an ihren Tisch.
»Mr. Claude Luttrell – Mrs. Packington.«
Mr. Claude Luttrell war vielleicht knapp dreißig. Er war elegant, höflich, tadellos angezogen und äußerst umgänglich.
»Ich freue mich, Sie kennenzulernen«, murmelte er.
Drei Minuten später saß Mrs. Packington ihrem neuen Berater an einem kleinen Tisch mit zwei Plätzen gegenüber.

Zuerst war sie schüchtern, aber Mr. Luttrell nahm ihr bald jegliche Scheu. Er kannte Paris und hatte einige Zeit an der Riviera verbracht. Er fragte Mrs. Packington, ob sie vielleicht gern tanze. Mrs. Packington erwiderte, daß sie tatsächlich gern tanze, daß sie jedoch nur sehr selten dazugekommen sei, da Mr. Packington sich nichts daraus mache, abends noch auszugehen.
»Aber er kann doch nicht so unhöflich sein, ausgerechnet Sie zu Hause festzuhalten«, sagte Claude Luttrell lächelnd und entblößte eine blendende Reihe von Zähnen. »Heutzutage kann es einer Frau doch egal sein, ob ihr Mann eifersüchtig ist.«
Beinahe hätte Mrs. Packington gesagt, daß von Eifersucht gar nicht die Rede sein könne. Aber dieser Satz blieb unausgesprochen. Schließlich war diese Idee keineswegs abwegig.
Claude Luttrell erzählte leichthin von Nachtclubs. Es wurde verabredet, daß Mrs. Packington und Mr. Luttrell am folgenden Abend das beliebte Nachtlokal *Lesser Archangel* beehren würden.
Mrs. Packington war ein wenig aufgeregt, diese Tatsache ihrem Mann mitzuteilen. Sie spürte, daß George es ungewöhnlich und möglicherweise sogar lächerlich finden würde. Aber in diesem Fall blieben ihr jegliche Aufregungen erspart. Sie war zu nervös gewesen, es ihm beim Frühstück mitzuteilen, und um zwei Uhr erhielt sie telephonisch die Nachricht, die darauf hinauslief, daß Mr. Packington abends in der Stadt essen würde.
Der Abend war ein großer Erfolg. Schon als Mädchen war Mrs. Packington eine gute Tänzerin gewesen, und unter Mr. Luttrells geschickter Anleitung lernte sie sehr schnell die modernen Schritte. Er machte ihr Komplimente sowohl über ihr Kleid als auch über die Art ihrer Frisur. (Am Vormittag hatte sie eine Verabredung mit einem Modefriseur gehabt.) Als er sich von ihr verabschiedete, küßte er ihr auf höchst aufregende Weise die Hand. Seit Jahren hatte Mrs. Packington keinen Abend so genossen.
Verwirrende zehn Tage folgten. Mrs. Packington speiste zu Mittag, trank Tee, tanzte Tango, aß zu Abend und genoß. Sie erfuhr beinahe alles über Claude Luttrells traurige Kindheit. Sie erfuhr von den bedrückenden Umständen, unter denen sein Vater das ganze Vermögen verloren hatte. Sie erfuhr von seiner tragischen Romanze und von seinen verbitterten Gefühlen gegenüber Frauen im allgemeinen.
Am elften Tag tanzten sie im *Red Admiral*. Mrs. Packington erblickte ihren Ehegemahl, ehe dieser sie sah. George wurde von

der jungen Dame aus dem Büro begleitet. Beide Paare tanzten gerade.
»Guten Abend, George«, sagte Mrs. Packington leichthin, als ihre Bahnen sich einmal trafen.
Mit beträchtlichem Vergnügen bemerkte sie, wie das Gesicht ihres Mannes erst rot vor Erstaunen und dann dunkelrot anlief. Vermischt war dieses Erstaunen mit dem Ausdruck eines gewissen Schuldbewußtseins.
Amüsiert fühlte Mrs. Packington sich als Herrin der Situation. Armer alter George! Als sie wieder an ihrem Tisch saßen, beobachtete sie die beiden. Wie stark er geworden war, wie kahl, und wie entsetzlich er mit den Füßen stampfte! Er tanzte in der Art, wie es vor zwanzig Jahren üblich war. Armer George, wie schrecklich er sich danach sehnte, jung zu sein! Und das arme Mädchen, mit dem er tanzte, mußte so tun, als machte es ihr auch noch Spaß. Sie machte einen ziemlich gelangweilten Eindruck, aber das Gesicht lag auf seiner Schulter, so daß er es nicht sehen konnte.
Wieviel beneidenswerter, überlegte Mrs. Packington, war doch demgegenüber ihre eigene Lage. Sie warf dem vollkommenen Claude, der jetzt taktvoll schwieg, einen flüchtigen Blick zu. Wie gut er sie verstand. Nie fing er an zu streiten, wie ein Ehemann nach Ablauf einiger Jahre es unvermeidlich tat.
Wieder sah sie ihn an. Ihre Blicke trafen sich. Er lächelte; seine wunderschönen dunklen Augen, die so melancholisch, so romantisch waren, schauten zärtlich in die ihren.
»Sollen wir noch einmal tanzen?« flüsterte er.
Sie tanzten noch einmal. Es war himmlisch.
Sie war sich bewußt, daß Georges gebannter Blick ihnen folgte, als hätte ihn der Schlag gerührt. Sie erinnerte sich, daß hinter allem die Absicht steckte, ihn eifersüchtig zu machen. Wie lange das nun schon her war! In Wirklichkeit hatte sie jetzt gar nicht mehr den Wunsch, George eifersüchtig zu machen. Vielleicht regte es ihn auf. Und warum sollte er sich aufregen, der Arme? Alle waren so glücklich.

Als Mrs. Packington nach Hause kam, hatte Mr. Packington schon eine Stunde auf sie gewartet. Er machte einen verwirrten und unsicheren Eindruck.
»Hm«, bemerkte er. »Du bist also wieder da.«
Mrs. Packington legte ihren Abendmantel ab, der sie am selben

Vormittag vierzig Guineen gekostet hatte. »Ja«, sagte sie lächelnd, »ich bin wieder da.«
George hüstelte. »Äh – ziemlich komisch, daß wir uns getroffen haben.«
»Das fandest du also auch?« sagte Mrs. Packington.
»Ich – äh, ich dachte, daß man dem Mädchen mal eine Nettigkeit erweisen und es irgendwohin mitnehmen sollte. Zu Hause hat sie eine Menge Ärger. Ich dachte – äh, aus Nettigkeit, verstehst du?«
Mrs. Packington nickte. Der arme alte George ... Und dabei hatte er so fürchterlich mit seinen Füßen gestampft und war so in Hitze geraten, und so viel Spaß hatte es ihm gemacht.
»Wer war eigentlich der Bursche, mit dem du zusammen warst? Kennen tue ich ihn wohl nicht, oder?«
»Luttrell heißt er – Claude Luttrell.«
»Wie bist du denn zu dem gekommen?«
»Irgend jemand hat uns miteinander bekannt gemacht«, sagte Mrs. Packington andeutungsweise.
»Ziemlich merkwürdig von dir, zum Tanzen zu gehen – in deinem Alter. Du solltest dich nicht lächerlich machen, meine Liebe.«
Mrs. Packington lächelte. Sie verspürte dem Weltall gegenüber ein viel zu starkes Gefühl der Freundlichkeit, um ihm die naheliegende Antwort zu geben. »Eine Abwechslung ist auch einmal ganz schön«, sagte sie liebenswürdig.
»Du solltes etwas mehr aufpassen, verstehst du? Diese Salonlöwen laufen in Scharen herum. Und Frauen in deinem Alter machen sich manchmal entsetzlich lächerlich. Ich will dich nur warnen, meine Liebe. Ich habe es nämlich nicht gern, wenn du irgend etwas Unpassendes tust.«
»Ich finde diese körperliche Betätigung sehr wohltuend«, sagte Mrs. Packington.
»Hm – schon.«
»Und du wahrscheinlich auch«, sagte Mrs. Packington freundlich. »Wichtig ist doch vor allem, daß man glücklich ist, nicht? Ich weiß noch, wie du es eines Morgens, vor ungefähr zehn Tagen, beim Frühstück selbst gesagt hast.«
Ihr Mann blickte sie scharf an, aber ihr Gesichtsausdruck war nicht eine Spur sarkastisch. Sie gähnte.
»Ich muß zu Bett. Übrigens, George – in letzter Zeit bin ich etwas leichtsinnig gewesen. Demnächst kommen ein paar gräß-

liche Rechnungen. Du hast doch sicher nichts dagegen, nicht wahr?«
»Rechnungen?« sagte Mr. Packington.
»Ja. Für Kleider. Und Massagen. Und vom Friseur. Entsetzlich leichtsinnig bin ich gewesen – aber ich weiß, daß du nichts sagen wirst.«
Sie ging die Treppe hinauf. Mr. Packington blieb mit offenem Mund zurück. Erstaunlich nett hatte Maria sich in dieser Geschichte mit der abendlichen Begegnung verhalten; anscheinend war es ihr vollkommen gleichgültig. Aber ein Jammer war es, daß sie plötzlich auf die Idee gekommen war, Geld auszugeben. Ausgerechnet Maria – dieses Muster an Sparsamkeit!
»Weiber!« George Packington schüttelte den Kopf. Die Schwierigkeiten, in die der Bruder des Mädchens in letzter Zeit geraten war. Nun ja – es hatte ihn gefreut, dort helfen zu können. Trotzdem! Und verdammt noch mal: So gut gingen die Geschäfte nun auch wieder nicht.
Seufzend begab Mr. Packington sich langsam die Treppe hinauf. Manchmal erinnert man sich später jener Worte, die zu ihrer Zeit nicht den geringsten Eindruck machten. Erst am folgenden Morgen drangen bestimmte Worte, die Mr. Packington geäußert hatte, richtig in das Bewußtsein seiner Frau. Salonlöwen; Frauen in ihrem Alter; sich entsetzlich lächerlich machen!
Im Grunde ihres Herzens war Mrs. Packington eine tapfere Frau. Sie setzte sich und blickte den Tatsachen ins Auge. Ein Gigolo. Aus der Zeitung wußte sie alles über Gigolos. Sie wußte auch, wie lächerlich Frauen ihres Alters sich machen können.
War Claude ein Gigolo? Sie nahm es beinahe an. Aber Gigolos bekamen doch Geld, während Claude immer für sie bezahlte. Schön – aber letzten Endes war es doch Mr. Parker Pyne, der bezahlte, und nicht Claude – oder waren es nicht in Wirklichkeit ihre zweihundert Guineen?
War sie eine Frau mittleren Alters, die sich lächerlich machte? Lachte Claude Luttrell etwa hinter ihrem Rücken über sie? Bei diesem Gedanken wurde sie rot.
Und wenn schon! Claude war also ein Gigolo, und sie war eine Frau mittleren Alters, die sich lächerlich machte. Wahrscheinlich hätte sie ihm schon lange etwas schenken sollen. Ein goldenes Zigaretten-Etui. Oder etwas Ähnliches.
Ein seltsamer Zwang trieb sie aus dem Haus und zu *Asprey*.

Das Zigaretten-Etui wurde ausgesucht und bezahlt. Zum Mittagessen war sie wieder mit Claude verabredet.
Als sie den Kaffee tranken, zog sie es aus der Handtasche. »Ein kleines Geschenk«, murmelte sie.
Er blickte auf, runzelte die Stirn. »Für mich?«
»Ja. Ich – ich hoffe, es gefällt Ihnen.«
Seine Hand packte das Päckchen und schob es heftig über den Tisch. »Warum schenken Sie mir das? Ich nehme es nicht an. Nehmen Sie es zurück. Nehmen Sie es zurück, sagte ich!« Er war ärgerlich. Seine dunklen Augen funkelten.
»Verzeihung«, murmelte sie und legte es wieder in ihre Handtasche.
An jenem Tag herrschte zwischen ihnen Befangenheit.
Am folgenden Vormittag rief er sie an. »Ich muß Sie sprechen«, sagte er. »Kann ich heute nachmittag zu Ihnen kommen?«
Sie sagte, er solle um drei kommen.
Als er kam, war er sehr blaß, sehr erregt. Sie begrüßten sich. Die Befangenheit war noch deutlicher.
Plötzlich sprang er auf und starrte sie an. »Wofür halten Sie mich? Das ist es, was ich Sie fragen wollte. Wir sind doch Freunde gewesen, nicht wahr? Ja, Freunde. Und trotzdem halten Sie mich für einen – na ja, eben für einen Gigolo. Für ein Wesen, das sich von Frauen aushalten läßt. Das tun Sie doch, nicht?«
»Nein – nein.«
Er fegte ihren Widerspruch beiseite. Sein Gesicht war auffallend blaß geworden. »Das tun Sie doch! Und Sie haben sogar recht! Ich hatte den Auftrag, Sie auszuführen, Sie zu amüsieren, Ihnen den Hof zu machen und dafür zu sorgen, daß Sie Ihren Mann vergessen. Das war mein Beruf. Ein ziemlich widerlicher, was?«
»Warum erzählen Sie mir das?« fragte sie.
»Weil ich damit Schluß mache. Ich kann es einfach nicht mehr. Schon gar nicht bei Ihnen. Sie sind ganz anders. Sie gehören zu den Frauen, denen ich glauben könnte, denen ich vertrauen, die ich verehren könnte. Sie glauben, ich sage das alles nur, weil es zu diesem Spiel gehört.« Er kam näher. »Ich werde Ihnen jedoch beweisen, daß es nicht stimmt. Ich gehe weg – Ihretwegen. Ich werde alles tun, um ein Mann zu werden und nicht jenes ekelhafte Geschöpf zu bleiben, das ich in Ihren Augen bin.«
Plötzlich nahm er sie in seine Arme. Seine Lippen verschlossen ihren Mund. Dann ließ er sie los und trat zurück.

»Leben Sie wohl. Ich bin ein Schuft gewesen – schon immer. Aber ich schwöre, daß das jetzt anders wird. Wissen Sie noch, daß Sie einmal sagten, Sie läsen die Anzeigen in den Seufzerspalten so gern? Jedes Jahr werden Sie an diesem Tag von nun an dort eine Nachricht von mir finden, in der es heißt, daß ich nichts vergessen habe und jetzt endlich vorankomme. Dann werden Sie wissen, was Sie mir bedeutet haben. Und noch eines. Ich habe von Ihnen nichts angenommen. Ich möchte jedoch, daß Sie etwas von mir annehmen.« Er zog einen schlichten goldenen Siegelring vom Finger. »Er gehörte meiner Mutter. Ich möchte, daß Sie ihn tragen. Leben Sie wohl.«
Damit verließ er sie. Wie betäubt stand sie da, den goldenen Ring in der Hand.
George Packington kam zeitig nach Hause. Er stellte fest, daß seine Frau mit einem abwesenden Blick in das Kaminfeuer starrte. Freundlich, jedoch zerstreut sprach sie mit ihm.
»Hör mal zu, Maria«, stieß er plötzlich hervor. »Diese Geschichte mit dem Mädchen.«
»Ja, Lieber?«
»Ich – ich habe dich nie aufregen wollen, verstehst du. Mit ihr. Es war gar nicht so gemeint.«
»Ich weiß. Ich war so dumm. Meinetwegen kannst du mit ihr so oft zusammen sein, wie du willst, wenn es dich glücklich macht.«
Diese Worte hatten sicherlich den Zweck, George Packington aufzuheitern. Merkwürdigerweise ärgerten sie ihn jedoch. Wie kann man es genießen, ein Mädchen auszuführen, wenn die eigene Frau einen dazu drängt? Verdammt nochmal – aber anständig war es nicht! Das Gefühl, ein toller Kerl zu sein, in der Lage zu sein, mit dem Feuer zu spielen – dieses Gefühl erlosch und starb einen schmachvollen Tod. George Packington fühlte sich plötzlich müde und um vieles ärmer. Ein gerissenes kleines Biest war das Mädchen.
»Wenn du willst, könnten wir für eine Weile ein bißchen verreisen, Maria«, schlug er bescheiden vor.
»Ach, um mich brauchst du dir keine Gedanken zu machen. Ich bin sehr glücklich.«
»Aber ich möchte dich gern mitnehmen. Wir könnten zum Beispiel an die Riviera fahren.«
Mrs. Packington lächelte ihn gedankenverloren an.
Der arme alte George. Sie hatte ihn richtig gern. Er war so ein armseliger lieber Schatz. Im Gegensatz zu ihr besaß sein Leben

keinen geheimen Glanz. Sie lächelte mit noch größerer Zärtlichkeit.
»Es wäre bezaubernd, mein Liebling«, sagte sie.

Mr. Parker Pyne unterhielt sich mit Miss Lemon. »Die Spesenabrechnung?«
»Einhundertzwei Pfund, vierzehn Shilling und sechs Pence«, sagte Miss Lemon.
Die Tür wurde aufgestoßen, und herein kam Claude Luttrell. Er sah schwermütig aus.
»Morgen, Claude«, sagte Mr. Parker Pyne. »Alles zufriedenstellend erledigt?«
»Ich nehme es an.«
»Und der Ring? Welchen Namen hast du übrigens eingravieren lassen?«
»Matilda«, sagte Claude düster. »1899.«
»Ausgezeichnet. Und welchen Wortlaut für die Anzeige?«
»Komme voran. Vergesse nichts. Claude.«
»Notieren Sie das bitte, Miss Lemon. Für die Seufzerspalte. Jeweils am dritten November für – einen Moment: die Ausgaben betrugen bisher einhundertzwei Pfund, vierzehn Shilling und sechs Pence. Gut, sagen wir also für zehn Jahre. Damit verbleibt uns ein Gewinn von zweiundneunzig Pfund, zwei Shilling und vier Pence. Das ist angemessen. Wirklich angemessen.«
Miss Lemon verschwand.
»Jetzt will ich Ihnen was sagen«, brach es aus Claude heraus. »Mir gefällt das nicht mehr. Ein gemeines Spiel ist das alles.«
»Mein lieber Junge!«
»Ein ganz gemeines Spiel. Diese Mrs. Packington war eine anständige Frau – eine von der guten Sorte. Und ganz schlecht ist mir geworden, wie ich ihr diese ganzen Lügen auftischen mußte, dieses ganze rührselige Zeugs – verdammt nochmal!«
Mr. Parker Pyne rückte seine Brille gerade und betrachtete Claude mit einer Art wissenschaftlichem Interesse. »Ach du lieber Himmel!« sagte er trocken. »Ich kann mich gar nicht erinnern, daß das Gewissen dich bei deiner etwas – ähem – berüchtigten Karriere jemals geplagt hätte. Deine Affären an der Riviera waren beispielsweise besonders unverschämt, und die Art, wie du Mrs. Hattie West, die Witwe des kalifornischen Gurkenkönigs, geschröpft hast, zeichnete sich besonders durch den von dir dabei entwickelten hartnäckigen Erwerbstrieb aus.«

»Meinetwegen, aber jetzt fange ich eben an, anders darüber zu denken«, sagte Claude murrend. »Es ist – schön ist es nicht, dieses Spiel.«

Mr. Parker Pyne sprach mit der Stimme eines Schuldirektors, der seinen Lieblingsschüler ermahnt. »Du, mein lieber Claude, hast etwas höchst Verdienstvolles getan. Du hast einer unglücklichen Frau das gegeben, was jede Frau braucht – eine Romanze. Eine Leidenschaft wird von den Frauen mit Haut und Haaren verschlungen, ohne daß sie etwas davon haben; eine Romanze können sie jedoch in Lavendel verpacken und in den kommenden Jahren immer wieder anschauen. Ich kenne die menschliche Natur, mein Junge, und sage dir eines: Von einem derartigen Vorfall kann eine Frau jahrelang zehren!« Er hüstelte. »Mrs. Packington gegenüber haben wir unseren Auftrag äußerst zufriedenstellend ausgeführt.«

»Und trotzdem paßt mir das alles nicht mehr«, knurrte Claude. Damit verließ er das Zimmer.

Mr. Parker Pyne zog einen neuen Aktenordner aus der Schublade. Auf den Deckel schrieb er: *Interessante Gewissensspuren bei einem abgebrühten Gigolo. Anmerkung: Entwicklung beobachten.*

Der Fall des Büroangestellten

Mr. Parker Pyne lehnte sich nachdenklich in seinem Drehstuhl zurück und blickte seinen Besucher prüfend an. Er sah einen kleinen, stämmig gebauten Mann von etwa fünfundvierzig Jahren mit sehnsüchtigen, verwirrten und schüchternen Augen vor sich, die ihn in einer Art ängstlicher Zuversicht anschauten.

»Ich habe in der Zeitung Ihre Anzeige gelesen«, sagte der kleine Mann nervös.

»Sie haben Schwierigkeiten, Mr. Roberts?«

»Nein – Schwierigkeiten eigentlich nicht.«

»Sie sind unglücklich?«

»Das würde ich auch nicht unbedingt sagen. Ich habe an sich genügend Grund, dankbar zu sein.«

»Das haben wir alle«, sagte Mr. Parker Pyne. »Aber wenn man sich diese Tatsache in Erinnerung rufen muß, ist es ein schlechtes Zeichen.«

»Ich weiß«, sagte der kleine Mann eifrig. »Genau das ist es doch! Sie haben den Nagel auf den Kopf getroffen, Sir.«

»Wie wäre es, wenn Sie mir einiges über sich erzählten«, schlug Mr. Parker Pyne vor.

»Da gibt es nicht viel zu erzählen, Sir. Wie gesagt, habe ich allen Anlaß, dankbar zu sein. Ich habe eine Stellung. Ich habe es geschafft, etwas Geld zurückzulegen, und die Kinder sind kräftig und gesund.«

»Und was – fehlt Ihnen nun?«

»Ich – ich weiß nicht.« Er wurde rot. »Wahrscheinlich werden Sie mich für dumm und einfältig halten, Sir.«

»Aber bestimmt nicht«, sagte Mr. Parker Pyne.

Durch geschickte Fragen gelang es ihm, größeres Zutrauen zu erwecken. Er erfuhr, daß Mr. Roberts in einer gutbekannten Firma angestellt war und langsam, jedoch stetig, befördert wurde. Er erfuhr, daß Mr. Roberts verheiratet war, daß er Mühe hatte, den Eindruck eines gewissen Wohlstandes aufrechtzuerhalten, den Kindern eine ordentliche Erziehung zuteil werden zu lassen und dafür zu sorgen, daß sie einen ›anständigen Eindruck‹ machten, und daß es ihm – wenn auch nur sehr mühsam – gelang, jedes Jahr ein paar Pfund auf die Seite zu legen. Was Mr. Parker Pyne erfuhr, war genaugenommen die Lebensgeschichte eines Mannes, der sich unaufhörlich bemüht, am Leben zu bleiben.

»Und – ja, jetzt wissen Sie also, wie es aussieht«, gestand Mr. Roberts. »Meine Frau ist nicht da. Sie ist mit den beiden Kindern bei ihrer Mutter. Eine kleine Abwechslung für die drei, und meine Frau kann sich ein bißchen ausruhen. Für mich war kein Platz mehr, und woanders hinzufahren, können wir uns nicht leisten. Augenblicklich bin ich allein, und als ich die Zeitung las und Ihre Anzeige sah, kamen mir verschiedene Gedanken. Ich bin achtundvierzig. Und ich überlegte ... Überall passieren doch irgendwelche Sachen«, sagte er zum Schluß seines Berichtes, und in seinem Blick lag seine ganze sehnsuchtsvolle vorstädtische Seele.

»Sie möchten«, sagte Mr. Pyne, »zehn Minuten lang ein ruhmreiches Leben führen?«

»Ganz so würde ich es vielleicht nicht ausdrücken. Aber vielleicht haben Sie recht. Ich möchte einmal aus dem ewig gleichen Trott heraus. Anschließend würde ich dankbar wieder dahin zurückkehren – wenn ich nur etwas hätte, an das ich mich immer wieder erinnern könnte.« Besorgt blickte er den anderen an. »Aber das wird wahrscheinlich unmöglich sein, Sir? Ich fürchte – ich fürchte, ich kann nicht allzu viel dafür ausgeben.«

»Wieviel glauben Sie, dafür ausgeben zu können?«

»Vielleicht fünf Pfund, Sir.« Er wartete – mit angehaltenem Atem.

»Fünf Pfund«, sagte Mr. Parker Pyne. »Ich glaube – ich glaube fast, wir können für fünf Pfund irgend etwas arrangieren. Haben Sie Angst vor Gefahren?« fügte er scharf hinzu.

Eine leichte Färbung stieg in Mr. Roberts' blasses Gesicht. »Gefahren sagten Sie, Sir? O nein – gar nicht. Ich – ich habe in meinem Leben noch nie etwas Gefährliches erlebt.«

Mr. Parker Pyne lächelte. »Kommen Sie morgen wieder; ich werde Ihnen dann sagen, was ich für Sie tun kann.«

Das *Bon Voyageur* ist ein wenig bekanntes Lokal, das nur von wenigen Stammgästen besucht wird. Diese Stammgäste haben etwas gegen Neulinge.

Mr. Parker Pyne betrat das *Bon Voyageur* und wurde mit respektvoller Anerkennung begrüßt. »Ist Mr. Bonnington hier?« fragte er.

»Jawohl, Sir. Er sitzt an seinem üblichen Platz.«
»Gut. Dann werde ich mich zu ihm setzen.«
Mr. Bonnington war ein Mann von militärischem Aussehen und mit einem etwas dümmlichen Gesicht. Er begrüßte seinen Freund mit Vergnügen.
»Tag, Parker. Neuerdings sieht man dich kaum mehr. Ich hatte keine Ahnung, daß du auch hierher kommst.«
»Ab und zu bin ich einmal hier. Besonders dann, wenn ich die Absicht habe, einen alten Freund wiederzusehen.«
»Meinst du mich damit?«
»Damit meine ich dich. Weißt du – ich habe mir die Angelegenheit, über die wir gestern sprachen, noch einmal durch den Kopf gehen lassen.«
»Die Geschichte mit Peterfield? Hast du schon das Neueste in der Zeitung gelesen? Nein – das kannst du doch gar nicht. Erst heute abend wird es in den Zeitungen stehen.«
»Was ist denn das Neueste?«
»Peterfield ist in der vergangenen Nacht ermordet worden«, sagte Mr. Bonnington und aß gelassen seinen Salat.
»Ach du lieber Himmel!« rief Mr. Pyne.
»Mich hat es überhaupt nicht überrascht«, sagte Mr. Bonnington. »Ein dickköpfiger alter Knabe, dieser Peterfield. Wollte einfach nicht auf uns hören. Bestand darauf, die Pläne bei sich zu behalten.«
»Haben sie sie erwischt?«
»Nein. Anscheinend war vorher irgendeine Frau bei ihm und hat dem Professor ein Rezept gebracht, wie man einen Schinken zubereitet. Geistesabwesend wie üblich, hat er das Kochrezept in den Safe eingeschlossen und die Pläne in der Küche liegenlassen.«
»Ein Glück!«
»Das ist fast schon mehr als Glück. Aber jetzt weiß ich immer noch nicht, wer sie nach Genf bringen soll. Maitland liegt noch im Krankenhaus. Carslake ist in Berlin. Ich kann hier nicht weg. Bleibt also nur der junge Hooper.« Er sah seinen Freund an.
»Bist du immer noch derselben Ansicht?« fragte Mr. Parker Pyne.
»Absolut! Er ist dahinter her! Ich weiß es genau. Aber ich habe nicht den Schatten eines Beweises. Trotzdem will ich dir das eine sagen, Parker: Ich weiß, wenn einer nicht ganz astrein ist! Und ich möchte unbedingt, daß die Pläne auch wirklich nach Genf kommen. Zum erstenmal wird eine Erfindung nicht an eine

Nation verkauft, sondern freiwillig ausgehändigt. Das ist die schönste Friedensgeste, die jemals unternommen worden ist, und sie muß daher zustande gebracht werden. Aber Hooper ist ein Gauner. Du wirst sehen, daß er im Zug betäubt wird! Wenn er ein Flugzeug nimmt, wird es da landen, wo es den anderen paßt! Verdammt noch mal – ich kann einfach nicht tun, als wäre alles in Ordnung mit ihm. Disziplin! Man muß auf Disziplin achten! Deswegen habe ich auch gestern mit dir darüber gesprochen.«

»Du fragtest mich, ob ich vielleicht jemanden wüßte.«

»Ja. Weil ich dachte, es fiele so ungefähr in dein Gebiet. Vielleicht irgendein Feuerfresser, der endlich mal was erleben will. Alle, die ich schicke, müssen damit rechnen, fertiggemacht zu werden. Dein Mann würde dagegen wahrscheinlich nicht einmal verdächtigt! Aber Nerven muß er trotzdem haben.«

»Ich glaube, ich kenne jemanden, der es tun würde«, sagte Mr. Pyne.

»Gott sei Dank gibt es immer noch Kerle, die eine Gefahr auf sich nehmen. Also gut – abgemacht?«

»Abgemacht«, stimmte Mr. Parker Pyne zu.

Mr. Parker Pyne faßte die Anweisungen noch einmal zusammen. »Ist das also völlig klar? Sie fahren mit dem Schlafwagen erster Klasse nach Genf. Der Zug fährt in London um zehn Uhr fünfundvierzig ab und geht über Folkestone nach Boulogne. In Boulogne steigen Sie in den Schlafwagen erster Klasse um. Am folgenden Morgen um acht sind Sie in Genf. Hier ist die Adresse, bei der Sie sich melden. Prägen Sie sie sich bitte genau ein, damit ich den Zettel dann vernichten kann. Anschließend begeben Sie sich in dieses Hotel und warten auf weitere Instruktionen. Hier ist genügend Geld in französischen und Schweizer Banknoten sowie Kleingeld. Haben Sie alles verstanden?«

»Ja, Sir.« Roberts' Augen leuchteten vor Aufregung. »Verzeihung, Sir – aber darf ich – äh – darf ich vielleicht erfahren, was ich nach Genf bringe?«

Mr. Parker Pyne lächelte wohlwollend. »Es handelt sich um eine geheime Mitteilung über das geheime Versteck der russischen Kronjuwelen«, sagte er feierlich. »Sie begreifen natürlich, daß bolschewistische Agenten alles tun werden, um Sie abzufangen. Falls es sich nicht umgehen läßt, sagen Sie einfach, Sie wären zu Geld gekommen und machten Urlaub im Ausland.«

Mr. Roberts trank seinen Kaffee und blickte auf den Genfer See hinaus. Er war glücklich, gleichzeitig jedoch auch enttäuscht. Glücklich war er, weil er zum erstenmal in seinem Leben in einem fremden Land war. Außerdem wohnte er in einer Art von Hotel, wie er es wohl nie wieder betreten würde; und keinen Augenblick hatte er sich Sorgen wegen des Geldes zu machen brauchen! Er hatte ein Zimmer mit eigenem Bad, köstliche Mahlzeiten und aufmerksame Bedienung. Alle diese Dinge hatte Mr. Roberts wirklich sehr genossen.

Enttäuscht war er nur, weil ihm bisher nichts über den Weg gelaufen war, was als Abenteuer bezeichnet werden konnte. Kein vermummter Bolschewik und kein geheimnisvoller Russe war ihm bisher begegnet. Ein angenehmes Gespräch mit einem französischen Handelsreisenden, der ein ausgezeichnetes Englisch gesprochen hatte, war der einzige menschliche Umgang gewesen, den er auf der Reise gehabt hatte. Wie ihm geraten worden war, hatte er die Papiere in seinem Schwammbeutel versteckt und sie den Anweisungen entsprechend abgeliefert. Weder hatte es dabei gefährliche Momente noch ein Entkommen um Haaresbreite gegeben. Mr. Roberts war enttäuscht.

Ausgerechnet in diesem Augenblick murmelte ein hochgewachsener bärtiger Mann »*Pardon*« und setzte sich an die andere Seite des kleinen Tisches. »Entschuldigen Sie bitte«, sagte er, »aber ich glaube, Sie kennen einen meiner Freunde. ›P. P.‹ sind seine Anfangsbuchstaben.«

Mr. Roberts war erfreut und erregt zugleich. Endlich war einer dieser geheimnisvollen Russen aufgetaucht. »Ganz richtig.«

»Dann bin ich überzeugt, daß wir uns verstehen«, sagte der Fremde.

Mr. Roberts blickte ihn forschend an. Jetzt lernte er die Wirklichkeit kennen. Der Fremde war ein Mann von etwa fünfzig Jahren und zugleich von vornehmem, wenn auch typisch ausländischem Aussehen. Er trug ein Monokel sowie ein kleines buntes Bändchen im Knopfloch.

»Sie haben Ihren Auftrag auf höchst zufriedenstellende Weise ausgeführt«, sagte der Fremde. »Sind Sie bereit, einen zweiten zu übernehmen?«

»Gewiß – ja natürlich.«

»Gut. Sie bestellen für morgen abend ein Bett im Zug Genf-Paris. Und zwar lassen Sie sich Bett Nummer neun geben.«

»Wenn es aber nicht frei ist?«

»Es wird frei sein. Dafür wird schon gesorgt.«
»Bett Nummer neun«, wiederholte Roberts. »Ja, das habe ich mir gemerkt.«
»Im Verlauf der Reise wird jemand zu Ihnen sagen: ›Verzeihung, Monsieur, aber waren Sie kürzlich nicht in Grasse?‹ Darauf werden Sie antworten: ›Ja, im vergangenen Monat.‹ Die betreffende Person wird nun sagen: ›Interessieren Sie sich nicht für Parfüms?‹ Und Sie erwidern: ›Ja, ich stelle selbst synthetisches Jasminöl her.‹ Von diesem Augenblick an werden Sie sich völlig zur Verfügung jener Person halten, die mit Ihnen gesprochen hat. Übrigens, sind Sie bewaffnet?«
»Nein«, sagte der kleine Mr. Roberts aufgeregt. »Nein, daran habe ich nicht gedacht. Das heißt . . .«
»Dem kann gleich abgeholfen werden«, sagte der Bärtige. Er schaute sich um. Kein Mensch war in der Nähe. Irgend etwas Hartes und Schimmerndes wurde Mr. Roberts in die Hand gedrückt. »Eine kleine, aber wirksame Waffe«, sagte der Fremde und lächelte.
Mr. Roberts, der in seinem ganzen Leben noch keinen Schuß abgefeuert hatte, ließ den Revolver sofort in die Tasche gleiten. Er hatte das unbehagliche Gefühl, das Ding könne jeden Augenblick losgehen.
Dann wiederholten sie noch einmal die Losungsworte. Schließlich erhob sich Roberts' neuer Freund.
»Ich wünsche Ihnen viel Glück«, sagte er. »Mögen Sie heil durchkommen. Sie sind ein tapferer Mann, Mr. Roberts.«
Bin ich das? überlegte Roberts, als der andere gegangen war. *Ich habe keine Lust, umgebracht zu werden. Das würde sich nicht lohnen.*
Es war angenehm, wie ihm vor Erregung ein Schauder über den Rücken lief; hinzu kam allerdings ein weiteres Gefühl, das nicht ganz so angenehm war.
Er ging auf sein Zimmer und besah sich die Waffe. Ihr Mechanismus war ihm keineswegs verständlich, und so hoffte er, gar nicht in die Lage versetzt zu werden, sie gebrauchen zu müssen.
Dann verließ er das Hotel, um seinen Schlafwagenplatz zu bestellen.
Der Zug verließ Genf um neun Uhr dreißig. Roberts begab sich rechtzeitig zum Bahnhof. Der Schlafwagenschaffner ließ sich die Fahrkarte sowie den Paß geben und trat beiseite, während ein Untergebener Roberts' Koffer in das Gepäcknetz hinaufhob.

Dort befand sich bereits weiteres Gepäck: ein Schweinslederkoffer und eine Reisetasche.
»Nummer neun ist das untere Bett«, sagte der Schaffner.
Als Roberts sich umdrehte, um das Abteil zu verlassen, stieß er gegen einen dicken Mann, der gerade hereinkam. Mit vielen Entschuldigungen machten sie einander Platz – Roberts sprach dabei englisch, der andere französisch. Es war ein korpulenter und untersetzter Mann mit glattrasiertem Schädel und dicken Brillengläsern, durch die seine Augen mißtrauisch zu blinzeln schienen.
Ein häßlicher Vogel, sagte sich der kleine Mann.
Er spürte, daß irgend etwas leicht Finsteres über seinem Reisegefährten lag. Hatte man ihm gesagt, Bett Nummer neun zu belegen, weil er diesen Mann im Auge behalten sollte? Er nahm es an.
Er trat in den Gang hinaus. Bis zur Abfahrt des Zuges waren immer noch zehn Minuten Zeit, und er faßte den Entschluß, auf dem Bahnsteig ein wenig auf und ab zu gehen. Als er die Hälfte des Weges bis zum Ausgang hinter sich hatte, machte er Platz, um eine Dame vorbeizulassen. Sie stieg gerade in den Wagen, und mit ihrem Fahrschein in der Hand führte der Schaffner sie zu ihrem Abteil. Als sie an Roberts vorüberkam, ließ sie ihre Handtasche fallen. Der Engländer hob sie auf und übergab sie ihr.
»Vielen Dank, Monsieur.« Sie sprach englisch; ihre Stimme war jedoch die einer Ausländerin – eine volle tiefe Stimme, die sehr reizvoll klang. Als sie gerade weitergehen wollte, zögerte sie und flüsterte: »Verzeihung Monsieur, aber waren Sie nicht kürzlich in Grasse?«
Roberts' Herz machte vor Aufregung einen Satz. Er sollte sich also zur Verfügung dieses bezaubernden Geschöpfes halten – denn bezaubernd war sie, daran bestand nicht der geringste Zweifel. Und nicht nur bezaubernd, sondern auch aristokratisch und wohlhabend. Sie trug einen Reisemantel aus Pelz und einen eleganten Hut. Um ihren Hals hatte sie Perlen. Ferner hatte sie dunkles Haar und dunkelrote Lippen.
Roberts gab die erforderliche Antwort: »Ja, im vergangenen Monat.«
»Interessieren Sie sich nicht für Parfüms?«
»Ja, ich stelle selbst synthetisches Jasminöl her.«
Sie nickte leicht, ging weiter und ließ lediglich einen leise geflüsterten Satz zurück: »Im Gang, sobald der Zug anfährt.«

Die nächsten zehn Minuten kamen Roberts wie eine Ewigkeit vor.
Endlich fuhr der Zug an. Langsam ging er den Gang entlang. Die Dame im Pelzmantel mühte sich mit einem Fenster ab. Er eilte ihr zu Hilfe.
»Danke, Monsieur. Nur ein bißchen frische Luft, bevor man kein Fenster mehr öffnen darf.« Und dann mit sanfter, tiefer und schneller Stimme: »Nach der Grenze, wenn Ihr Reisegenosse schläft – nicht eher – gehen Sie in den Waschraum und von dort in das Abteil, das sich hinter der gegenüberliegenden Tür befindet. Haben Sie verstanden?«
»Ja.« Er ließ das Fenster hinunter. »Ist es so besser, Madam?«
»Ich danke Ihnen sehr.«
Er zog sich in sein Abteil zurück. Sein Reisegefährte hatte sich bereits auf dem oberen Bett ausgestreckt. Seine Vorbereitungen für die Nacht waren offensichtlich einfach gewesen: sie hatten darin bestanden, daß er sich Schuhe und Mantel ausgezogen hatte.
Roberts machte sich Gedanken über seine eigene Bekleidung. Da er nachher das Abteil einer Dame betreten würde, konnte er sich unmöglich ausziehen.
Er holte seine Pantoffeln heraus, zog sie an Stelle seiner Stiefel an, legte sich dann hin und knipste das Licht aus. Wenige Minuten später begann der Mann über ihm zu schnarchen.
Kurz nach zehn erreichten sie die Grenze. Die Tür wurde aufgerissen; mechanisch wurde eine Frage gestellt. Hätten Messieurs irgend etwas zu verzollen?
Die Tür wurde wieder geschlossen. Und kurz darauf ließ der Zug Bellegarde hinter sich.
Der Mann im oberen Bett fing wieder an zu schnarchen. Roberts ließ noch zwanzig Minuten verstreichen; dann schlüpfte er aus dem Bett und öffnete die Tür des Waschabteils. Sobald er eingetreten war, verriegelte er die hinter ihm befindliche Tür und beäugte die Tür, die sich auf der entgegengesetzten Seite des Abteils befand. Sie war nicht verriegelt. Er zögerte. Sollte er anklopfen?
Vielleicht würde es albern sein, erst anzuklopfen. Aber er haßte die Vorstellung, das andere Abteil zu betreten, ohne sich anzumelden. Deshalb schloß er insofern einen Kompromiß, als er die Tür vorsichtig einen Zentimeter weit öffnete und abwartete. Er traute sich sogar, leise zu hüsteln.
Die Reaktion erfolgte prompt. Die Tür wurde weit geöffnet, er

selbst wurde am Arm gepackt, in das dahinterliegende Abteil gezogen, und dann schloß das Mädchen die Tür und verriegelte sie. Roberts hielt den Atem an. Selbst im Traum hätte er sich so etwas Bezauberndes nicht vorstellen können. Sie trug ein langes duftiges Gewand aus crèmefarbenem Chiffon und Spitze. Sie lehnte an der zum Gang führenden Tür – schwer atmend. Schon oft hatte Roberts von einem wunderschönen gehetzten Wild gelesen, das in die Enge getrieben war. Jetzt sah er zum erstenmal dieses Bild – ein aufregender Anblick.
»Gott sei Dank!« murmelte das Mädchen.
Sie war noch ziemlich jung, stellte Roberts fest, und sie war so bezaubernd, daß er den Eindruck hatte, sie stammte aus einer anderen Welt. Endlich wurde es romantisch – und er befand sich mitten drin!
Sie sprach mit tiefer, sich überstürzender Stimme. Ihr Englisch war gut, aber der Klang ihrer Stimme war typisch ausländisch. »Ich bin so froh, daß Sie gekommen sind«, sagte sie. »Ich habe entsetzliche Angst. Wassiliewitsch ist im Zug. Sie verstehen, was das bedeutet?«
Roberts verstand nicht im geringsten, was es bedeutete, nickte jedoch.
»Ich dachte, ich wäre ihnen entwischt. Aber ich hätte es wissen müssen. Was machen wir jetzt? Wassiliewitsch hat das Abteil nebenan. Was auch geschehen mag – er darf die Juwelen nicht bekommen! Selbst wenn er mich umbringt, dürfen ihm die Juwelen nicht in die Hände fallen.«
»Weder wird er Sie umbringen, noch wird er die Juwelen bekommen«, sagte Roberts mit Entschlossenheit.
»Was soll ich denn mit ihnen machen?«
Roberts blickte an ihr vorbei auf die Tür. »Die Tür ist verriegelt«, sagte er.
Das Mädchen lachte auf. »Was haben verriegelte Türen für Wassiliewitsch schon zu bedeuten!«
Immer deutlicher hatte Roberts das Gefühl, sich mitten in einem seiner Lieblingsromane zu befinden. »Dann können wir nur eines tun. Geben Sie die Juwelen mir.«
Zweifelnd sah sie ihn an. »Sie sind eine Viertelmillion wert!«
Roberts wurde rot. »Mir können Sie vertrauen.«
Das Mädchen zögerte noch einen Augenblick. »Also gut – ich vertraue Ihnen«, sagte sie dann. Sie machte eine blitzschnelle Bewegung. Im nächsten Augenblick hielt sie ihm ein zusammen-

gerolltes Paar Strümpfe hin – Strümpfe aus spinnenwebfeiner Seide. »Nehmen Sie, mein Freund«, sagte sie zu dem verblüfften Roberts.
Er nahm sie, und im selben Moment begriff er. Statt leicht wie Luft zu sein, waren die Strümpfe unerwartet schwer.
»Bringen Sie sie in Ihr Abteil«, sagte sie. »Sie können sie mir morgen wiedergeben, wenn – wenn ich dann noch hier bin.«
Roberts hüstelte. »Hören Sie zu«, sagte er. »Was Sie angeht . . .« Er verstummte. »Ich – ich muß auf Sie aufpassen.« Dann errötete er, weil ihm das Unschickliche der Situation peinlich bewußt wurde. »Nicht hier, meine ich. Ich werde dort bleiben.« Mit einer Kopfbewegung deutete er zum Waschabteil hinüber.
»Aber wenn Sie lieber hierbleiben möchten . . .« Sie warf einen Blick auf das unbesetzte obere Bett.
Roberts errötete bis zu den Haarwurzeln. »Nein, nein«, protestierte er. »Ich bleibe lieber nebenan. Wenn Sie mich brauchen, rufen Sie einfach.«
»Ich danke Ihnen, mein Freund«, sagte das Mädchen sanft.
Sie schlüpfte in das untere Bett, zog die Decke hoch und lächelte ihm dankbar zu. Er zog sich in den Waschraum zurück.

Plötzlich – es muß einige Stunden später gewesen sein – glaubte er irgend etwas zu hören. Er lauschte – nichts. Vielleicht hatte er sich geirrt. Und dennoch war er im Grunde überzeugt, im benachbarten Abteil irgendein leises Geräusch vernommen zu haben. Angenommen – nur angenommen . . .
Leise öffnete er die Tür. Das Abteil hatte sich, seit er es zuletzt gesehen hatte, überhaupt nicht verändert; auch die kleine blaue Lampe an der Decke brannte noch. Angestrengt starrte er in das Halbdunkel, bis seine Augen sich daran gewöhnt hatten. Er erkannte den Umriß des Bettes. Aber er sah zugleich, daß es leer war. Das Mädchen war nicht mehr da!
Er schaltete das Licht ein. Das Abteil war leer. Plötzlich schnupperte er. Es war kaum feststellbar, aber er erkannte es sofort – den süßlichen, widerlichen Geruch von Chloroform.
Von dem Abteil – dessen Tür, wie er feststellte, nicht mehr verriegelt war – trat er in den Gang hinaus und schaute in beide Richtungen. Kein Mensch! Sein Blick ruhte auf der Tür des benachbarten Abteils. Sie hatte gesagt, daß Wassiliewitsch das Abteil neben ihr hätte. Tapfer drückte Roberts auf die Klinke. Die Tür war von innen abgeschlossen.

Was sollte er tun? Verlangen, daß man ihm aufmachte? Aber der Mann würde sich weigern – und möglicherweise befand sich das Mädchen auch gar nicht mehr dort! Sollte dies jedoch noch der Fall sein – würde sie ihm etwa dafür dankbar sein, daß er alle Welt auf die Angelegenheit aufmerksam gemacht hätte? So-viel hatte er immerhin begriffen: daß Geheimhaltung bei dem Spiel, an dem sie beteiligt waren, ungeheuer wichtig war.
Ein verstörter kleiner Mann wanderte langsam den Gang entlang. Vor dem letzten Abteil blieb er stehen. Die Tür stand offen, und der Schaffner lag in tiefem Schlaf. Und über ihm, an einem Haken, hingen seine braune Uniformjacke und seine Schirmmütze.
Blitzartig hatte Roberts entschieden, was er zu tun hatte. Im nächsten Augenblick hatte er Jacke und Mütze angelegt und eilte durch den Gang zurück. Vor der Tür jenes Abteils, das neben dem des Mädchens lag, verhielt er, nahm seine ganze Entschlußkraft zusammen und klopfte herrisch.
Als seine Aufforderung unbeantwortet blieb, klopfte er noch einmal.
»*Monsieur*«, sagte er so betont wie möglich.
Die Tür öffnete sich einen Spalt, und ein Kopf schob sich hindurch – der Kopf eines Ausländers, glattrasiert bis auf einen schwarzen Schnurrbart. Es war ein ärgerliches, bösartiges Gesicht.
»*Qu'est-ce-qu'il y a?*« fauchte er.
»*Votre passeport, monsieur.*« Roberts trat zurück und verbeugte sich.
Der andere zögerte, trat dann aber ebenfalls in den Gang hinaus. Roberts hatte damit gerechnet. Wenn das Mädchen im Abteil war, würde der Mann natürlich nicht wollen, daß der Schaffner hereinkam. Wie ein Blitz handelte Roberts. Mit aller Kraft riß er den Ausländer beiseite – der Mann war völlig unvorbereitet, und das Schwanken des Zuges half noch etwas nach –, stürzte in das Abteil, schlug die Tür hinter sich zu und verriegelte sie.
Quer über dem Fußende des Bettes lag das Mädchen, einen Knebel im Mund und die Handgelenke zusammengebunden. Er befreite sie mit schnellen Griffen, und aufseufzend sank sie gegen ihn. »Mir ist so schwach und übel«, murmelte sie. »Ich glaube, es war Chloroform. Hat er – hat er sie gekriegt?«
»Nein.« Roberts klopfte gegen seine Tasche. »Was machen wir jetzt?« fragte er.

Das Mädchen richtete sich auf. Sie konnte wieder nachdenken. Und sie erkannte seine Kostümierung. »Wie klug von Ihnen! Daß Ihnen das eingefallen ist! Er sagte, er würde mich umbringen, wenn ich ihm nicht sagte, wo die Juwelen wären. Ich habe so entsetzliche Angst gehabt – und dann kamen Sie.« Plötzlich lachte sie. »Aber wir haben ihm einen Streich gespielt! Jetzt wird er nicht mehr wagen, irgend etwas zu unternehmen. Er kann nicht einmal versuchen, in sein eigenes Abteil zurückzukehren. Wir müssen bis zum Morgen hierbleiben. Wahrscheinlich wird er in Dijon aussteigen. In ungefähr einer halben Stunde werden wir dort sein. Er wird nach Paris telegraphieren, und dann wird man dort unsere Spur wieder aufnehmen. Inzwischen ist es vielleicht besser, wenn Sie das Jackett und die Mütze aus dem Fenster werfen. Sonst bekommen Sie eventuell noch Schwierigkeiten.«
Roberts gehorchte.
»Wir dürfen nicht einschlafen«, entschied das Mädchen. »Bis zum Morgen müssen wir genau aufpassen.«
Es war eine seltsame, aufregende Nachtwache. Um sechs Uhr morgens öffnete Roberts vorsichtig die Tür und blickte hinaus. Kein Mensch war in der Nähe. Das Mädchen schlüpfte schnell in das nebenanliegende Abteil; Roberts folgte ihr. Es war deutlich zu erkennen, daß der Raum durchsucht worden war. Durch den Waschraum kehrte er dann in sein eigenes Abteil zurück. Sein Reisegefährte schnarchte noch immer.

Um sieben Uhr trafen sie in Paris ein. Der Schaffner beschwerte sich über den Verlust seiner Jacke und seiner Mütze. Den Verlust eines Fahrgastes hatte er noch nicht entdeckt.
Dann begann eine höchst unterhaltsame Jagd. Das Mädchen und Roberts wechselten ständig das Taxi, als sie quer durch Paris fuhren. Sie betraten Hotels und Restaurants durch die eine Tür und gingen durch eine andere wieder hinaus. Schließlich stieß das Mädchen einen Seufzer aus.
»Ich bin überzeugt, daß wir nicht mehr verfolgt werden«, sagte sie. »Wir haben sie abgeschüttelt.«
Sie frühstückten und fuhren nach Le Bourget. Drei Stunden später waren sie in Croydon. Roberts war bisher noch nie geflogen.
In Croydon wurden sie von einem hochgewachsenen alten Herrn erwartet, der eine entfernte Ähnlichkeit mit Mr. Roberts' Berater in Genf hatte. Er begrüßte das Mädchen mit besonderem Respekt.

»Der Wagen steht bereit, Madam«, sagte er.
»Dieser Herr wird uns begleiten, Paul«, sagte das Mädchen. Und zu Roberts sagte sie: »Graf Paul Stepanji.«
Der Wagen war eine riesige Limousine. Sie fuhren etwa eine Stunde, bogen dann in den Park eines Landhauses ein und hielten vor dem Eingang eines eindrucksvollen Wohnsitzes. Mr. Roberts wurde in einen Raum geführt, der wie ein Arbeitszimmer eingerichtet war. Dort übergab er das kostbare Paar Strümpfe. Eine Weile wurde er alleingelassen. Wenig später kehrte Graf Stepanji zurück.
»Mr. Roberts«, sagte er, »unser Dank und unsere Anerkennung sind Ihnen gewiß. Sie haben sich als tapferer und findiger Mann gezeigt.« Er hielt Mr. Roberts ein rotes Lederetui hin. »Erlauben Sie, daß ich Ihnen hiermit den Orden des heiligen Stanislaus zehnter Klasse mit Lorbeeren überreiche.«
Wie in einem Traum öffnete Roberts das Etui und betrachtete den edelsteinbesetzten Orden. Der alte Herr sprach immer noch.
»Die Großfürstin Olga möchte Ihnen gern noch persönlich danken, bevor Sie sich verabschieden.«
Er wurde in einen großen Wohnraum geführt. Dort erwartete ihn, in einem wallenden Gewand wunderschön anzusehen, seine Reisegefährtin.
Sie machte eine gebieterische Handbewegung, und der andere Mann verließ den Raum.
»Ich verdanke Ihnen mein Leben, Mr. Roberts«, sagte die Großfürstin.
Sie streckte ihre Hand aus. Roberts küßte sie. Plötzlich trat sie dicht an ihn heran.
»Sie sind ein tapferer Mann«, sagte sie.
Ihre Lippen trafen sich; eine Welle schweren orientalischen Parfüms umgab ihn. Für einen kurzen Augenblick hielt er die schlanke, bezaubernde Gestalt in seinen Armen ...
Er war immer noch traumversunken, als jemand zu ihm sagte: »Der Wagen wird Sie hinbringen, wohin Sie wünschen.«
Eine Stunde später kehrte der Wagen zurück, um die Großfürstin abzuholen. Sie stieg ein, desgleichen der weißhaarige Mann. Weil ihm zu warm geworden war, hatte er den Bart abgenommen. Der Wagen setzte die Großfürstin vor einem Haus in Streatham ab. Eine ältere Frau, die beim Tee saß, blickte auf.
»Ach, Maggie, mein Schatz, du bist es.«
Im Expreß Genf-Paris war dieses Mädchen die Großfürstin

Olga; in Mr. Parker Pynes Büro war sie Madeleine de Sara; und in dem Haus in Streatham war sie Maggie Syers, vierte Tochter einer ehrlichen, schwer arbeitenden Familie.
Wie tief sind die Mächtigen doch gesunken!

Mr. Parker Pyne saß mit seinem Freund beim Mittagessen. »Gratuliere«, sagte Letztgenannter, »dein Mann hat das Ding ohne jede Störung durchgeführt. Die Tormali-Bande schnappt bestimmt über, weil die Pläne für das Gewehr ihr durch die Lappen gegangen sind. Hast du deinem Mann eigentlich erzählt, was er bei sich hatte?«
»Nein. Ich hielt es für besser, die Geschichte etwas zu – äh – etwas auszuschmücken.«
»Wie diskret von dir.«
»Mit Diskretion hatte es nicht viel zu tun. Ich wollte an sich nur, daß er sich einmal gut unterhielte. Und ein Gewehr wäre in seinen Augen vielleicht allzu dürftig gewesen. Ich wollte ihn ein paar Abenteuer erleben lassen.«
»Dürftig?« sagte Bonnington und starrte ihn an. »Wo diese Kerle ihn sofort umgelegt hätten, wenn sie ihn erwischt hätten!«
»Ja«, sagte Mr. Parker Pyne sanft. »Sicher. Aber ich wollte nicht, daß er umgelegt würde.«
»Verdienst du mit deiner Sache eigentlich viel Geld, Parker?« fragte Mr. Bonnington.
»Manchmal zahle ich auch zu«, sagte Mr. Parker Pyne. »Das heißt: Falls es ein lohnender Fall ist.«

Drei ärgerliche Herren beschimpften sich in Paris. »Dieser verdammte Hooper!« sagte der eine. »Hat er uns doch glatt sitzenlassen.«
»Von einem aus dem Büro sind die Pläne nicht mitgenommen worden«, sagte der zweite. »Aber man hat mir versichert, sie seien am Mittwoch verschwunden. Und ich glaube, daß du alles verpfuscht hast.«
»Das habe ich nicht!« sagte der dritte mürrisch. »Bis auf einen kleinen Angestellten war überhaupt kein Engländer im Zug. Und der hatte weder von Peterfield noch von dem Gewehr die geringste Ahnung. Das weiß ich genau. Ich habe mich erkundigt. Peterfield und Gewehr sagten ihm gar nichts.« Er lachte. »Dafür hatte er irgendeinen Bolschewistenkomplex!«

Mr. Roberts saß vor der Gasheizung. Auf seinen Knien lag ein Brief von Mr. Parker Pyne. Zu ihm gehörte ein Scheck über fünfzig Pfund »von gewissen Leuten, die von der Art entzückt sind, wie ein gewisser Auftrag ausgeführt wurde«.
Auf der Armlehne lag ein Buch aus der Bibliothek. Mr. Roberts schlug es aufs Geratewohl auf. *Wie ein wunderschönes gehetztes Wild, das in die Enge getrieben ist, lehnte sie an der Tür.*
Na ja, das war ihm keineswegs unbekannt.
Er las einen anderen Satz: *Er schnupperte. Der schwache süßliche Geruch des Chloroforms drang in seine Nüstern.*
Auch darüber wußte er Bescheid.
Er nahm sie in die Arme und spürte das leise Beben ihrer dunkelroten Lippen.
Mr. Roberts stieß einen Seufzer aus. Es war kein Traum. Alles war wirklich passiert. Die Hinreise war langweilig genug gewesen – aber die Rückreise! Er hatte sie genossen. Aber jetzt war er doch froh, wieder zu Hause zu sein. Undeutlich hatte er das Gefühl, daß das Leben in einem derartigen Tempo nicht endlos weitergehen könnte. Selbst die Großfürstin Olga – selbst ihr letzter Kuß –, selbst sie wurde langsam so unwirklich wie ein Traum.
Morgen würden Mary und die Kinder nach Hause kommen. Mr. Roberts lächelte glücklich.
Bestimmt würde sie sagen: »Es war ein so netter Urlaub für uns. Aber wenn ich daran denke, daß du die ganze Zeit allein gewesen bist, mein Armer.« Und er würde dann sagen: »Ach, laß man, Mädchen. Ich mußte für die Firma geschäftlich nach Genf – schwierige Verhandlungen – und sieh mal, was man mir geschickt hat.« Und dann würde er ihr den Scheck über fünfzig Pfund zeigen.
Er mußte an den Orden des heiligen Stanislaus zehnter Klasse mit Lorbeeren denken. Er hatte ihn zwar versteckt – aber angenommen, Mary fände ihn! Das zu erklären würde nicht einfach sein ...
Ja richtig, jetzt hatte er es: Er würde einfach erzählen, er hätte ihn im Ausland gekauft. Eine Rarität!
Wieder schlug er das Buch auf und las glücklich weiter. Der sehnsüchtige Ausdruck auf seinem Gesicht war völlig verschwunden.
Jetzt gehörte auch er zu jenen Ruhmbedeckten, die etwas erlebt hatten.

Die Zigeunerin

I

Macfarlane hatte oft gemerkt, daß sein Freund Dickie Carpenter eine merkwürdige Abneigung gegenüber Zigeunern hatte. Den Grund hatte er allerdings nie erfahren. Als jedoch Dickies Verlobung mit Esther Lawes gelöst wurde, war die Zurückhaltung, die zwischen den beiden Männern noch bestand, für einen kurzen Augenblick niedergerissen.
Macfarlane war mit Rachel, der jüngeren Schwester, seit ungefähr einem Jahr verlobt. Seit ihrer Kindheit kannte er die beiden Lawes-Töchter. In allen Dingen langsam und vorsichtig, hatte er sich widerwillig eingestanden, daß Rachels kindliches Gesicht und ihre ehrlichen braunen Augen einen zunehmenden Reiz auf ihn ausübten. Eine Schönheit wie Esther war sie nicht – o nein! Aber unsagbar wahrhaftiger und süßer. Durch Dickies Verlobung mit der älteren Schwester schien das Band zwischen den beiden Männern enger geworden zu sein.
Und jetzt, nach einigen kurzen Wochen, war diese Verlobung wieder gelöst, und Dickie, der arme Dickie, war ziemlich betroffen. Bisher war in seinem jungen Leben alles so glatt verlaufen. Seine Karriere in der Marine war ein guter Einfall gewesen; die Sehnsucht nach dem Meer war ihm angeboren. Irgendwie hatte er etwas von einem Wikinger an sich: Einfach und direkt war er, und gedankliche Spitzfindigkeiten waren bei ihm vergeudet. Er gehörte zu jener unausgeprägten Art junger Engländer, die jede Gefühlsregung verabscheuen und denen es besonders schwerfällt, geistige Vorgänge in Worten auszudrücken.
Macfarlane, dieser verschlossene Schotte mit seiner keltischen Phantasie, die irgendwo verborgen schlummerte, lauschte und rauchte, während sein Freund sich durch ein Meer von Worten kämpfte. Er hatte gewußt, was kommen würde: daß sein Freund sich alles von der Seele reden mußte. Allerdings hatte er mit einem anderen Thema gerechnet. Jedenfalls fiel der Name Esther Lawes nicht ein einziges Mal. Anscheinend war es die Geschichte irgendeines kindlichen Entsetzens.
»Anfangen tat es mit einem Traum, den ich als Kind hatte. Kein

richtiger Alptraum. Sie – die Zigeunerin, weißt du – tauchte bloß immer wieder in jedem Traum auf – selbst in guten Träumen (oder was ein Kind sich unter einem guten Traum vorstellt: eine Kindergesellschaft mit Knallbonbons und solchen Sachen). Ich hatte immer einen Mordsspaß dabei, und dann hatte ich plötzlich das Gefühl, dann wußte ich plötzlich ganz genau: Wenn ich jetzt hingucke, ist sie da, steht sie da wie immer und beobachtet mich ... Mit traurigen Augen, verstehst du, als wüßte sie irgend etwas, das ich nicht wußte ... Warum es mich so aufregte, kann ich nicht sagen; aber aufregen tat es mich! Jedesmal! Schreiend vor Entsetzen wachte ich immer auf, und mein altes Kinderfräulein sagte dann: ›Aha! Master Dickie hat wieder einmal seinen alten Zigeunertraum gehabt!‹«

»Hast du irgendwann einmal etwas mit richtigen Zigeunern erlebt?«

»Das war erst viel später. Aber auch das war komisch. Ich war hinter meinem kleinen Hund her, der weggerannt war. Erst lief ich durch das Gartentor und dann einen Waldweg entlang. Damals wohnten wir nämlich in New Forest, weißt du. Schließlich kam ich auf eine Art Lichtung, und über einen kleinen Fluß führte eine Holzbrücke. Und genau vor der Brücke stand eine Zigeunerin – mit einem roten Tuch um den Kopf –, genau wie in meinem Traum. Und ich bekam sofort einen entsetzlichen Schrecken! Sie sah mich an, verstehst du ... Mit genau demselben Blick – als wüßte sie irgend etwas, das ich nicht wußte, und als machte es sie traurig ... Und dann sagte sie ganz ruhig, und dabei nickte sie mir zu: ›*Ich an deiner Stelle würde nicht hinübergehen.*‹ Den Grund kann ich dir nicht sagen, aber ich erschrak jedenfalls fast zu Tode. An ihr vorbei rannte ich auf die Brücke. Wahrscheinlich war sie morsch. Jedenfalls stürzte sie ein, und ich fiel in den Fluß. Die Strömung war ziemlich stark, und beinahe wäre ich ertrunken. Gemein, wenn man fast ersäuft. Ich habe es nie vergessen. Und ich hatte das Gefühl, daß es mit der Zigeunerin zu tun hatte ...«

»Genaugenommen hat sie dich doch vorher gewarnt?«

»So kann man es wahrscheinlich auch ansehen.« Dickie verstummte und fuhr dann fort: »Diese Geschichte von meinem Traum habe ich dir nicht erzählt, weil er etwas mit dem zu tun hat, was später passierte – wenigstens glaube ich es nicht –, sondern weil mein Traum der Ausgangspunkt ist. Sicher verstehst du jetzt, was ich mit ›Zigeunergefühl‹ meine. Dann will

ich dir vom ersten Abend bei den Lawes erzählen. Ich war damals gerade von der Westküste gekommen. Ein komisches Gefühl war es, wieder einmal in England zu sein. Die Lawes waren alte Freunde meiner Eltern. Als ich ungefähr sieben gewesen war, hatte ich die Mädchen zum letztenmal gesehen; aber der junge Arthur war ein guter Freund von mir, und als er gestorben war, schrieb Esther immer an mich und schickte mir Zeitungen. Mordsmäßig lustige Briefe schrieb sie! Und immer versuchte sie, meine Laune aufzubessern. Wenn ich doch nur mehr Talent zum Schreiben gehabt hätte! Jedenfalls war ich verdammt gespannt, sie endlich wiederzusehen; irgendwie war es schon komisch, ein Mädchen nur durch Briefe und sonst gar nicht zu kennen. Jedenfalls fuhr ich als erstes zu den Lawes. Als ich ankam, war Esther gerade nicht da, wollte jedoch abends wieder zurück sein. Beim Abendbrot saß ich neben Rachel, und als ich mir die anderen ansah, die noch am Tisch saßen, überkam mich ein komisches Gefühl. Ich merkte, daß irgend jemand mich beobachtete, und das störte mich irgendwie. Dann sah ich sie ...«
»Wen?«
»Mrs. Haworth – von der erzähle ich doch die ganze Zeit.«
Macfarlane lag es auf der Zunge zu sagen: ›Und ich dachte, du erzähltest von Esther Lawes.‹ Aber er schwieg, und Dickie berichtete weiter.
»Irgend etwas war bei ihr ganz anders als bei den übrigen. Sie saß neben dem alten Lawes – mit gesenktem Kopf hörte sie ihm aufmerksam zu. Um den Hals hatte sie irgend etwas aus diesem roten Seidenzeug. Wahrscheinlich war es ein bißchen ausgefranst; jedenfalls sah es so aus, als flackerten hinter ihrem Kopf lauter kleine Flammen ... Ich fragte Rachel: ›Wer ist die Frau da drüben? Die Dunkle – mit dem roten Tuch?‹
›Meinst du Alistair Haworth? Ein rotes Tuch trägt sie zwar – aber sonst ist sie blond, sehr blond sogar.‹
Und das stimmte – verstehst du? Ihr Haar war von einem hinreißend hellen und leuchtenden Blond. Trotzdem hätte ich schwören können, daß sie schwarze Haare hatte. Komisch, wie sogar die Augen einem einen Streich spielen können ... Nach dem Abendbrot machte Rachel uns bekannt, und wir gingen im Garten auf und ab. Wir sprachen über Seelenwanderung ...«
»Nicht ganz dein Spezialgebiet, Dickie!«
»Wahrscheinlich nicht. Aber ich weiß noch, daß ich sagte, ich hielte es für eine ziemlich vernünftige Erklärung, wenn man

irgendwelche Leute von irgendwoher zu kennen glaubte – als wäre man ihnen schon einmal begegnet. Sie sagte: ›Sie meinen Liebende ...‹ An der Art und Weise, wie sie es sagte, war etwas merkwürdig – es klang so sanft und gespannt. Es erinnerte mich – aber an was, wußte ich nicht. Wir redeten noch ein bißchen weiter, und dann rief uns der alte Lawes von der Terrasse: Esther sei gekommen und wolle mich begrüßen. Mrs. Haworth legte ihre Hand auf meinen Arm und sagte. ›Sie gehen hin?‹ – ›Ja‹, sagte ich, ›wir müssen wohl.‹ Und dann – dann ...«

»Weiter!«

»Es klingt so blödsinnig. Aber Mrs. Haworth sagte: ›*Ich an Ihrer Stelle würde nicht hingehen ...*‹« Er schwieg einen Augenblick. »Ich bekam einen entsetzlichen Schrecken, verstehst du? Deswegen habe ich dir vorhin die Geschichte von dem Traum erzählt ... Weil sie es nämlich in genau demselben Ton sagte – ganz ruhig, als wüßte sie irgend etwas, das ich nicht wußte. Es ging nicht darum, daß sie eine hübsche Frau war, die mit mir noch im Garten bleiben wollte. Ihre Stimme klang ganz freundlich – und sehr bedrückt. Als wüßte sie beinahe, was noch kommen würde ... Wahrscheinlich war es unhöflich von mir, aber ich drehte mich einfach um und ließ sie stehen – ich rannte fast zum Haus. Dort schien ich geborgen zu sein. Erst in diesem Moment merkte ich, daß ich von Anfang an vor ihr Angst gehabt hatte. Und ich war erleichtert, als ich dem alten Lawes gegenüberstand. Neben ihm stand Esther ...« Er zögerte einen Augenblick, und dann murmelte er ziemlich unverständlich: »In dem Moment, in dem ich sie sah, war alles klar. Da wußte ich, daß es mich erwischt hatte.«

Macfarlanes Gedanken wanderten schnell zu Esther Lawes. Er hatte einmal gehört, wie jemand ihre ganze Erscheinung in einem einzigen Satz zusammengefaßt hatte: »Ein Meter achtzig jüdische Vollkommenheit.« Ein sehr gescheites Porträt, überlegte er, als er sich ihrer ungewöhnlichen Größe und ihrer schmalen Schlankheit, der marmornen Blässe ihres Gesichts mit der feinen gebogenen Nase und der schwarzen Pracht ihres Haars und ihrer Augen erinnerte. Ja, verwundern tat es ihn nicht, daß Dickies jungenhafte Einfachheit davor kapituliert hatte. Sein eigenes Herz konnte Esther zwar nicht zum schnelleren Schlagen bringen – aber er mußte zugeben, daß sie wunderschön war.

»Und dann«, fuhr Dickie fort, »verlobten wir uns.«

»Gleich?«
»Nein – aber nach ungefähr einer Woche. Anschließend brauchte sie ungefähr vierzehn Tage, um festzustellen, daß ihr eigentlich nicht viel daran lag ...« Er lachte verbittert auf.
»Es war am letzten Abend vor meiner Rückfahrt zu dem alten Kahn. Ich war im Dorf gewesen, ging gerade durch den Wald – und da sah ich sie wieder – ich meine: Ich sah Mrs. Haworth. Sie hatte eine rote Baskenmütze auf dem Kopf, und ich fuhr zusammen – nur einen einzigen Moment, verstehst du? Die Geschichte mit meinem Traum habe ich dir bereits erzählt, so daß du es wahrscheinlich begreifst ... Wir gingen ein Stück zusammen. Übrigens hätte Esther ruhig alles hören können, was wir sagten – verstehst du ...«
»Ach?« Macfarlane blickte seinen Freund neugierig an. Seltsam, daß die Leute einem Dinge erzählen, die ihnen überhaupt nicht bewußt sind!
»Und als ich mich dann umdrehte, um zum Haus zurückzugehen, hielt sie mich fest. ›Sie werden noch zeitig genug kommen‹, sagte sie. ›*Ich an Ihrer Stelle würde mich nicht so beeilen* ...‹ Und in diesem Moment wußte ich Bescheid – wußte ich genau, daß irgend etwas Gemeines auf mich wartete ... und ... und kaum war ich im Haus, traf ich Esther, und sie sagte – sie hätte gemerkt, daß ihr doch nicht so viel daran liege ...«
Macfarlane knurrte mitfühlend. »Und Mrs. Haworth?« fragte er.
»Ich habe sie nie wiedergesehen – bis heute abend.«
»Heute abend?«
»Ja. Vorhin im Lazarett. Ich mußte wegen meines Beines hin, das damals bei der Torpedogeschichte ein bißchen lädiert worden ist. In letzter Zeit hatte es mir Kummer gemacht. Der alte Knabe riet zur Operation – es wäre eine ganz einfache Geschichte. Als ich weggehen wollte, prallte ich mit einem Mädchen zusammen, das über ihrer Schwesterntracht einen roten Pullover trug. Und dieses Mädchen sagte: ›*Ich an Ihrer Stelle würde mich nicht operieren lassen* ...‹ Da erst merkte ich, daß es Mrs. Haworth war. Sie ging aber so schnell weiter, daß ich sie nicht festhalten konnte. Ich traf dann eine andere Schwester und erkundigte mich nach ihr. Die Schwester sagte jedoch, eine Frau, die so hieße, sei nicht im Lazarett ... Komisch ...«
»Und sie war es bestimmt?«
»Aber ja. Verstehst du denn nicht – sie ist sehr schön ...« Er

schwieg einen Augenblick und fügte dann hinzu: »Natürlich lasse ich mich operieren – klar ... Aber – falls ich tatsächlich an der Reihe sein sollte ...«
»Unsinn!«
»Natürlich ist es Unsinn! Und trotzdem bin ich froh, daß ich dir die Geschichte mit der Zigeunerin erzählt habe ... Weißt du, an sich wollte ich dir noch etwas erzählen, aber im Moment fällt es mir einfach nicht ein ...«

2

Macfarlane wanderte die ansteigende Heidestraße entlang. Am Gartentor des Hauses, das fast auf der Kuppe des Hügels lag, bog er ab. Mit entschlossenen zusammengebissenen Zähnen klingelte er.
»Ist Mrs. Haworth zu sprechen?«
»Ja, Sir. Ich sage sofort Bescheid.« Das Dienstmädchen ließ ihn in einem niedrigen langen Raum allein, dessen Fenster auf die Wildnis der Heidelandschaft hinausgingen. Nachdenklich zog er die Stirn kraus. Würde er sich jetzt vielleicht maßlos lächerlich machen?
Dann fuhr er zusammen. Über ihm sang eine leise Stimme:

Die Zigeunerin
wohnt auf der Heide ...

Die Stimme brach ab. Macfarlanes Herz schlug eine Spur schneller. Die Tür ging auf.
Ihre verwirrende, beinahe skandinavische Blondheit wirkte auf ihn wie ein Schock. Trotz Dickies Schilderung hatte er sich vorgestellt, sie wäre schwarz wie eine Zigeunerin ... Und plötzlich fielen ihm Dickies Worte und ihr merkwürdiger Klang wieder ein. *»Verstehst du denn nicht – sie ist sehr schön ...«* Vollkommene, unantastbare Schönheit ist selten, und vollkommene, unantastbare Schönheit war genau das, was Mrs. Haworth besaß.
Er riß sich zusammen und ging ihr entgegen. »Ich fürchte, Sie werden nicht einmal meinen Namen kennen; Ihre Adresse bekam ich von Lawes. Aber – ich bin ein Freund von Dickie Carpenter.«
Prüfend sah sie ihn eine Weile an. Dann sagte sie: »Ich wollte gerade spazierengehen. Auf der Heide. Kommen Sie mit?«

Sie stieß die Terrassentür auf und trat auf den Hang hinaus. Er folgte ihr. Ein schwerer, fast einfältig aussehender Mann saß rauchend in einem Korbsessel.

»Mein Mann! Wir gehen ein bißchen spazieren, Maurice. Und anschließend ißt Mr. Macfarlane mit uns zu Mittag. Das tun Sie doch, nicht wahr?«

»Vielen Dank.« Er folgte ihrem leichten Schritt den Hügel hinauf und überlegte dabei: ›Warum? Warum, um Himmels willen, hat so so etwas geheiratet?‹

Alistair bahnte sich einen Weg zu einigen Felsen. »Hier setzen wir uns hin. Und Sie erzählen – wozu Sie hierher gekommen sind.«

»Sie wissen es also schon?«

»Ich weiß immer, wenn schlimme Dinge bevorstehen. Es ist schrecklich, nicht wahr? Das mit Dickie?«

»Er unterzog sich einer leichten Operation – die erfolgreich verlief. Sein Herz muß jedoch schwach gewesen sein. Er starb während der Narkose.«

Was er auf ihrem Gesicht zu entdecken gehofft hatte, wußte er nicht genau – kaum jedoch jenen Ausdruck tiefster ewiger Erschöpfung ... Er hörte, wie sie murmelte: »Wieder – so lange – so lange – warten ...« Dann blickte sie auf. »Was wollen Sie sagen?«

»Nur das eine: Irgend jemand warnte ihn vor der Operation. Eine Schwester. Er glaubte, Sie wären es gewesen. Stimmt das?«

Sie schüttelte den Kopf. »Nein – ich bin es nicht gewesen. Aber ich habe eine Kusine, die Krankenschwester ist. Im Zwielicht sieht sie mir ziemlich ähnlich. So wird es wahrscheinlich gewesen sein.« Sie schaute zu ihm hoch. »Aber das ist doch nicht so wichtig, nicht wahr?« Und dann wurden ihre Augen plötzlich ganz groß. Sie hielt den Atem an. »Oh!« sagte sie. »Oh! Wie merkwürdig! Sie begreifen nicht ...«

Macfarlane war verblüfft. Immer noch starrte sie ihn an.

»Ich dachte, Sie müßten ... Sie sollten es eigentlich. Sie sehen aus, als könnten Sie es auch ...«

»Was denn?«

»Als hätten Sie die Gabe – oder den Fluch; nennen Sie es, wie Sie wollen. Ich glaube, Sie haben es auch. Schauen Sie ganz genau auf diese Vertiefung im Gestein. Denken Sie gar nichts; sehen Sie bloß hin ... Ah!« sagte sie plötzlich und erschauerte. »Und – haben Sie etwas gesehen?«

»Es muß Einbildung gewesen sein. Für einen kurzen Augenblick sah es so aus, als wäre sie voll mit – Blut!«
Sie nickte. »Ich wußte, daß Sie es können. Das hier ist die Stelle, an der die Sonnenanbeter ihr Opfer darbrachten. Ich wußte es, bevor man es mir erzählte. Und manchmal weiß ich sogar, was sie dabei empfanden – als wäre ich selbst dabei gewesen ... Und die Heide hat etwas, das mir das Gefühl gibt, als kehrte ich langsam zurück ... Daß ich diese Gabe besitze, ist nur natürlich. Schließlich bin ich eine Ferguesson. Das zweite Gesicht liegt in der Familie. Und bevor mein Vater sie heiratete, war meine Mutter ein Medium. Christine hieß sie. Sie war sehr berühmt.«
»Meinen Sie mit ›Gabe‹ die Fähigkeit, Dinge zu sehen, bevor sie geschehen?«
»Ja – vorher und hinterher, das ist dasselbe. Zum Beispiel sah ich, wie Sie überlegten, warum ich Maurice geheiratet hätte – o ja, das haben Sie! Die Erklärung ist ganz einfach: Ich habe immer gewußt, daß irgend etwas Entsetzliches drohend über ihm hängt ... Davor möchte ich ihn bewahren ... Frauen sind nun einmal so. Mit meiner Gabe sollte ich eigentlich in der Lage sein, es zu verhindern – wenn es überhaupt zu verhindern ist. Dickie konnte ich nicht helfen. Und Dickie wollte es auch nicht begreifen ... Er hatte Angst. Er war noch sehr jung.«
»Zweiundzwanzig.«
»Und ich bin dreißig. Aber das meinte ich nicht. Es gibt so viele Arten, voneinander getrennt zu werden: durch Länge und Höhe und Breite ... aber durch die Zeit getrennt zu sein, ist das schlimmste ...« Sie versank in ein langes grübelndes Schweigen.
Der gedämpfte Klang eines Gongs, der vom Haus herauf drang, störte sie auf.
Beim Mittagessen beobachtete Macfarlane ihren Mann, Maurice Haworth. Zweifellos war Mr. Haworth in seine Frau sehr verliebt. In seinen Augen lag die fraglose, glückliche Zuneigung eines Hundes. Macfarlane bemerkte auch die Zärtlichkeit, mit der sie darauf reagierte und die einen Anflug von Mütterlichkeit hatte. Nach dem Essen verabschiedete er sich.
»Ich bleibe für einen Tag – oder auch zwei – unten im Gasthaus. Darf ich noch einmal heraufkommen und Sie wiedersehen? Morgen vielleicht?«
»Selbstverständlich. Aber ...«
»Aber was?«

Sie fuhr mit der Hand über die Augen. »Ich weiß nicht. Ich – ich glaube fast, wir sollten uns nicht noch einmal sehen. Das ist alles. Auf Wiedersehen.«
Langsam ging er die Straße hinunter. Gegen seinen Willen schien eine eisige Hand sein Herz umklammert zu haben. Nicht wegen ihrer Worte, natürlich, sondern ...
Ein Wagen fegte durch die Kurve. Er preßte sich an die Hecke – gerade noch rechtzeitig. Eine merkwürdige graue Blässe überzog sein Gesicht ...

3

»Um Himmels willen – meine Nerven sind zum Teufel«, knurrte Macfarlane, als er am folgenden Morgen aufwachte. Nüchtern rief er sich die Ereignisse des vergangenen Nachmittags ins Gedächtnis. Der Wagen, der Abkürzungsweg zum Gasthaus und der plötzliche Nebel, der ihn vom Wege abgebracht hatte, und dazu das Bewußtsein, daß ganz in der Nähe ein gefährliches Sumpfstück lag; dann die Schornsteinhaube, die vom Gasthof heruntergefallen war, und der Brandgeruch nachts, der von einem glimmenden Holzstück stammte, das auf dem Vorleger seines Kamins gelegen hatte. Es hatte nichts zu bedeuten! Gar nichts hatte es zu bedeuten – aber dazu ihre Worte und die tiefe, von ihm gar nicht bemerkte Gewißheit in seinem Herzen, daß sie Bescheid wußte ...
In einem plötzlichen Anfall schleuderte er die Bettdecke weg. Er mußte aufstehen, und als erstes mußte er sie sprechen. Das würde den Bann brechen. Vorausgesetzt allerdings, er würde heil hinkommen ... Himmel, was war er doch für ein Idiot!
Zum Frühstück konnte er kaum etwas essen. Als es zehn Uhr schlug, befand er sich bereits auf dem Weg. Um zehn Uhr dreißig drückte seine Hand auf die Klingel. Erst dann, nicht einen Augenblick früher, erlaubte er sich einen tiefen Atemzug der Erleichterung. »Ist Mrs. Haworth da?«
Es war dieselbe ältere Frau, die ihm gestern aufgemacht hatte. Ihr Gesicht war jedoch völlig verändert – von Gram zerfurcht.
»O Sir! O Sir – haben Sie es denn noch nicht gehört?«
»Was gehört?«
»Miss Alistair, das arme Schäfchen! Ihre Tropfen! Jeden Abend nahm sie sie. Der arme Captain ist außer sich – fast wahnsinnig ist er. In der Dunkelheit hat er die falsche Flasche vom Bord ge-

nommen ... Der Doktor wurde zwar gleich geholt, aber es war zu spät ...«

Und dann fielen Macfarlane plötzlich wieder ihre Worte ein: *»Ich habe immer gewußt, daß irgend etwas Entsetzliches drohend über ihm hängt ... Davor möchte ich ihn bewahren – wenn es überhaupt zu verhindern ist ...«* Aber das Schicksal läßt sich nicht betrügen ... Seltsames Verhängnis der Vision, das zerstört hatte, wo es zu retten versuchte ...

Die alte Dienerin fuhr fort: »Mein armes Lämmchen! So süß und so freundlich war sie immer, und so leid tat es ihr, wenn irgendwo Kummer herrschte. Sie konnte es nicht ertragen, daß jemand verletzt wurde.« Sie zögerte, fügte dann jedoch hinzu: »Möchten Sie nach oben gehen und sie noch einmal sehen, Sir? Nach allem, was sie sagte, nehme ich an, daß Sie sie schon seit langem kennen. Seit sehr langer Zeit, sagte sie ...«

Macfarlane folgte der alten Frau die Treppe hinauf in das Zimmer, das über dem Wohnraum lag, wo er tags zuvor ihre singende Stimme gehört hatte. Im oberen Teil der Fenster war buntes Glas eingelassen. Es warf rotes Licht auf das Kopfende des Bettes ... *Eine Zigeunerin mit einem roten Tuch um den Kopf* ... Unsinn! Seine Nerven spielten ihm schon wieder einen Streich. Lange schaute er Alistair Haworth zum letztenmal an.

4

»Eine Dame möchte Sie sprechen, Sir.«

»Was ist?« Geistesabwesend sah Macfarlane seine Wirtin an. »Oh, Verzeihung, Mrs. Rowse, ich fange schon an, Gespenster zu sehen.«

»Wirklich, Sir? Nach Einbruch der Dunkelheit kann man auf der Heide manchmal schon merkwürdige Dinge sehen; das weiß ich. Einmal ist es die weiße Dame, dann wieder der Teufelsschmied, oder auch der Seemann und die Zigeunerin ...«

»Was sagten Sie eben? Der Seemann und die Zigeunerin?«

»Das behaupten die Leute wenigstens, Sir. Als ich noch jung war, erzählten sich die Leute noch eine Geschichte dazu. Vor einer ganzen Weile hätten die beiden sich geliebt und zerstritten ... Aber jetzt sind sie schon lange Zeit nicht mehr gesehen worden.«

»Wirklich? Vielleicht, daß sie – möglicherweise – jetzt wieder ...«

»Um Gottes willen, Sir! Sagen Sie so etwas nicht! Und die junge Dame ...«

»Welche junge Dame?«

»Die Sie sprechen möchte. Sie ist im Gastzimmer. Eine Miss Lawes – so hat sie gesagt.«

»Oh!«

Rachel! Er verspürte ein seltsames Gefühl des Zusammenziehens, ein Verschieben der Perspektiven. Heimlich hatte er in eine andere Welt hineingeschaut. Rachel hatte er darüber vergessen, denn Rachel gehörte allein zu diesem Leben ... Wieder dieses merkwürdige Verschieben der Perspektiven, dieses Zurückgleiten in eine Welt mit nur drei Dimensionen.

Er öffnete die Tür zum Gastzimmer. Rachel – mit ihren ehrlichen braunen Augen. Und plötzlich, als erwachte er aus einem Traum, überwältigte ihn eine warme Welle freudiger Wirklichkeit. Er lebte – lebte! Und er überlegte: ›Es gibt immer nur ein einziges Leben, dessen man ganz sicher sein kann! Das ist dieses Leben!‹

»Rachel!« sagte er, legte seine Fingerspitzen unter ihr Kinn und küßte ihre Lippen.

Die Zeugin der Anklage

Mr. Mayherne rückte seinen Kneifer gerade und räusperte sich mit jenem ausgedörrten Hüsteln, das typisch für ihn war. Dann blickte er wieder sein Gegenüber an – jenen Mann, der eines vorsätzlichen Mordes beschuldigt war.

Mr. Mayherne war ein kleiner Mann, pedantisch in seiner Art, adrett – um nicht zu sagen: geckenhaft – gekleidet und mit einem Paar sehr gescheiter und durchdringender grauer Augen: alles andere also als ein Dummkopf. Als Anwalt stand Mr. Mayherne tatsächlich in sehr hohem Ansehen. Wenn er mit seinem Mandanten sprach, klang seine Stimme trocken, jedoch nicht empfindungslos.

»Ich muß Ihnen noch einmal nachdrücklich sagen, daß Sie sich in einer sehr ernsten Gefahr befinden und größte Offenheit vonnöten ist.«

Leonard Vole, der wie betäubt auf die kahle Mauer gestarrt hatte, der er gegenüber saß, ließ seinen Blick zu dem Anwalt wandern.

»Ich weiß«, sagte er ohne Hoffnung. »Das haben Sie mir schon mehrfach gesagt. Anscheinend kann ich mir jedoch nicht ganz klar werden, daß man mich eines Mordes beschuldigt – ausgerechnet eines Mordes! Und dazu noch eines so gemeinen Verbrechens.«

Mr. Mayherne dachte praktisch, nicht gefühlvoll. Er räusperte sich wieder, nahm den Kneifer ab, polierte sorgfältig die Gläser und setzte ihn wieder auf die Nase.

»Ja, ja, ja«, sagte er dann. »Aber jetzt, mein lieber Mr. Vole, werden wir einen entscheidenden Versuch machen, Sie hier herauszubekommen, und das wird uns gelingen – das wird uns bestimmt gelingen. Doch dazu muß ich sämtliche Tatsachen kennen. Ich muß wissen, was man alles in diesem Fall gegen Sie vorbringen kann. Dann erst können wir uns entscheiden, auf welcher Linie wir die Verteidigung am besten aufbauen.«

Immer noch sah der junge Mann ihn in derselben betäubten, hoffnungslosen Art an. Auf Mr. Mayherne hatte der Fall bisher einen ziemlich aussichtslosen Eindruck gemacht, und die Schuld

des Häftlings schien erwiesen zu sein. Jetzt kamen ihm, zum erstenmal, Zweifel.
»Ich glaube, ich bin schuldig«, sagte Leonard Vole mit leiser Stimme. »Aber ich schwöre bei Gott, daß ich es nicht war! Die Sache sieht für mich ziemlich finster aus – das weiß ich. Mir geht es wie einem Mann, der sich in einem Netz verfangen hat – überall um mich herum sind Maschen, in denen ich hängenbleibe, sobald ich mich irgendwie bewege. Aber ich habe es nicht getan, Mr. Mayherne, ich habe es nicht getan!«
In einer derartigen Lage war es unvermeidbar, daß ein Mensch seine Unschuld beteuerte. Mr. Mayherne wußte Bescheid. Und dennoch war er gegen seinen Willen beeindruckt. Es konnte schließlich immerhin möglich sein, daß Leonard Vole unschuldig war.
»Sie haben völlig recht, Mr. Vole«, sagte er. »Es sieht für Sie äußerst schlecht aus. Trotzdem erkenne ich Ihre Beteuerung an. Kommen wir aber jetzt zu den Tatsachen. Ich möchte, daß Sie mir mit Ihren eigenen Worten ganz genau schildern, wie Sie seinerzeit Miss Emily French kennenlernten.«
»Das war in der Oxford Street. Ich sah eines Tages, wie eine ältere Dame die Straße überquerte. Sie hatte eine Menge Pakete und Päckchen bei sich. Mitten auf der Fahrbahn ließ sie sie fallen, versuchte, sie wieder aufzuheben, merkte plötzlich, daß ein Autobus genau auf sie losfuhr, und schaffte es dann doch noch, heil und unversehrt den Bürgersteig zu erreichen; sie war wie betäubt und leicht verstört, weil die Leute sie anschrien. Ich sammelte die Pakete ein, säuberte sie, so gut ich konnte, schnürte ein Paket wieder zu und brachte sie ihr.«
»Es handelte sich also nicht darum, daß Sie ihr das Leben gerettet hatten?«
»Um Himmels willen – nein! Was ich damals tat, war nichts weiter als eine völlig normale Höflichkeit. Sie war mir äußerst dankbar – das wiederholte sie mehrmals, und dann sagte sie auch noch, daß mein Verhalten so ganz anders wäre als das der meisten jungen Leute; genau kann ich mich an ihre Worte natürlich nicht mehr erinnern. Ich zog dann meinen Hut und ging weiter. Ich rechnete nicht damit, ihr noch einmal zu begegnen, aber das Leben steckt voller merkwürdiger Zufälle. Denn noch am gleichen Abend sah ich sie auf der Party im Hause eines Freundes wieder. Sie erkannte mich sofort und bat darum, daß ich ihr vorgestellt würde. Dabei erfuhr ich, daß sie eine Miss Emily French

sei und in Cricklewood wohne. Ich unterhielt mich eine Weile mit ihr. Sie war meiner Ansicht nach eine alte Dame, die sich plötzlich und sehr heftig zu irgendwelchen Leuten hingezogen fühlte. Auf mich verfiel sie dank einer ganz simplen Tat, die jeder andere genausogut hätte ausführen können. Beim Abschied schüttelte sie mir mit Wärme die Hand und meinte, ich müsse sie unbedingt besuchen. Ich erwiderte natürlich, daß ich es sehr gern tun würde, und daraufhin drängte sie mich, gleich einen Tag auszumachen. Besondere Lust hatte ich zwar nicht, aber wenn ich mich geweigert hätte, wäre es unhöflich von mir gewesen, und deshalb schlug ich den nächsten Sonnabend vor. Nachdem sie gegangen war, erfuhr ich von meinen Freunden einige Einzelheiten über sie: daß sie reich sei, daß sie ein Sonderling sei, daß sie mit ihrem Dienstmädchen allein zusammen wohne und daß sie nicht weniger als acht Katzen besitze.«

»Ich verstehe«, sagte Mr. Mayherne. »Die Frage ihrer Wohlhabenheit tauchte also schon so früh auf?«

»Wenn Sie meinen, ob ich danach gefragt ...« sagte Leonard Vole erregt, aber Mr. Mayherne brachte ihn mit einer Handbewegung zum Schweigen.

»Ich muß den Fall so betrachten, wie er von der Gegenseite vorgebracht werden wird. Ein gewöhnlicher Beobachter hätte niemals vermutet, daß Miss French eine wohlhabende Dame war. Sie führte ein ärmliches, fast bescheidenes Leben. Hätte man Ihnen nicht das Gegenteil erzählt, hätten Sie sie aller Wahrscheinlichkeit nach für eine Frau in ärmlichen Verhältnissen gehalten – jedenfalls zu Anfang. Wer hat Ihnen eigentlich erzählt, daß Miss French reich sei?«

»Mein Freund George Harvey, in dessen Haus die Party damals stattfand.«

»Ob er sich noch daran erinnern wird?«

»Das weiß ich wirklich nicht. Immerhin ist es schon eine ganze Weile her.«

»Damit haben Sie recht, Mr. Vole. Aber verstehen Sie: Der Anklage wird es in erster Linie auf den Nachweis ankommen, daß Sie damals finanziell etwas auf dem trockenen saßen – das stimmt doch, nicht wahr?«

Leonard Vole wurde rot.

»Ja«, sagte er leise. »Ich hatte damals gerade eine teuflische Pechsträhne.«

»Ganz richtig«, sagte Mayherne. »Und als Sie, wie gesagt, finanziell auf dem trockenen saßen, lernten Sie diese reiche alte Dame kennen und pflegten diese Bekanntschaft mit Bedacht. Wenn wir in der Lage wären und sagen könnten, Sie hätten von ihrem Vermögen nichts gewußt und hätten sie aus reiner Herzensfreundschaft besucht . . .«

»Aber so war es doch auch!«

»Möglicherweise. Darüber wollen wir uns jetzt nicht streiten. Ich versuche nur, mir die Angelegenheit wie ein Außenstehender vorzustellen. Sehr viel hängt von dem Erinnerungsvermögen des Mr. Harvey ab. Glauben Sie, daß er sich an Ihre Unterhaltung noch erinnern wird? Ist es möglich, daß er von der Staatsanwaltschaft irritiert und zu der Annahme gebracht werden kann, daß sie erst später stattfand?«

Leonard Vole überlegte einige Minuten. Dann sagte er bestimmt, wenn auch mit einem noch blasseren Gesicht: »Ich glaube nicht, daß wir damit Erfolg haben werden, Mr. Mayherne. Es waren noch ein paar dabei, die seine Bemerkung hörten, und einige zogen mich noch wegen der Eroberung einer reichen alten Dame auf.«

Der Anwalt bemühte sich, seine Enttäuschung hinter einer Handbewegung zu verbergen.

»Pech«, sagte er. »Aber ich beglückwünsche Sie zu Ihrer Offenheit, Mr. Vole. Mir kommt es bei allem einzig und allein darauf an, Ihnen zu sagen, was Sie tun sollen. Ein Beharren auf der von mir genannten Linie würde verheerende Folgen haben. Lassen wir es also vorerst dabei. Sie machten die Bekanntschaft von Miss French, besuchten sie, und die Bekanntschaft entwickelte sich weiter. Dafür brauchen wir aber einen klaren Grund. Warum widmeten Sie – ein junger Mann von dreiunddreißig Jahren, sportbegeistert und bei Ihren Freunden beliebt – einen so großen Teil Ihrer Zeit ausgerechnet einer älteren Frau, mit der Sie doch wohl kaum irgendwelche Gemeinsamkeiten haben konnten?«

Leonard Vole hob erregt beide Hände.

»Das kann ich Ihnen nicht sagen – das kann ich Ihnen wirklich nicht sagen. Nach meinem ersten Besuch drängte sie mich, bald wiederzukommen, und sprach davon, daß sie einsam und unglücklich wäre. Und sie machte es mir schwer, ihre Aufforderung abzulehnen. Sie zeigte mir ihre Zuneigung und Herzlichkeit so offen, daß ich dadurch in eine schreckliche Situation geriet. Sehen Sie, Mr. Mayherne – ich bin nun einmal keine entschlossene Natur; ich bin oft schwankend, und ich gehöre zu den Leuten, die nicht nein sagen können. Und Sie können es mir glauben oder auch nicht, aber nach meinem dritten oder vierten Besuch merkte ich auf einmal, daß ich dieser alten Frau ebenfalls zugetan war. Meine Mutter starb, als ich noch ein Kind war. Ich wuchs bei einer Tante auf, und ich war keine fünfzehn, als sie ebenfalls starb. Wenn ich Ihnen nun erzählte, daß ich es richtig genoß, bemuttert und verhätschelt zu werden, würden Sie doch nur lachen.«

Mr. Mayherne lachte nicht. Statt dessen nahm er wieder seinen Kneifer ab und putzte die Gläser – immer ein Zeichen, daß er angestrengt nachdachte.

»Ich akzeptiere Ihre Erklärung, Mr. Vole«, sagte er schließlich. »Ich glaube, daß sie psychologisch wahrscheinlich ist. Ob das Gericht sich dieser Ansicht anschließt, ist eine andere Frage. Fahren Sie bitte mit Ihrem Bericht fort. Wann geschah es, daß Miss French Sie zum erstenmal bat, sich um ihre geschäftlichen Angelegenheiten zu kümmern?«

»Als ich sie zum dritten- oder viertenmal besucht hatte. Von finanziellen Dingen verstand sie nur sehr wenig, und sie hatte Kummer mit irgendwelchen Geldanlagen.«

Mr. Mayherne blickte ihn scharf an.

»Vorsicht, Mr. Vole. Janet Mackenzie, das Dienstmädchen, erklärt, ihre Herrin wäre eine gute Geschäftsfrau gewesen und hätte ihre gesamten Transaktionen immer selbst erledigt; diese Erklärung deckt sich mit der Aussage, die die Bankiers über Miss French gemacht haben.«

»Aber ich kann es doch nicht ändern«, sagte Vole ernst. »Sie hat es mir selbst gesagt.«

Schweigend blickte Mr. Mayherne ihn eine Weile an. Obgleich er nicht die Absicht hatte, es laut auszusprechen, wurde sein Glaube an Leonard Voles Unschuld in diesem Augenblick bestärkt. Er kannte sich in der Mentalität älterer Damen einigermaßen aus. Und er sah Miss French vor sich: vernarrt in diesen gutaussehenden jungen Mann, immer auf der Suche nach neuen Vorwänden, um ihn in ihr Haus zu holen. Was lag näher, als die in geschäftlichen Dingen Unerfahrene zu spielen und ihn zu bitten, ihr in den finanziellen Fragen behilflich zu sein? Sie war eine Dame von Welt, und daher wußte sie, daß jeder Mann sich durch das Eingeständnis seiner Überlegenheit leicht geschmeichelt fühlen würde. Leonard Vole hatte sich geschmeichelt gefühlt. Vielleicht hatte sie auch gar nichts dagegen gehabt, diesem jungen Mann zu zeigen, daß sie wohlhabend war. Emily French war eine alte Frau mit einem starken Willen gewesen, bereit, ihren Preis für das zu zahlen, was sie haben wollte. Diese Überlegungen gingen Mr. Mayherne blitzschnell durch den Kopf; er behielt sie jedoch für sich. Statt dessen stellte er eine weitere Frage.

»Und auf ihren Wunsch hin haben Sie die Dinge in die Hand genommen?«

»Ja, das habe ich.«

»Mr. Vole«, sagte der Anwalt, »ich werde Ihnen jetzt eine sehr ernste Frage stellen – eine Frage, bei der es von entscheidender Bedeutung ist, daß Sie sie wahrheitsgemäß beantworten. Finanziell hatten Sie Schwierigkeiten. Sie hatten die geschäftlichen Probleme einer alten Frau in die Hand genommen – einer alten Dame, die nach eigenen Angaben nichts oder nur sehr wenig von diesen Dingen verstand. Haben Sie irgendwann und irgendwie die Ihnen anvertrauten Sicherheiten zu eigenen Zwecken verwendet? Haben Sie zu Ihrem eigenen finanziellen Vorteil irgendwelche Transaktionen durchgeführt, die das Tageslicht scheuen müßten?« Er hinderte den anderen an einer Antwort. »Überlegen Sie lieber noch einen Augenblick. Uns stehen zwei Möglichkeiten offen. Entweder wir betonen die Rechtschaffenheit und Ehrlichkeit, mit der Sie die Angelegenheit der alten Dame erledigten, während wir zugleich betonen, wie unwahrscheinlich es ist, daß Sie einen Mord begingen, um zu Geld zu kommen, da Sie das gleiche Ziel auch auf sehr viel leichtere Art erreichen konnten; wenn sich dabei jedoch, andererseits, Dinge ereignet haben sollten, die die Staatsanwaltschaft interessieren – wenn, um es offen auszusprechen, nachgewiesen werden kann, daß Sie die alte Dame in irgendeiner Weise beschwindelt oder betrogen haben –, dann müßten wir so vorgehen, daß Sie gar kein Motiv für den Mord gehabt hätten, da Miss French doch sowieso schon eine sichere Einnahmequelle für Sie bildete. Sie verstehen sicherlich den Unterschied. Und jetzt bitte ich Sie: Lassen Sie sich Zeit mit Ihrer Antwort.«

Aber Leonard Vole ließ sich nicht die geringste Zeit.

»Die Art, in der ich Miss Frenchs Angelegenheiten durchführte, ist völlig korrekt und unangreifbar gewesen. Ich habe ihre Interessen nach bestem Wissen und Gewissen vertreten, und das wird jeder bestätigen, der die Unterlagen überprüft.«

»Danke«, sagte Mr. Mayherne. »Das bedeutet für mich eine

große Erleichterung. Und ich mache Ihnen das Kompliment, Sie für viel zu intelligent zu halten, um mich in einem derartigen Punkt anzulügen.«

»Das, was am meisten zu meinen Gunsten spricht«, sagte Vole eifrig, »ist doch allein der Punkt, daß ein Motiv fehlt! Angenommen, ich hätte die Bekanntschaft mit einer reichen alten Dame nur in der Hoffnung gepflegt, Geld aus ihr herauszuholen – und das ist doch wohl der Kern dessen, was Sie meinten –, dann hat ihr Tod doch meine Hoffnungen zerstört.«

Der Anwalt blickte ihn offen an. Dann wiederholte er sehr nachdenklich seinen unbewußten Trick mit dem Kneifer. Erst als er ihn wieder auf die Nase gesetzt hatte, redete er.

»Ist Ihnen nicht bekannt, Mr. Vole, daß Miss French ein Testament hinterlassen hat, nach dem Sie der Haupterbe sind?«

»Das ist nicht wahr!« Der Häftling sprang auf. Seine Bestürzung war ehrlich und nicht gespielt. »Mein Gott! Was sagen Sie? Sie hat ihr Vermögen mir vererbt?«

Mr. Mayherne nickte langsam. Vole sank wieder in sich zusammen, den Kopf in die Hände gestützt.

»Behaupten Sie, dieses Testament nicht gekannt zu haben?«

»Was heißt behaupten? Da gibt es nichts zu behaupten! Ich weiß nichts davon!«

»Was würden Sie dazu sagen, wenn ich Ihnen mitteilte, daß Janet Mackenzie, das Dienstmädchen, beschwört, Sie wüßten doch Bescheid? Daß Miss French ihr unmißverständlich erzählte, sie hätte sich von Ihnen dabei beraten lassen und Ihnen ihre Absicht verraten?«

»Wirklich? Dann lügt sie! Nein – ich urteile zu vorschnell. Janet ist eine ältere Frau. Für ihre Herrin war sie ein zuverlässiger Wachhund, und mich mochte sie nicht. Sie war eifersüchtig und mißtrauisch. Ich gebe ohne weiteres zu, daß Miss French sich ihr anvertraute, aber entweder hat Janet irgend etwas mißverstanden, oder sie war in ihrer Vorstellung fest davon überzeugt, daß ich die alte Dame dazu überredet hätte. Sicher ist sie jetzt davon überzeugt, Miss French hätte es ihr tatsächlich erzählt.«

»Glauben Sie nicht, daß Janet eine so große Abneigung gegen Sie empfindet, um in dieser Angelegenheit ganz bewußt zu lügen?«

Leonard Vole sah erschrocken und irritiert aus.

»Nein – niemals. Weshalb denn?«

»Das weiß ich nicht«, sagte Mr. Mayherne nachdenklich. »Sie scheint jedenfalls sehr verbittert zu sein.«

Der unglückliche junge Mann stöhnte.
»Jetzt fange ich an, klar zu sehen«, murmelte er. »Es ist entsetzlich. Ich habe ihr den Hof gemacht, werden die Leute sagen, um sie dazu zu bringen, mir ihr Vermögen zu vererben, und dann bin ich abends, als sonst niemand im Hause war, hingegangen – man hat sie erst am nächsten Tag gefunden ... Oh, mein Gott, wie entsetzlich!«
»Sie irren sich, wenn Sie glauben, es wäre niemand im Hause gewesen«, sagte Mayherne. »Sie erinnern sich vielleicht, daß Janet an jenem Abend Ausgang hatte. Sie ging auch weg, aber gegen halb zehn kam sie noch einmal zurück, um das Schnittmuster für einen Blusenärmel zu holen, das sie einer Freundin versprochen hatte. Sie kam durch die Hintertür, ging nach oben, holte das Schnittmuster und verließ dann das Haus wieder. Aus dem Wohnzimmer hörte sie dabei Stimmen; sie konnte zwar nicht verstehen, was gesprochen wurde, ist aber bereit zu beschwören, daß es die Stimmen von Miss French und einem Mann waren.«
»Um halb zehn«, sagte Leonard Vole. »Halb zehn ...« Er sprang auf. »Aber dann bin ich gerettet! Gerettet ...!«
»Was wollen Sie damit sagen?« rief Mr. Mayherne verblüfft.
»Um halb zehn war ich doch längst wieder zu Hause! Meine Frau kann es bestätigen. Miss French habe ich um etwa fünf vor neun verlassen. Meine Frau hat noch auf mich gewartet. Oh – Gott sei Dank! Gott sei Dank! Und gesegnet sei Janet Mackenzies Schnittmuster.«
In seinem Überschwang merkte er gar nicht, daß der ernste Gesichtsausdruck sich nicht verändert hatte. Mr. Mayhernes Worte brachten ihn jedoch mit einem Schlag wieder auf die Erde zurück.
»Wer hat dann Miss French ermordet?«
»Wieso? Sicher irgendein Einbrecher, wie zuerst angenommen wurde. Das Fenster war, wie Sie sich erinnern werden, eingedrückt. Sie wurde durch einen Schlag mit einem Brecheisen getötet, und das Brecheisen wurde auf dem Fußboden, neben der Leiche, gefunden. Außerdem fehlten verschiedene Sachen. Wenn nicht Janets Mißtrauen und Abneigung gewesen wären, hätte die Polizei die richtige Spur bestimmt nicht aufgegeben.«
»Das wird nicht ausreichen, Mr. Vole«, sagte der Anwalt. »Die verschwundenen Sachen haben kaum einen Wert und wurden blindlings mitgenommen. Und die Spuren am Fenster waren alles andere als aufschlußreich.

Davon einmal abgesehen – Sie müssen jetzt an sich selbst denken. Sie sagen, Sie wären um halb zehn nicht mehr im Haus gewesen. Wer aber war dann der Mann, den Janet mit Miss French im Wohnzimmer reden hörte? Eine derart freundschaftliche Unterhaltung wird Miss French mit einem Einbrecher wohl kaum geführt haben.«

»Nein«, sagte Vole. »Nein ...« Er sah verwirrt und entmutigt aus. »Aber jedenfalls«, fügte er mit neu auflebendem Mut hinzu, »bin ich damit aus der Geschichte heraus. Jetzt habe ich wenigstens ein Alibi! Sie müssen mit Romaine, meiner Frau, sprechen – und zwar sofort.«

»Selbstverständlich«, willigte der Anwalt ein. »Ich hätte es auch schon lange getan, wenn Mrs. Vole nicht verreist gewesen wäre, als Sie verhaftet wurden. Ich habe dann gleich nach Schottland telegraphiert, und soviel ich weiß, kommt sie heute abend zurück. Im Anschluß an unsere Unterhaltung werde ich also sofort zu ihr gehen.«

Vole nickte, und ein starkes Gefühl der Befriedigung breitete sich auf seinem Gesicht aus.

»Ja – Romaine wird Ihnen alles bestätigen. Mein Gott, ist das ein glücklicher Zufall!«

»Verzeihen Sie, Mr. Vole – aber haben Sie Ihre Frau sehr gern?«

»Natürlich.«

»Und umgekehrt?«

»Romaine ist mir völlig ergeben. Sie würde für mich tun, was sie nur könnte.«

Er sprach voller Begeisterung, aber das Herz des Anwalts war bedrückter als bisher. Die Aussage einer Frau, die ihren Mann über alles liebte – würde sie Glauben finden?

»Hat Sie sonst noch jemand um neun Uhr zwanzig gesehen? Vielleicht das Dienstmädchen?«

»Wir haben kein Mädchen.«

»Sind Sie auf dem Rückweg irgend jemandem begegnet?«

»Niemandem, den ich kenne. Einen Teil der Strecke bin ich mit dem Autobus gefahren. Vielleicht kann der Schaffner sich an mich erinnern.«

Zweifelnd schüttelte Mr. Mayherne den Kopf.

»Es gibt also keinen, der die Aussage Ihrer Frau bestätigen könnte?«

»Nein. Aber das ist doch bestimmt nicht nötig!«

»Vielleicht nicht – vielleicht nicht«, sagte Mr. Mayherne schnell. »Dann noch eins: Wußte Miss French, daß Sie verheiratet sind?«
»Aber natürlich.«
»Und trotzdem haben Sie Ihre Frau nie mitgebracht. Warum?«
Zum erstenmal kam Leonard Voles Antwort zögernd und unsicher.
»Das – das weiß ich auch nicht.«
»Ist Ihnen klar, daß Janet Mackenzie behauptet, Miss French hätte Sie für einen alleinstehenden Mann gehalten und sich mit dem Gedanken getragen, Sie später zu heiraten?«
Vole lachte.
»Das ist doch albern. Zwischen uns war ein Altersunterschied von vierzig Jahren!«
»Es ist aber schon vorgekommen«, sagte der Anwalt trocken. »An den Tatsachen ändert es nichts. Haben sich Ihre Frau und Miss French jemals kennengelernt?«
»Nein ...« Wieder diese Befangenheit.
»Sie werden mir die Bemerkung erlauben«, meinte der Anwalt, »daß ich Ihr Verhalten in dieser Angelegenheit kaum verstehe.«
Vole errötete, zögerte und sagte schließlich: »Ich will ganz offen zu Ihnen sein. Sie wissen, daß ich Schwierigkeiten hatte. Ich hoffte, Miss French würde mir Geld borgen. Sie mochte mich gern, hatte jedoch für die Schwierigkeiten eines jungen Ehepaares überhaupt kein Interesse. Schon frühzeitig hatte ich gemerkt, daß sie der Überzeugung war, meine Frau und ich kämen miteinander nicht aus; sie glaubte, wir lebten getrennt. Mr. Mayherne: Ich brauchte Geld – um Romaines willen! Deshalb sagte ich nichts, sondern ließ die alte Dame das glauben, was sie wollte. Sie sprach davon, daß ich für sie so etwas wie ein Adoptivsohn wäre. Von einer Heirat war nie die Rede – das muß Janet sich einbilden.«
»Und das ist alles?«
»Ja – das ist alles.«
Lag nicht der Schatten eines Zögerns in seinen Worten? Der Anwalt bildete es sich nicht ein. Er erhob sich und streckte seine Hand aus.
»Auf Wiedersehen, Mr. Vole.« Er blickte in das verhärmte junge Gesicht und sprach ungewohnt erregt. »Ich glaube an Ihre Unschuld – trotz der Vielzahl von Tatsachen, die gegen Sie sprechen. Ich hoffe, es beweisen und Sie vollständig rehabilitieren zu können.«

Vole erwiderte seinen Blick lächelnd.
»Sie werden sehr schnell feststellen, daß mein Alibi stimmt«, sagte er fröhlich.
Wieder merkte er kaum, daß der andere darauf nichts erwiderte.
»Zu einem großen Teil kommt es hier auf die Aussage der Janet Mackenzie an«, sagte Mr. Mayherne. »Die Frau haßt Sie. Das dürfte ziemlich genau feststehen.«
»Aber dazu hat sie doch keinen Grund«, protestierte der junge Mann.
Der Anwalt schüttelte den Kopf, als er hinausging.
»Jetzt also zu Mrs. Vole«, murmelte er vor sich hin.
Die Art, wie die Angelegenheit sich entwickelte, bereitete ihm ernsthafte Sorgen.
Die Voles wohnten in einem kleinen schäbigen Haus in der Nähe von Paddington Green. Zu diesem Haus ging Mr. Mayherne.
Auf sein Klingeln wurde die Tür von einer großen schlampigen Frau geöffnet, offenbar der Putzfrau.
»Ist Mrs. Vole schon zurückgekommen?«
»Vor einer Stunde. Aber ich weiß nicht, ob sie zu sprechen ist.«
»Wenn Sie ihr vielleicht meine Karte bringen würden«, sagte Mr. Mayherne ruhig. »Ich bin überzeugt, daß sie für mich zu sprechen ist.«
Voller Zweifel sah die Frau ihn an, wischte ihre Hände an der Schürze ab und griff nach der Karte. Dann machte sie ihm die Tür vor der Nase zu und ließ ihn draußen auf der Treppe stehen.
Nach wenigen Minuten kehrte sie jedoch bereits zurück, und ihr Verhalten hatte sich etwas geändert.
»Kommen Sie bitte herein.«
Sie führte ihn in das winzige Wohnzimmer. Mr. Mayherne, der gerade ein an der Wand hängendes Bild betrachtete, fuhr plötzlich zusammen und sah sich einer großen blassen Frau gegenüber, die das Zimmer so lautlos betreten hatte, daß er es gar nicht gehört hatte.
»Mr. Mayherne? Sie sind der Anwalt meines Mannes, nicht wahr? Sie kommen gerade von ihm? Wollen Sie bitte Platz nehmen?«
Erst als sie sprach, merkte er, daß sie keine Engländerin war. Als er sie genauer beobachtete, fielen ihm ihre hohen Wangenknochen, die tiefe blauschwarze Tönung ihrer Haare und eine gelegentliche, kaum sichtbare Bewegung ihrer Hände auf, die

deutlich verriet, daß sie Ausländerin war. Eine merkwürdige Frau, und so ruhig – so ruhig, daß einem unbehaglich wurde. Vom allerersten Augenblick an war Mr. Mayherne sich bewußt, daß irgend etwas geschehen würde, was er nicht begriff.
»Also, meine liebe Mrs. Vole«, begann er, »Sie dürfen sich jetzt nicht . . .«
Er verstummte. Es war ganz deutlich zu erkennen, daß Mrs. Vole keineswegs die Absicht hatte, sich ihrer Verzweiflung hinzugeben: Sie war vollkommen ruhig und gefaßt.
»Wollen Sie mir bitte alles berichten?« sagte sie. »Ich muß alles wissen. Glauben Sie nicht, mir irgend etwas ersparen zu müssen. Auch das Schlimmste möchte ich wissen.« Sie zögerte, und dann wiederholte sie – etwas leiser zwar, aber mit einer merkwürdigen Betonung, die der Anwalt sich nicht erklären konnte: »Auch das Schlimmste möchte ich wissen!«
Mr. Mayherne wiederholte ihr seine Unterhaltung mit Leonard Vole. Sie hörte ihm aufmerksam zu, und gelegentlich nickte sie leicht.
»Ich verstehe«, sagte sie, als er fertig war. »Er möchte also, daß ich behaupte, er wäre an jenem Abend um zwanzig nach neun nach Hause gekommen?«
»Stimmt es denn nicht?« fragte Mr. Mayherne scharf.
»Darum geht es hier nicht«, sagte sie kalt. »Wird es ihn entlasten, wenn ich diese Aussage mache? Wird man mir überhaupt glauben?«
Mr. Mayherne war überrascht. Ungewöhnlich schnell hatte sie den Kern der Sache erkannt.
»Das ist der Punkt, über den ich jetzt Klarheit haben möchte«, sagte sie. »Wird es genügen? Gibt es sonst noch jemanden, der meine Aussage bestätigen kann?«
»Bis jetzt niemanden«, sagte er widerstrebend.
»Ich verstehe«, sagte Romaine Vole.
Vollständig ruhig saß sie eine Zeitlang da. Ein leises Lächeln spielte um ihren Mund.
Das alarmierende Gefühl des Anwalts wurde ständig stärker.
»Mrs. Vole . . .«, begann er. »Ich weiß, wie Ihnen jetzt zumute sein muß . . .«
»Wirklich?« sagte sie. »Wie denn?«
»Unter den gegebenen Umständen . . .«
»Unter den gegebenen Umständen – habe ich die Absicht, meine Rolle ganz allein zu spielen.«

Bestürzt sah er sie an.
»Aber meine liebe Mrs. Vole ... Sie sind sicherlich etwas überreizt. Wenn Sie Ihrem Mann jedoch so zugetan sind ...«
»Was sagten Sie?«
Die Schärfe ihrer Stimme ließ ihn stutzig werden. Zögernd wiederholte er: »Wenn Sie Ihrem Mann so zugetan sind ...«
Romaine Vole nickte langsam, immer noch dasselbe seltsame Lächeln auf den Lippen.
»Hat er Ihnen erzählt, ich wäre ihm zugetan?« fragte sie sanft. »O ja, ich sehe es Ihnen an. Wie dumm die Männer doch sind! Dumm – dumm – dumm ...«
Sie stand plötzlich auf. Die ganze erregte Spannung, die der Anwalt in der Atmosphäre des Zimmers gespürt hatte, lag jetzt allein in ihrem Tonfall. »Ich hasse ihn – wenn Sie es genau wissen wollen! Ich hasse ihn, hasse ihn, hasse ihn! Und am liebsten würde ich ihn hängen sehen, bis er endgültig tot ist!«
Der Anwalt schrak vor ihr und der glühenden Leidenschaft in ihren Augen zurück.
Sie kam einen Schritt näher und sagte heftig: »Vielleicht werde ich es doch noch erleben. Angenommen, ich würde Ihnen sagen, daß er an jenem Abend nicht um zwanzig nach neun, sondern um zwanzig nach zehn hier erschien? Sie sagen, er hätte Ihnen erzählt, daß er keine Ahnung gehabt hätte, als Erbe eingesetzt gewesen zu sein. Angenommen, ich würde Ihnen sagen, daß er es ganz genau wußte, daß er damit gerechnet hatte und daß er den Mord verübte, um das Geld zu bekommen? Angenommen, ich würde Ihnen sagen, daß er mir noch am gleichen Abend, nachdem er nach Hause gekommen war, anvertraute, was er getan hatte? Daß sein Mantel mit Blut beschmiert war? Was dann? Angenommen, ich stehe mitten in der Verhandlung auf und sage das alles?«
Ihre Augen schienen ihn herauszufordern. Mit Mühe verbarg er seine wachsende Bestürzung und bemühte sich sachlich zu bleiben. »Man kann von Ihnen nicht verlangen, daß Sie eine Aussage machen, die sich gegen Ihren Mann ...«
»Er ist nicht mein Mann!«
Diese Worte kamen so schnell, daß er glaubte, sich verhört zu haben. »Wie bitte? Ich ...«
»Er ist nicht mein Mann.«
Die Stille war so gespannt, daß man eine Nadel hätte fallen hören.

»Ich war Schauspielerin in Wien. Mein Mann ist noch am Leben, wenn auch in einer Irrenanstalt. Deshalb konnten wir nicht heiraten. Und heute bin ich froh darüber.«
Sie nickte herausfordernd.
»Mir wäre es sehr lieb, wenn Sie mir eines erklären könnten«, sagte Mr. Mayherne. Er bemühte sich, genauso kalt und unbeteiligt zu wirken wie bisher. »Warum sind Sie Leonard Vole gegenüber so verbittert?«
Sie schüttelte den Kopf und lächelte ein bißchen.
»Ja, das möchten Sie wohl gern wissen. Aber ich werde es Ihnen nicht sagen. Dieses Geheimnis werde ich für mich behalten ...«
Mr. Mayherne räusperte sich wieder einmal trocken und erhob sich.
»Es hat wohl keinen Sinn, diese Unterhaltung fortzusetzen«, bemerkte er. »Sie werden wieder von mir hören, sobald ich mich mit meinem Mandanten in Verbindung gesetzt habe.«
Sie trat dicht an ihn heran und blickte ihn mit ihren wunderschönen dunklen Augen an.
»Sagen Sie – glaubten Sie, als Sie hierher kamen, ganz ehrlich, daß er unschuldig sei?«
»Das tat ich allerdings.«
»Sie Armer«, sagte sie lachend.
»Und ich bin immer noch davon überzeugt«, sagte der Anwalt abschließend.« Guten Abend, Madam.«
Er verließ das Zimmer und nahm die Erinnerung an ihr verblüfftes Gesicht mit sich.
›Das wird eine verteufelt schwierige Geschichte‹, sagte sich Mr. Mayherne, als er die Straße entlang schlenderte.
Ungewöhnlich – die ganze Angelegenheit. Eine ungewöhnliche Frau. Eine sehr gefährliche Frau. Frauen können Teufel sein, wenn sie jemandem das Messer auf die Brust gesetzt haben.
Was war jetzt zu tun? Dieser unglückliche junge Mann: Nicht einmal mit einem seiner Beine stand er fest auf der Erde. Natürlich bestand die Möglichkeit, daß er das Verbrechen tatsächlich begangen hatte ...
›Nein‹, sagte sich Mr. Mayherne. ›Nein – es sind beinahe zu viele Beweise, die gegen ihn sprechen. Ich glaube dieser Frau nicht. Sie hat sich die ganze Geschichte ausgedacht. Aber vor Gericht wird sie sie bestimmt nicht erzählen.‹
Allerdings wäre es ihm lieb gewesen, in diesem Punkt überzeugter sein zu können.

Die Vorverhandlung verlief kurz und dramatisch. Kronzeugen der Anklage waren Janet Mackenzie, Dienstmädchen der Toten, und Romaine Heilger, österreichische Staatsangehörige und Geliebte des Verhafteten.
Mr. Mayherne saß im Verhandlungsraum und lauschte der belastenden Aussage der zweiten Zeugin. Sie bewegte sich auf der Linie, die die Zeugin ihm gegenüber bereits angedeutet hatte.
Der Inhaftierte verzichtete auf eine Verteidigung, und sein Fall wurde an das Gericht überwiesen.
Mr. Mayherne war mit seinem Latein am Ende. Der Fall Leonard Vole schien so aussichtslos wie nur denkbar. Selbst der berühmte Strafverteidiger, der die Vertretung Voles übernommen hatte, besaß kaum mehr Hoffnung.
»Wenn wir die Aussage dieser Österreicherin erschüttern könnten, bestünde noch eine Möglichkeit«, sagte er zweifelnd. »Aber sonst sieht es schlecht aus.«
Mr. Mayherne hatte seine ganze Kraft auf einen einzigen Punkt konzentriert: Angenommen, Leonard Vole sagte die Wahrheit und hatte die Ermordete tatsächlich um neun Uhr verlassen – wer war dann der Mann, den Janet um halb zehn gehört hatte, als er mit Miss French sprach?
Der einzige Lichtblick war ein Neffe, ein Taugenichts, der in der Vergangenheit durch Schmeicheleien und Drohungen verschiedentlich Geld aus seiner Tante herausgeholt hatte. Wie der Anwalt erfuhr, hatte Janet Mackenzie sich zu dem jungen Mann immer sehr hingezogen gefühlt und nie aufgehört, seine Forderungen gegenüber seiner Tante zu unterstützen.
Tatsächlich bestand die Möglichkeit, daß der Neffe seine Tante nach dem Weggang Leonard Voles aufgesucht hatte, obwohl er in keinem seiner früheren Schlupfwinkel gefunden worden war.
In sämtlichen übrigen Richtungen waren die Nachforschungen des Anwalts ergebnislos verlaufen. Keiner hatte beobachtet, wie Leonard Vole sein eigenes Haus betrat oder das der Miss French verließ. Niemand hatte gesehen, daß irgendein anderer Mann das Haus in Cricklewood betrat. Alle Erkundigungen verliefen im Sande.
Am Vorabend der Verhandlungen erhielt Mr. Mayherne jedoch einen Brief, der seine Gedanken in eine vollkommen neue Richtung lenkte.
Er kam mit der Post um sechs: ein unbeholfenes Gekritzel auf

normalem Papier in einem schmutzigen Umschlag, mit einer auf dem Kopf stehenden Briefmarke frankiert.
Mr. Mayherne mußte ihn mehr als einmal lesen, bis er seine Bedeutung begriff.

»Dear Mister,
sie sind ja wohl der Rechtsanwalt wo immer wegen den jungen Mann nachfragt. Wen sie wissen wolen was mit der angemahlten Schlampe ist die Wo doch nur lügt Wie gedruckt, dann komen sie Heute Abend in die Shaw's Rents Stepney 16. Das Kostet sie 2 Hundert blaue und Fragen sie blos nach Missis Mogson.«

Der Anwalt las diesen merkwürdigen Brief und las ihn dann noch einmal ganz genau. Es konnte natürlich ein Schwindel sein – aber als er genau überlegte, wurde er zunehmend überzeugt, daß der Brief echt war, und ferner überzeugt, daß er für den Häftling die einzige Hoffnung darstellte. Die Aussage der Romaine Heilger bedeutete für ihn das Todesurteil, und die Absicht der Verteidigung – zu behaupten, daß man der Aussage einer Frau, die ein zugegebenermaßen unmoralisches Leben führe, doch wohl kaum Glauben schenken dürfe – war bestenfalls ein schwacher Versuch.
Mr. Mayherne hatte sich zu einem Entschluß durchgerungen. Es war seine Pflicht, seinen Mandanten, koste es, was es wolle, zu retten. Er mußte einfach hingehen.
Er hatte gewisse Schwierigkeiten, das Haus – ein baufälliges Gebäude in einem übelriechenden Elendsviertel – zu finden; aber schließlich gelang es ihm, und auf seine Frage nach einer Mrs. Mogson wurde er an ein Zimmer im dritten Stock verwiesen. Er klopfte an die Tür dieses Zimmers, und da sich nichts rührte, klopfte er zum zweitenmal.
Nach seinem zweiten Klopfen hörte er hinter der Tür ein schlurrendes Geräusch, und gleich darauf wurde die Tür vorsichtig eine halbe Handbreit geöffnet, und eine gebeugte Gestalt guckte durch den Spalt.
Plötzlich fing die Frau – denn es handelte sich um eine Frau – an zu kichern und öffnete die Tür ein Stück.
»Bist du doch noch gekommen, Süßer«, sagte sie mit keuchender Stimme. »Sonst keiner dabei, was? Keine Dummheiten? Schön – dann komm rein.«

Mit leichtem Widerwillen trat der Anwalt über die Schwelle in einen kleinen schmutzigen Raum, in dem flackernd ein Gasofen brannte. In der einen Ecke stand ein ungemachtes unsauberes Bett, davor befanden sich ein einfacher Holztisch und zwei wackelige Stühle. Zum erstenmal sah Mr. Mayherne die Bewohnerin dieser scheußlichen Behausung in voller Größe. Sie war eine Frau in den mittleren Jahren, gebeugt, mit einem Schwall unordentlicher grauer Haare und einem Halstuch, das sie sich fest um das Gesicht gebunden hatte. Sie sah, daß er auf das Tuch starrte, und lachte wieder ihr seltsames, tonloses Kichern.

»Möchtest wohl gern wissen, warum ich meine Schönheit verstecke, was, Süßer? Hehehe! Hast wohl Angst, ich könnte dich in Versuchung bringen, was? Aber du sollst es sehen – sollst es sehen!«

Sie zog das Tuch ein Stück zur Seite, und unfreiwillig schrak der Anwalt vor dem Anblick der fast umrißlosen, blutroten Narbe zurück. Sie zog das Tuch wieder vor.

»Einen Kuß willst du mir jetzt wohl nicht mehr geben, Süßer – was? Hehe, das wundert mich nicht. Aber trotzdem war ich früher ein hübsches Mädchen – das ist noch gar nicht so lang her, wie du denkst. Vitriol, Süßer, Vitriol – davon habe ich das. Aber jetzt sollen sie es büßen . . .«

Sie stieß einen Schwall gemeiner Flüche aus, den Mr. Mayherne vergeblich einzudämmen versuchte. Schließlich verstummte sie, und ihre Hände schlossen und öffneten sich nervös.

»Schluß damit!« sagte der Anwalt streng. »Ich bin hierher gekommen, weil ich Grund zu der Annahme habe, daß die Information, die Sie mir geben wollen, meinen Mandanten Leonard Vole von jedem Verdacht befreien wird. Ist dies der Fall?«

Ihre Augen starrten ihn listig an.

»Und was ist mit dem Geld, Süßer?« keuchte sie. »Zweihundert Blaue – das war doch abgemacht, nicht?«

»Sie sind zur Aussage verpflichtet und können dazu notfalls gezwungen werden.«

»Ich nicht, Süßer. Ich bin eine alte Frau, und ich weiß von nichts. Aber wenn du mir die zweihundert Blauen gibst, kann ich dir dafür den einen oder anderen Tip geben. Kapiert?«

»Welche Art von Tip?«

»Was meinst du zu einem Briefchen? Einen von ihr! Du brauchst gar nicht zu fragen, wie ich dazu gekommen bin. Das ist meine

Sache. Mit dem Brief schaffst du's. Aber dann will ich auch meine zweihundert haben.«

»Ich werde Ihnen zehn Pfund geben – nicht mehr! Und auch nur dann, wenn der Brief dem entspricht, was Sie behaupten.«

»Zehn Pfund?« Sie schrie und tobte.

»Zwanzig«, sagte Mr. Mayherne, »aber das ist mein letztes Wort.«

Er erhob sich, als wollte er gehen. Dann allerdings zog er, während er sie genau beobachtete, seine Brieftasche und zählte zwanzig Ein-Pfund-Noten ab.

»Hier«, sagte er. »Mehr habe ich nicht bei mir. Sie können das Geld nehmen oder nicht – wie Sie wollen.«

Er wußte jedoch bereits, daß der Anblick der Geldscheine über ihre Kraft ging. Sie fluchte und tobte wieder, wenn auch nicht mehr so überzeugend, und schließlich gab sie nach. Sie ging zum Bett und zog irgend etwas unter der zerfetzten Matratze heraus.

»Hier hast du das verdammte Dreckzeug!« knurrte sie. »Der, den du suchst, liegt obenauf.«

Es war ein Stoß Briefe, den sie ihm hinwarf, und Mr. Mayherne schnürte das Bündel auf und durchblätterte es in seiner üblichen kalten, methodischen Art. Die Frau, die ihn gespannt beobachtete, konnte seinem unbeteiligt wirkenden Gesicht nichts entnehmen.

Er las jeden einzelnen Brief, griff dann noch einmal nach dem obersten und las diesen zum zweitenmal. Dann verschnürte er das Bündel wieder sorgfältig.

Es waren Liebesbriefe, geschrieben von Romaine Heilger, und der Mann, an den sie gerichtet waren, hieß nicht Leonard Vole. Der oberste Brief trug das Datum jenes Tages, an dem Vole verhaftet worden war.

»Jetzt habe ich doch die Wahrheit gesagt, was, Süßer?« winselte die Frau. »Mit dem obersten Brief ist sie erledigt, oder?«

Mr. Mayherne steckte die Briefe ein und stellte dann eine Frage.

»Wie sind Sie zu diesem Briefwechsel gekommen?«

»Das ist eine lange Geschichte«, sagte sie und blinzelte ihn an. »Aber ich weiß noch mehr. Ich habe damals bei der Verhandlung gehört, was die Schlampe gesagt hat. Sieh doch mal nach, wo sie selbst denn eigentlich um zwanzig nach zehn war, wo sie zu Hause gewesen sein will. Frag doch mal im Lion Road Cinema nach! Die werden sich vielleicht noch erinnern – an ein so schönes und so ehrliches Mädchen. Zum Teufel soll sie sich scheren!«

»Wer ist der Mann?« fragte Mayherne. »In den Briefen steht nur sein Vorname.«
Die Stimme der anderen klang erstickt und heiser; ihre Hände öffneten und schlossen sich. Schließlich hob sie eine Hand an ihr Gesicht.
»Das ist der Mann, der mir das hier angetan hat. Ein paar Jahre ist das jetzt schon her. Sie hat ihn mir weggeschnappt – ein ganz junges Ding war sie damals. Und als ich ihm nach bin und ihn mir zurückholen wollte, hat er mir das verdammte Zeug ins Gesicht geschüttet. Und sie hat bloß gelacht – dieses Miststück! Jahrelang hat sie das bei mir gutgehabt! Ich bin immer hinter ihr her gewesen und habe alles ausspioniert. Und jetzt habe ich sie! Dafür wird sie jetzt büßen, was, Herr Rechtsanwalt? Wird sie jetzt dafür büßen?«
»Wahrscheinlich wird sie wegen Meineids einige Zeit ins Gefängnis kommen«, sagte Mr. Mayherne ruhig.
»Eingesperrt werden soll sie – mehr will ich gar nicht. Sie wollen jetzt wohl gehen, was? Wo ist mein Geld? Wo ist das schöne Geld?«
Wortlos legte Mr. Mayherne die Scheine auf den Tisch. Dann holte er tief Luft, drehte sich um und verließ das dürftige Zimmer. Als er noch einmal zurückblickte, sah er, daß die alte Frau das Geld an sich genommen hatte und leise vor sich hin summte.
Er vergeudete keine Zeit. Er fand das Kino in der Lion Road ohne die geringste Schwierigkeit, und als er dem Portier eine Aufnahme von Romaine Heilger zeigte, erinnerte dieser sich sofort: Es war schon zehn Uhr abends vorbei gewesen, als diese Dame an dem fraglichen Abend in Begleitung eines Mannes gekommen war. Auf ihren Begleiter hatte er nicht besonders geachtet, aber an die Dame konnte er sich genau erinnern, weil sie sich mit ihm noch über den Film unterhalten hatte, der gerade lief. Und die beiden gingen erst wieder nach Schluß der Vorstellung, etwa eine Stunde später.
Mr. Mayherne war zufrieden. Romaine Heilgers Aussage war von Anfang bis Ende erlogen. Diese Lügen waren aus ihrem leidenschaftlichen Haß geboren. Der Anwalt überlegte, ob er jemals erfahren würde, was hinter diesem Haß verborgen war. Was hatte Leonard Vole ihr angetan? Er hatte ausgesehen, als wäre er vom Donner gerührt gewesen, als der Anwalt ihm ihr Verhalten geschildert hatte. In vollem Ernst hatte Vole erklärt, für ihn wäre ihr Verhalten vollständig unerklärlich – und trotz-

dem hatte Mr. Mayherne den Eindruck gehabt, daß Voles Beteuerungen, als die erste Verblüffung verflogen war, weniger aufrichtig gewesen waren.
Es war ihm doch erklärlich – davon war Mr. Mayherne überzeugt. Er wußte es genau, hatte jedoch nicht die Absicht, die Hintergründe aufzudecken. Das Geheimnis zwischen den beiden mußte ein Geheimnis bleiben. Mr. Mayherne überlegte, ob er es irgendwann doch noch erfahren würde.
Der Anwalt blickte auf seine Uhr. Es war schon spät, aber Zeit bedeutet alles. Er winkte ein Taxi heran und nannte eine Adresse.
»Sir Charles muß es sofort erfahren«, murmelte er vor sich hin, als er einstieg.

Die Verhandlung des Falles Leonard Vole wegen Ermordung der Emily French erregte weithin Interesse. Vor allem war der Häftling jung und gutaussehend; ferner war er eines besonders scheußlichen Verbrechens angeklagt, und schließlich richtete sich das Interesse auf Romaine Heilger, die Kronzeugin der Anklage. In vielen Zeitungen waren Bilder von ihr erschienen sowie falsche Geschichten über ihre Herkunft und ihre Vergangenheit.
Der Prozeß begann ausgesprochen ruhig. Zuerst kamen technische Beweisfragen an die Reihe. Dann wurde Janet Mackenzie aufgerufen. Im wesentlichen erzählte sie die gleiche Geschichte wie bisher. Im Kreuzverhör gelang es dem Verteidiger, sie einmal oder auch zweimal in Widersprüche hinsichtlich Voles Verhältnisses zu Miss French zu verwickeln; er betonte die Tatsache, daß sie zwar an jenem Abend aus dem Wohnzimmer eine Männerstimme gehört hätte, daß jedoch nichts darauf hinwies, daß es sich dabei um Vole gehandelt hätte. Und schließlich gelang es ihm, das Gefühl zu erwecken, daß ein erheblicher Teil ihrer Aussage auf Haß und Eifersucht gegenüber dem Häftling beruhte.
Dann wurde die nächste Zeugin aufgerufen.
»Sie heißen Romaine Heilger?«
»Ja.«
»Sie sind österreichische Staatsangehörige?«
»Ja.«
»Während der letzten drei Jahre haben Sie mit dem Inhaftierten zusammengelebt und sich als seine Frau ausgegeben?«
Nur für einen kurzen Augenblick begegnete der Blick der

Romaine Heilger dem des Mannes auf der Anklagebank. Ihr Ausdruck war seltsam und unergründlich.

»Ja.«

Das Verhör ging weiter. Wort für Wort kamen die belastenden Tatsachen ans Tageslicht. Am fraglichen Abend hätte der Inhaftierte ein Brecheisen mitgenommen. Er wäre um zwanzig nach zehn heimgekehrt und hätte gestanden, die alte Dame umgebracht zu haben. Seine Manschetten wären blutbefleckt gewesen, und das Hemd hätte er im Herd verbrannt. Und durch Drohungen hätte er sie gezwungen, nichts zu verraten.

Im Verlauf ihrer Aussage wandte sich das Gefühl des Gerichts, das zuerst leicht auf seiten des Inhaftierten gestanden hatte, vollständig gegen ihn. Der Inhaftierte selbst hielt den Kopf gesenkt und machte einen schwermütigen Eindruck, als wüßte er, daß es um ihn geschehen war.

Dennoch hätte eigentlich auffallen müssen, daß sogar die Anklage versuchte, ihre Erbitterung etwas zu dämpfen. Eine weniger voreingenommene Zeugin wäre ihr lieber gewesen.

Furchterregend und drohend erhob sich der Strafverteidiger.

Er hielt der Zeugin vor, daß ihre Geschichte ein bösartiges Lügengewebe wäre, und zwar von Anfang bis Ende, daß sie zum fraglichen Zeitpunkt überhaupt nicht zu Hause gewesen wäre, daß sie einen anderen liebte und daß sie vorsätzlich versuchte, Vole wegen eines Verbrechens in den Tod zu schicken, das dieser gar nicht begangen hätte.

Mit großartiger Unverfrorenheit bestritt Romaine diese Behauptungen.

Dann kam der überraschende Beweis: die Vorlage des Briefes. Unter atemloser Stille wurde er dem Gericht vorgelesen.

»Max, Geliebter, das Schicksal hat ihn in unsere Hände gegeben! Er ist unter Mordverdacht verhaftet worden – jawohl, wegen Ermordung einer alten Dame! Und das Leonard, der keiner Fliege etwas zuleide tun würde! Jetzt kann ich mich endlich rächen. Der arme Junge! Ich werde aussagen, daß er damals blutbespritzt nach Hause gekommen sei – daß er es mir gestanden habe. Ich werde ihn an den Galgen bringen, Max – und wenn er baumelt, wird er plötzlich merken, daß Romaine ihn in den Tod geschickt hat. Und dann – Glück, Geliebter! Endlich Glück für uns!«

Fachleute standen bereit, um zu beschwören, daß der Brief in Romaine Heilgers Handschrift geschrieben wäre; sie wurden jedoch nicht benötigt. Angesichts dieses Briefes brach Romaine vollständig zusammen und gestand alles. Leonard Vole wäre zu der von ihm genannten Zeit heimgekehrt: um zwanzig nach neun. Und sie hätte die ganze Geschichte nur erfunden, um ihn zugrunde zu richten.

Mit dem Zusammenbruch Romaine Heilgers brach auch die Anklage zusammen. Sir Charles rief seine wenigen Zeugen auf; der Inhaftierte trat selbst in den Zeugenstand und erzählte seine Geschichte in männlich offener Weise, unerschüttert von jedem Kreuzverhör.

Die Anklage bemühte sich, die Entwicklung aufzuhalten, aber ohne großen Erfolg. Die Zusammenfassung des Gerichts sprach zwar nicht völlig zugunsten des Inhaftierten, aber die Reaktion hatte bereits eingesetzt, und das Gericht brauchte zu seiner Urteilsfindung kurze Zeit.

»Wir halten den Inhaftierten nicht für schuldig.«

Leonard Vole war frei!

Der kleine Mr. Mayherne sprang von seinem Platz auf. Er mußte seinem Mandanten gratulieren.

Plötzlich merkte er, daß er seinen Kneifer heftig putzte, und nahm sich zusammen. Erst am vergangenen Abend hatte seine Frau gesagt, es würde bei ihm schon langsam zu einer Manie. Merkwürdig, diese Angewohnheiten. Kein Mensch merkte, daß er sie hatte.

Ein interessanter Fall – ein sehr interessanter Fall. Vor allem die Frau, diese Romaine Heilger.

In seinen Augen war Romaine Heilger immer noch die beherrschende Figur. In dem Haus in Paddington war sie eine blasse ruhige Frau gewesen, aber vor Gericht war sie, trotz des nüchternen Hintergrunds, plötzlich aufgeflammt. Wie eine tropische Blume hatte sie sich entfaltet.

Wenn er die Augen schloß, konnte er sie jetzt noch genau sehen: groß und heftig, den schlanken Körper leicht vorgebeugt, und die ganze Zeit über hatte sich ihre rechte Hand unbewußt geschlossen und geöffnet – ununterbrochen.

Merkwürdig, diese Angewohnheiten. Diese Handbewegung war bei ihr wahrscheinlich auch eine Angewohnheit. Und dennoch hatte er doch erst kürzlich jemanden gesehen, der es auch tat. Wer war es denn nur. Erst vor kurzem . . .

Er atmete tief ein, als er sich plötzlich erinnerte: die Frau in Shaw's Rents . . .

Er blieb stehen, und in seinem Kopf drehte sich alles. Das war unmöglich – unmöglich . . . Aber war Romaine Heilger nicht Schauspielerin?

Der Strafverteidiger tauchte hinter ihm auf und schlug ihm auf die Schulter.

»Haben Sie unserem Mann schon gratuliert? Das ging noch mal um Haaresbreite gut! Kommen Sie, gehen wir.«

Aber der kleine Anwalt schüttelte die Hand des anderen ab.

Er wollte jetzt nur eines – Romaine Heilger von Angesicht zu Angesicht gegenübertreten.

Er sah sie erst einige Zeit später, und der Ort ihrer Begegnung ist dabei unwichtig.

»Das habe ich mir gedacht«, sagte sie, als er ihr erzählt hatte, was ihm alles durch den Kopf gegangen war. »Das Gesicht? Ach – das war doch ganz einfach, und das Licht, das der Gasofen ausstrahlte, war doch so schlecht, daß Sie mein Make-up nicht bemerkten.«

»Aber warum – warum . . .«

»Warum ich meine Rolle allein gespielt habe?« Sie lächelte ein wenig, weil sie sich des Augenblicks erinnerte, als sie genau dasselbe schon einmal gesagt hatte.

»Eine derart vollendete Komödie!«

»Mein Freund – ich mußte ihn retten. Die Aussage einer Frau, die ihm zugetan ist, hätte nicht ausgereicht – das haben Sie selbst angedeutet. Aber ich weiß immerhin einiges über die Psychologie der Massen. Sobald mir meine Aussage abgerungen und so etwas wie ein Geständnis sein würde, machte ich mich zwar in den Augen des Rechts schuldig, aber zugleich würde eine Reaktion einsetzen, die zugunsten des Inhaftierten sprach.«

»Und das Bündel Briefe?«

»Nur ein einziger, der entscheidende, hätte vielleicht als – wie nennen Sie so etwas: abgekartete Sache gelten können.«

»Und der Mann namens Max?«

»Hat nie existiert, mein Freund.«

»Ich glaube immer noch«, sagte der kleine Mr. Mayherne in beleidigtem Ton, »daß wir ihn auch auf – eh – normalem Wege freibekommen hätten.«

»Dieses Risiko wollte ich nicht auf mich nehmen. Sehen Sie: Sie waren doch nur der Ansicht, er sei unschuldig . . .«

»Sie dagegen wußten es? Ich verstehe«, sagte der kleine Mr. Mayherne.

»Mein lieber Mr. Mayherne«, sagte Romaine, »Sie verstehen überhaupt nichts. Ich wußte nur eines – daß er schuldig war!«

Der seltsame Fall des Sir Arthur Carmichael

Nach den Aufzeichnungen des hervorragenden Psychologen Dr. Edward Carstairs, M.D.

Ich bin mir vollkommen klar, daß man die seltsamen und tragischen Ereignisse, die ich hier niederschreibe, auf zwei völlig verschiedene Weisen betrachten kann. Meine eigene Ansicht darüber hat allerdings nie geschwankt. Man hat mich überredet, die Geschichte ausführlich aufzuzeichnen, und ich glaube wirklich, daß man der Wissenschaft zuliebe verpflichtet ist, derartige seltsame und unerklärliche Tatsachen nicht in der Vergessenheit versinken zu lassen.

Was mich zuerst mit dieser Angelegenheit in Kontakt brachte, war ein Telegramm meines Freundes Dr. Settle. Bis auf die Nennung des Namens Carmichael war das Telegramm keineswegs deutlich, aber seiner Aufforderung entsprechend nahm ich den Zug, der um 12.20 von Paddington nach Wolden in der Grafschaft Herfordshire abging.

Der Name Carmichael war mir nicht unbekannt. Obgleich ich den verstorbenen Sir William Carmichael of Wolden in den letzten elf Jahren nicht mehr gesehen hatte, waren wir doch flüchtig miteinander bekannt gewesen. Er hatte, wie ich wußte, einen Sohn, den gegenwärtigen Baronet, der inzwischen ein junger Mann von dreiundzwanzig Jahren sein mußte. Dunkel erinnerte ich mich ferner der Gerüchte über Sir Williams zweite Ehe; bis auf einen undeutlichen Eindruck, der für die zweite Lady Carmichael nachteilig war, fielen mir jedoch keine Einzelheiten ein.

Settle erwartete mich am Bahnhof.

»Nett von dir, daß du gekommen bist«, sagte er, als er meine Hand drückte.

»Das ist doch selbstverständlich. Soviel ich begriffen habe, scheint es sich um einen Fall zu handeln, der in mein Gebiet fällt?«

»Haargenau!«

»Also ein Fall von Geisteskrankheit?« meinte ich fragend. »Hat er irgendwelche besonderen Kennzeichen?«

Wir hatten inzwischen mein Gepäck abgeholt, saßen in einem Dogcart und fuhren vom Bahnhof in Richtung Wolden, das

etwa drei Meilen entfernt war. Settle beantwortete meine Frage zuerst nicht. Dann brach es plötzlich aus ihm heraus.
»Die ganze Geschichte ist vollkommen unbegreiflich! Da ist ein junger Mann, dreiundzwanzig Jahre alt und in jeder Hinsicht durchaus normal. Ein netter, liebenswerter Junge mit nicht mehr als der ihm zustehenden Portion Blasiertheit, vielleicht kein brillanter Intellektueller, aber ein typisches Exemplar des jungen Engländers aus der normalen Oberschicht. Geht eines Abends, gesund und munter wie üblich, zu Bett, und am nächsten Morgen wird er im Dorf aufgegriffen, wo er in halb idiotischem Zustand umherwandert und nicht einmal seine nächsten und liebsten Mitmenschen erkennt.«
»Aha!« sagte ich interessiert. Dieser Fall versprach tatsächlich, äußerst interessant zu werden. »Vollständiger Verlust des Gedächtnisses? Und das passierte . . .?«
»Gestern vormittag. Am neunten August.«
»Und vorausgegangen ist nichts – kein Schock, soweit dir bekannt ist –, keine Erklärung für diesen Zustand?«
»Nichts.«
Plötzlich überkam mich Mißtrauen.
»Verschweigst du mir irgend etwas?«
»N-nein.«
Sein Zögern bestärkte mein Mißtrauen.
»Ich muß alles wissen.«
»Mit Arthur hat es nichts zu tun. Es hängt mit – mit dem Haus zusammen.«
»Mit dem Haus«, wiederholte ich erstaunt.
»Du hast dich doch häufig mit derartigen Dingen zu beschäftigen, nicht wahr, Carstairs? Du hast doch selbst sogenannte ›Spukhäuser‹ untersucht. Was hältst du von solchen Erscheinungen?«
»In neun von zehn Fällen sind sie reiner Schwindel«, erwiderte ich. »Der zehnte allerdings – nun ja, ich bin dabei auf Phänomene gestoßen, die vom gewöhnlichen materialistischen Standpunkt aus absolut unerklärbar sind. Ich bin überzeugt, daß es gewisse *occulta* gibt.«
Settle nickte. Wir waren gerade in den Park eingebogen. Mit der Peitsche deutete er auf ein flaches weißes Herrenhaus am Abhang des Hügels.
»Das ist das Haus«, sagte er. »Und – irgend etwas steckt in diesem Haus, irgend etwas Unheimliches, Entsetzliches. Wir alle

spüren es ... Und ich bin wirklich kein abergläubischer Mensch ...«

»In welcher Art äußert es sich?« fragte ich.

Er starrte vor sich hin. »Mir wäre es lieber, wenn du es vorher nicht weißt. Verstehst du: Wenn du – unvoreingenommen – hierher kommst – nichts Genaues weißt – und es dann auch siehst – vielleicht ...«

»Gut«, sagte ich, »sicher ist es besser so. Ich wäre allerdings froh, wenn du mir ein bißchen mehr über die Familie erzähltest.«

»Sir William«, sagte Settle, »war zweimal verheiratet. Arthur ist das Kind seiner ersten Frau. Vor neun Jahren heiratete er noch einmal, und die gegenwärtige Lady Carmichael ist so etwas wie ein Geheimnis. Sie ist Halbengländerin, und im übrigen nehme ich beinahe an, daß asiatisches Blut in ihren Adern fließt.«

Er verstummte.

»Settle«, sagte ich, »du magst Lady Carmichael nicht.«

Er gab es offen zu. »Das stimmt. Auf mich macht sie immer den Eindruck, als läge irgend etwas Unheilvolles über ihr. Um aber weiterzuberichten: Von seiner zweiten Frau hatte Sir William ebenfalls ein Kind, auch einen Jungen, der jetzt acht Jahre alt ist. Sir William starb vor drei Jahren, und Arthur erbte Titel und Besitz. Seine Stiefmutter und sein Halbbruder wohnen weiterhin bei ihm in Wolden. Der Besitz ist, was du auch wissen mußt, ziemlich heruntergewirtschaftet. Fast die gesamten Einnahmen Sir Arthurs gehen für die Erhaltung drauf. Mehr als ein paar hundert Pfund konnte Sir William seiner Frau nicht vermachen, aber glücklicherweise ist Arthur mit seiner Stiefmutter immer glänzend ausgekommen, und so war er äußerst froh, daß sie weiterhin bei ihm wohnt. Dann ...«

»Ja?«

»Vor zwei Monaten verlobte Arthur sich mit Miss Phyllis Patterson, einem bezaubernden Mädchen.« Mit gedämpfter Stimme, in der ein Anflug von Mitgefühl anklang, fügte er noch hinzu: »Nächsten Monat wollten sie heiraten. Sie ist jetzt hier. Ihren Kummer kannst du dir vorstellen ...«

Wortlos nickte ich.

Wir fuhren jetzt auf das Haus zu. Zu unserer Rechten fiel der grüne Rasen sanft ab. Und plötzlich erblickte ich ein äußerst reizvolles Bild. Ein junges Mädchen kam langsam über den Rasen zum Haus. Sie trug keinen Hut, und der Sonnenschein

steigerte den Glanz ihres wundervollen goldfarbenen Haares. In der Hand hatte sie einen großen Korb mit Rosen, und eine wunderschöne Perserkatze strich liebevoll um ihre Füße.
Fragend sah ich Settle an.
»Das ist Miss Patterson«, sagte er.
»Armes Mädchen«, sagte ich, »armes Mädchen. Welch ein Bild: sie mit den Rosen und der grauen Katze.«
Ich hörte einen leisen Laut und blickte meinen Freund erstaunt an. Die Zügel waren ihm aus den Fingern geglitten, und sein Gesicht war totenblaß.
»Was ist los?« rief ich.
Mühsam faßte er sich.
»Nichts«, sagte er, »nichts . . .«
Wenige Augenblicke später hielten wir vor dem Haus. Ich folgte ihm in das grüne Wohnzimmer, wo der Teetisch gedeckt war.
Eine immer noch schöne Frau mittleren Alters erhob sich bei unserem Eintritt und kam uns mit ausgestreckter Hand entgegen.
»Lady Carmichael, das ist mein Freund Dr. Carstairs.«
Ich kann die instinktive Welle der Abneigung nicht beschreiben, die mich überschwemmte, als ich die mir dargebotene Hand dieser bezaubernden und stattlichen Frau ergriff, die sich mit jener dunklen und sinnlichen Anmut bewegte, aus der Settle auf orientalisches Blut geschlossen hatte.
»Es ist reizend von Ihnen, Dr. Carstairs, daß Sie gekommen sind«, sagte sie mit leiser klangvoller Stimme, »und daß Sie versuchen wollen, uns in unserer großen Schwierigkeit zu helfen.«
Ich gab irgendeine triviale Antwort, und sie reichte mir meine Teetasse.
Wenige Minuten später betrat das Mädchen, das ich draußen auf dem Rasen gesehen hatte, ebenfalls das Zimmer. Die Katze war nicht mitgekommen, aber den Korb mit den Rosen hielt sie immer noch in der Hand.
Settle stellte mich vor, und das Mädchen sagte impulsiv: »Oh, Dr. Carstairs! Dr. Settle hat uns schon so viel von Ihnen erzählt. Und ich habe das sichere Gefühl, daß Sie etwas für den armen Arthur tun können.«
Miss Patterson war wirklich ein überaus reizendes Mädchen, obgleich ihre Wangen blaß und ihre Augen von tiefen Schatten umgeben waren.

»Meine liebe junge Dame«, sagte ich tröstend, »Sie dürfen jetzt nicht verzweifeln. Diese Fälle von Gedächtnissschwund oder Persönlichkeitsspaltung sind häufig von sehr kurzer Dauer. In jedem Augenblick kann der Patient die volle Gewalt über sich selbst zurückerlangen.«

Sie schüttelte den Kopf. »Ich kann mir nicht vorstellen, daß es sich um Persönlichkeitsspaltung handelt«, sagte sie. »Dieser Mensch ist etwas ganz anderes als Arthur. Diese Persönlichkeit hat mit ihm überhaupt nichts zu tun. Das ist nicht Arthur. Ich ...«

Und irgend etwas an dem Ausdruck jener Augen, die auf dem Mädchen ruhten, verriet mir, daß Lady Carmichael für ihre zukünftige Schwiegertochter nicht allzuviel übrig hatte.

Miss Patterson lehnte die Tasse Tee ab, und um die Unterhaltung auf ein unverfängliches Thema zu bringen, sagte ich: »Bekommt Ihr Kätzchen jetzt seine Schale Milch?«

Verwundert blickte sie mich an.

»Das – das Kätzchen?«

»Ja – das Kätzchen, das vor wenigen Augenblicken im Garten bei Ihnen war ...«

Ein schepperndes Klirren unterbrach mich. Lady Carmichael hatte die Teekanne umgestoßen, und das heiße Wasser ergoß sich auf den Fußboden. Ich behob den Schaden, und Miss Patterson sah Settle fragend an. Settle erhob sich.

»Vielleicht willst du dir den Patienten einmal anschauen, Carstairs?«

Ich folgte ihm sofort. Miss Patterson begleitete uns. Wir gingen die Treppe hoch, und Settle holte einen Schlüssel aus der Tasche.

»Manchmal geht er auf und davon«, erklärte er. »Deshalb schließe ich die Tür gewöhnlich ab, wenn ich das Haus verlasse.«

Er steckte den Schlüssel in das Schloß, und wir traten ein.

Ein junger Mann saß am Fenster, durch das die letzten Strahlen der untergehenden Sonne breit und gelblich hereinfielen. Er saß merkwürdig ruhig, beinahe zusammengekauert, und jeder Muskel seines Körpers schien entspannt zu sein. Zuerst glaubte ich, unsere Gegenwart wäre ihm gar nicht bewußt, bis ich plötzlich sah, daß er uns gespannt beobachtete, obgleich seine Augenlider sich überhaupt nicht bewegten. Seine Augen blickten zu Boden, als ich ihn ansah, und er blinzelte. Aber rühren tat er sich nicht.

»Steh auf, Arthur«, sagte Settle aufmunternd. »Miss Patterson und ein Freund von mir wollen dich besuchen.«
Aber der junge Mann am Fenster blinzelte nur. Dennoch merkte ich wenig später, daß er uns wieder beobachtete – heimlich und verstohlen.
»Möchtest du eine Tasse Tee?« fragte Settle immer noch laut und aufmunternd, als spräche er mit einem Kind.
Er stellte eine Tasse Milch auf den Tisch. Überrascht zog ich die Augenbrauen hoch, und Settle lächelte.
»Eine merkwürdige Sache«, sagte er, »aber er rührt nur noch Milch an.«
Im nächsten Augenblick rollte Sir Arthur sich, ohne sich ungebührlich zu beeilen, auseinander, Glied für Glied, und ging langsam zum Tisch hinüber. Ich merkte plötzlich, daß seine Bewegungen vollkommen lautlos waren und seine Füße beim Gehen kein noch so leises Geräusch verursachten. Und als er den Tisch erreicht hatte, streckte er sich gewaltig, indem er das eine Bein weit nach vorn stellte und das andere nach hinten reckte. Diese Stellung trieb er bis zur äußersten Grenze, und dann gähnte er. Noch nie hatte ich ein derartiges Gähnen erlebt! Es schien sein ganzes Gesicht zu verschlucken.
Dann wandte er seine Aufmerksamkeit der Milch zu und beugte den Kopf zum Tisch hinunter, bis seine Lippen die Flüssigkeit berührten.
Settle beantwortete meinen fragenden Blick.
»Die Hände benutzt er überhaupt nicht mehr. Ist anscheinend in ein primitives Stadium zurückverfallen. Merkwürdig, was?«
Ich spürte, wie Miss Patterson schaudernd bei mir Halt suchte, und beruhigend legte ich meine Hand auf ihren Arm.
Die Milch war schließlich ausgetrunken, und noch einmal reckte Arthur Carmichael sich, um dann mit den gleichen geräuschlosen Schritten zum Fenster zurückzukehren, wo er sich zusammengekauert wieder hinsetzte und uns anblinzelte.
Miss Patterson zog uns in den Korridor hinaus. Sie zitterte am ganzen Körper.
»Oh, Dr. Carstairs!« rief sie. »Das ist nicht Arthur – das da drinnen ist nicht Arthur! Ich würde es spüren – ich würde es wissen ...«
Betrübt schüttelte ich den Kopf.
»Der Verstand kann manchmal seltsame Streiche spielen, Miss Patterson«, sagte ich.

Ich gestehe, daß der Fall mich irritierte. Er besaß einige ungewöhnliche Züge. Obgleich ich den jungen Carmichael bisher noch nie gesehen hatte, erinnerten mich seine merkwürdige Art des Gehens und die Art, wie er blinzelte, an irgend etwas, das ich nirgends richtig einordnen konnte.

Das Abendessen an jenem Abend war eine schweigsame Angelegenheit, und die Hauptlast der Unterhaltung lag auf Lady Carmichael und mir. Als die Damen sich zurückzogen, fragte mich Settle, was für einen Eindruck unsere Gastgeberin auf mich mache.

»Ich muß gestehen«, sagte ich, »daß ich ohne Grund und Veranlassung eine starke Abneigung gegen sie empfinde. Du hattest völlig recht damit, daß sie östliches Blut hat, und ich möchte fast sagen, daß sie deutliche okkulte Kräfte besitzt. Sie ist eine Frau von fast magnetischer Anziehungskraft.«

Settle schien etwas sagen zu wollen, beherrschte sich dann jedoch und bemerkte lediglich nach kurzer Pause: »Ihrem kleinen Sohn ist sie restlos ergeben.«

Nach dem Abendessen saßen wir wieder im grünen Wohnzimmer. Wir hatten gerade den Kaffee getrunken und unterhielten uns ziemlich förmlich über die Themen des Tages, als die Katze anfing, vor der Tür jämmerlich zu miauen. Niemand nahm davon Notiz, und da ich Tiere sehr gern habe, erhob ich mich kurz darauf.

»Darf ich das arme Tier hereinlassen?« fragte ich Lady Carmichael.

Ihr Gesicht wirkte sehr blaß, wie mir schien, aber mit dem Kopf machte sie eine leichte Bewegung, die ich für zustimmend hielt, so daß ich zur Tür ging und öffnete. Draußen im Korridor war jedoch nichts zu sehen.

»Seltsam«, sagte ich. »Ich hätte schwören können, eine Katze gehört zu haben.«

Als ich zu meinem Sessel zurückging, fiel mir auf, daß alle mich gespannt beobachteten. Irgendwie wurde mir dadurch etwas unbehaglich.

Wir gingen zeitig zu Bett. Settle begleitete mich in mein Zimmer.

»Hast du alles, was du brauchst?« fragte er und sah sich um.

»Ja – danke.«

Immer noch stand er mißmutig in meinem Zimmer herum, als wollte er etwas sagen, könnte es jedoch nicht herausbringen.

»Übrigens«, bemerkte ich, »hast du gesagt, daß an diesem Haus etwas Unheimliches wäre. Bis jetzt macht es jedoch einen äußerst normalen Eindruck.«

»Bezeichnest du es etwa als ein fröhliches Haus?«

»Unter den gegebenen Umständen wohl kaum. Offensichtlich ist es von einem großen Kummer überschattet. Aber hinsichtlich irgendwelcher anomalen Einflüsse würde ich ihm jederzeit ein Unbedenklichkeitsattest ausstellen.«

»Gute Nacht«, sagte Settle unvermittelt. »Und angenehme Träume.«

Träumen tat ich allerdings. Miss Pattersons graue Katze schien selbst auf meinen Verstand einen tiefen Eindruck gemacht zu haben. Zumindest hatte ich das Gefühl, die ganze Nacht nur von diesem elenden Tier geträumt zu haben.

Mit einem Ruck aus dem Schlaf hochfahrend, wurde mir plötzlich klar, was diese Katze zwangsweise in meine Gedanken einschaltete: Das Geschöpf saß vor meiner Tür und miaute beharrlich. Unmöglich zu schlafen, solange dieser Lärm andauerte. Ich zündete also meine Kerze an und ging zur Tür. Aber im Korridor vor meinem Zimmer war niemand, obgleich das Miauen weiterging. Ein neuer Gedanke kam mir. Das unglückliche Tier war vielleicht irgendwo eingeschlossen und konnte nicht wieder heraus. Links von meiner Tür war der Korridor zu Ende, und dort lag Lady Carmichaels Zimmer. Ich wandte mich daher nach rechts und hatte gerade erst ein paar Schritte gemacht, als der Lärm plötzlich hinter mir losging. Ich fuhr herum, und dann hörte ich es wieder – diesmal ganz deutlich rechts von mir.

Irgend etwas – wahrscheinlich die kalte Zugluft auf dem Korridor – ließ mich erschauern, und ich kehrte direkt in mein Zimmer zurück. Alles war jetzt still, und bald darauf war ich wieder eingeschlafen – um am Morgen eines strahlenden Sommertages aufzuwachen.

Während ich mich ankleidete, sah ich von meinem Fenster aus den Störenfried meiner Nachtruhe. Die graue Katze schlich langsam und heimlich über den Rasen. Ihr Angriffsziel war meiner Ansicht nach ein kleiner Vogelschwarm, der ganz in der Nähe damit beschäftigt war, laut zu schilpen und sich zu putzen.

Und dann passierte etwas sehr Merkwürdiges. Die Katze kam heran und ging mitten zwischen den Vögeln hindurch, wobei ihr Fell die Vögel beinahe berührte – und sie flogen nicht auf. Ich konnte es nicht begreifen; die Geschichte schien mir unfaßlich.

Sie beeindruckte mich so sehr, daß ich beim Frühstück nicht umhin konnte, sie zu erwähnen.
»Wissen Sie eigentlich«, sagte ich zu Lady Carmichael, »daß Sie eine sehr ungewöhnliche Katze besitzen?«
Ich hörte das Klirren einer Tasse auf einer Untertasse und bemerkte, daß Miss Patterson mich – den Mund leicht geöffnet und schnell atmend – erwartungsvoll anstarrte.
Es folgte eine minutenlange Stille, und dann sagte Lady Carmichael in einer deutlich mißbilligenden Weise: »Ich glaube, Sie haben sich geirrt. In diesem Hause gibt es keine Katze. Noch nie habe ich eine Katze besessen.«
Es war klar, daß es mir gelungen war, mitten in ein Fettnäpfchen zu treten, und so wechselte ich schnell das Thema.
Aber die Angelegenheit irritierte mich. Warum hatte Lady Carmichael erklärt, in ihrem Hause gäbe es keine Katze? Gehörte sie vielleicht Miss Patterson und wurde ihre Anwesenheit der Hausherrin gegenüber verheimlicht? Vielleicht hatte Lady Carmichael eine dieser seltsamen Antipathien gegen Katzen, die man heutzutage so oft antrifft.
Diese Erklärung war zwar nicht gerade plausibel, aber es blieb mir im Augenblick nichts anderes übrig, als mich mit ihr zufriedenzugeben.
Unser Patient befand sich noch im gleichen Zustand. Dieses Mal untersuchte ich ihn gründlich und konnte ihn genauer beobachten als am Abend zuvor. Auf meinen Vorschlag hin wurde das Notwendige veranlaßt, daß er möglichst oft mit der Familie zusammensein konnte. Ich hoffte nicht nur, so eine bessere Gelegenheit zu bekommen, ihn zu beobachten, da er weniger auf der Hut sein würde, sondern auch, daß der übliche Tagesablauf irgendeinen Funken von Intelligenz erwecken würde. Sein Verhalten blieb jedoch unverändert. Er war ruhig und fügsam, wirkte beinahe gedankenlos, war jedoch in Wirklichkeit von gespannter und fast unheimlicher Wachsamkeit. Zumindest eines bedeutete allerdings eine Überraschung für mich: seine innige Zuneigung zur Stiefmutter. Miss Patterson übersah er völlig; aber immer gelang es ihm, so dicht wie möglich neben Lady Carmichael zu sitzen, und einmal sah ich, wie er – ein einfältiger Ausdruck der Liebe – seinen Kopf an ihrer Schulter rieb.
Der Fall machte mir Sorgen. Immer wieder hatte ich jedoch das Gefühl, daß es irgendeinen Hinweis auf die ganze Angelegenheit geben müßte, der mir bisher entgangen war.

»Ein äußerst seltsamer Fall«, sagte ich zu Settle.
»Ja«, sagte er, »und sehr – sehr suggestiv.«
Er blickte mich an, meiner Ansicht nach ziemlich unsicher.
»Sag mal – erinnert Arthur dich vielleicht an irgend etwas?«
Seine Worte waren mir unangenehm, da sie mich an meinen Eindruck vom Vortage erinnerten.
»An was soll er mich erinnern?« fragte ich.
Er schüttelte den Kopf.
»Vielleicht ist es auch nur Einbildung«, murmelte er, »nichts als Einbildung.«
Und mehr wollte er zu der Angelegenheit nicht sagen.
Alles in allem steckte in dem Fall irgendein Geheimnis. Ich war immer noch ganz besessen von dem verwirrenden Gefühl, jenen Hinweis übersehen zu haben, der den Schlüssel zu allem bildete. Und in einem weniger wichtigen Punkt steckte ebenfalls ein Geheimnis. Ich meine die belanglose Sache mit der grauen Katze. Aus irgendeinem Grund ging die Geschichte mir auf die Nerven. Ich träumte von Katzen, und ständig bildete ich mir ein, ihr Miauen zu hören. Hin und wieder sah ich das bildschöne Tier flüchtig von weitem. Und die Tatsache, daß mit ihm irgendein Geheimnis verbunden war, ärgerte mich maßlos. Einem plötzlichen Impuls folgend, wandte ich mich eines Nachmittags an den Diener, um von ihm etwas zu erfahren.
»Können Sie«, sagte ich, »mir vielleicht etwas über die Katze verraten, die ich hier gesehen habe?«
»Über die Katze, Sir?« Er machte einen höflich erstaunten Eindruck.
»Gab es hier – gibt es hier – keine Katze?«
»Ihre Ladyship besaßen einmal eine Katze, Sir. Ein sehr hübsches Tier. Sie mußte jedoch beseitigt werden. Ein Jammer, denn das Tier war wirklich bildschön.«
»War es eine graue Katze?« fragte ich langsam.
»Ja, Sir. Eine Perserkatze.«
»Und sie wurde getötet?«
»Ja, Sir.«
»Sind Sie ganz sicher, daß sie getötet wurde?«
»Vollkommen sicher, Sir. Ihre Ladyship wollten den Tierarzt nicht kommen lassen – sondern taten es selbst. Vor knapp einer Woche. Das Tier wurde dann unter der Rotbuche begraben, Sir.«
Nach diesen Worten verließ er das Zimmer und überließ mich meinen Gedanken.

Warum hatte Lady Carmichael so entschieden behauptet, sie hätte nie eine Katze besessen?
Intuitiv hatte ich das Gefühl, diese an sich belanglose Angelegenheit mit der Katze sei in gewisser Weise bedeutungsvoll. Ich fand Settle und nahm ihn beiseite.
»Settle«, sagte ich, »ich möchte dich etwas fragen. Hast du in diesem Haus bisher eine Katze sowohl gesehen als gehört – oder nicht?«
Meine Frage schien ihn keineswegs zu überraschen; er schien sie direkt erwartet zu haben.
»Gehört habe ich sie«, sagte er, »aber gesehen noch nicht.«
»Aber damals bei meiner Ankunft!« rief ich. »Auf dem Rasen, zusammen mit Miss Patterson!«
Er sah mich fest an.
»Ich sah Miss Patterson über den Rasen gehen. Sonst nichts.«
Ich begann zu begreifen. »Dann«, sagte ich, »ist die Katze ...«
Er nickte.
»Ich wollte feststellen, ob du – unvoreingenommen – hören würdest, was wir alle hören ...«
»Ihr anderen hört es also auch?«
Wieder nickte er.
»Es ist seltsam«, murmelte ich nachdenklich. »Bisher habe ich keinen Fall gekannt, in dem eine Katze in einem Haus spukt.«
Ich erzählte ihm, was ich von dem Diener erfahren hatte, und er sagte überrascht: »Das ist mir völlig neu! Das habe ich bisher nicht gewußt.«
»Aber was hat es zu bedeuten?« fragte ich einigermaßen hilflos.
Er schüttelte den Kopf. »Das weiß der Himmel! Aber eines will ich dir sagen, Carstairs – ich habe Angst. Die – die Stimme hat einen drohenden Klang.«
»Drohend?« wiederholte ich scharf. »Für wen?«
Er breitete ratlos die Hände aus. »Das kann ich nicht sagen.«
Erst abends, nach dem Essen, erkannte ich die Bedeutung seiner Worte. Wir saßen im grünen Wohnzimmer, wie schon am Abend meiner Ankunft, als es erklang – das laute beharrliche Miauen einer Katze vor der Tür. Aber diesmal klang es unmißverständlich verärgert – ein wütendes Katzenheulen, langgezogen und drohend. Und dann, als es verstummte, klapperte draußen der messingne Ring, als spielte eine Katze mit ihm.
Settle fuhr zusammen.
»Ich schwöre, daß es keine Einbildung ist«, rief er.

Er rannte zur Tür und riß sie auf.
Draußen war nichts zu sehen.
Als er zurückkam, wischte er sich die Stirn ab. Phyllis war blaß und zitterte, Lady Carmichael hingegen war totenblaß. Nur Arthur, der – zufrieden wie ein Kind – auf dem Fußboden hockte und seinen Kopf gegen die Knie seiner Stiefmutter gelehnt hatte, war ruhig und unbeeindruckt.
Miss Patterson legte ihre Hand auf meinen Arm, und wir gingen nach oben.
»Oh, Dr. Carstairs«, sagte sie verzweifelt. »Was soll das? Was hat es zu bedeuten?«
»Das wissen wir auch noch nicht, meine liebe junge Dame«, sagte ich. »Aber ich bin fest entschlossen, es herauszufinden. Sie dürfen jedoch keine Angst haben. Ich bin überzeugt, daß Sie persönlich vollkommen ungefährdet sind.«
Zweifelnd blickte sie mich an. »Das glauben Sie?«
»Ich bin davon überzeugt«, erwiderte ich fest. Ich erinnerte mich der liebevollen Art, wie die Katze um ihre Füße gestrichen war, und hegte nicht die geringsten Befürchtungen. Die Drohung galt nicht ihr.
Eine Zeitlang döste ich vor mich hin, aber schließlich fiel ich in einen unruhigen Schlaf, aus dem ich mit einem Gefühl des Entsetzens aufschrak. Ich hörte ein kratzendes, lärmendes Geräusch, als würde Stoff gewaltsam zerrissen oder zerfetzt. Ich sprang aus dem Bett und rannte auf den Korridor; im gleichen Augenblick stürzte Settle aus seinem gegenüberliegenden Zimmer. Das Geräusch kam von links.
»Hast du es auch gehört, Carstairs?« rief er. »Hast du es auch gehört?«
Mit wenigen Schritten waren wir an Lady Carmichaels Tür. Nichts war uns entgegengekommen; das Geräusch war jedoch verstummt. Unsere Kerzen spiegelten sich in der glänzenden Tür von Lady Carmichaels Zimmer. Wir sahen uns an.
»Weißt du, was das war?« flüsterte er beinahe.
Ich nickte. »Eine Katze hat mit ihren Krallen irgend etwas zerfetzt.«
Ein Schauder überlief mich. Plötzlich schrie ich leise auf und hielt die Kerze, die ich in der Hand hatte, tiefer.
»Sieh dir das an, Settle!«
›Das‹ war ein Sessel, der an der Wand stand – und sein Sitz war in lange Streifen gerissen und zerfetzt . . .

Wir betrachteten ihn aufmerksam. Settle sah mich an, und ich nickte.
»Katzenkrallen«, sagte er und holte tief Luft. »Unmißverständlich.« Sein Blick wanderte vom Sessel zur verschlossenen Tür. »Die Drohung gilt ihr – Lady Carmichael!«
In dieser Nacht konnte ich nicht mehr schlafen. Die Dinge hatten sich bis zu einem Punkt entwickelt, an dem irgend etwas geschehen mußte. Soweit ich die Angelegenheit übersah, gab es nur einen einzigen Menschen, der den Schlüssel zu allem in der Hand hielt. Ich hatte den Verdacht, daß Lady Carmichael mehr wußte, als sie sagen wollte.
Sie war totenblaß, als sie am nächsten Morgen herunterkam, und stocherte lustlos auf ihrem Teller herum. Ich war überzeugt, daß nur eiserne Entschlossenheit sie vor einem Zusammenbruch bewahrte. Nach dem Frühstück bat ich sie um eine kurze Unterredung. Ich kam sofort zum Thema.
»Lady Carmichael«, sagte ich, »ich habe allen Grund zur Annahme, daß Sie sich in einer sehr ernsten Gefahr befinden.«
»Wirklich?« Herausfordernd und wunderbar unbeteiligt stellte sie diese Frage.
»In diesem Haus«, fuhr ich fort, »befindet sich irgend etwas – ist irgend etwas vorhanden –, das Ihnen sichtlich feindlich gesinnt ist.«
»So ein Unsinn«, murmelte sie erbost. »Als glaubte ich an derartiges Zeug!«
»Der Sessel vor Ihrer Tür«, bemerkte ich trocken, »wurde in der letzten Nacht zerfetzt.«
»Wirklich?« Mit hochgezogenen Augenbrauen spielte sie die Überraschte, aber ich sah, daß das, was ich erzählt hatte, ihr nicht neu war. »Wahrscheinlich irgendein dummer Spaß.«
»Das glaube ich nicht«, erwiderte ich voller Mitgefühl. »Und ich möchte, daß Sie mir jetzt – um Ihretwillen ...« Ich verstummte.
»Was soll ich?« fragte sie.
»Mir alles erzählen, was in dieser Angelegenheit von Bedeutung sein könnte«, sagte ich ernst.
Sie lachte.
»Ich weiß nichts«, sagte sie, »absolut nichts!«
Und kein Hinweis auf die drohende Gefahr konnte sie veranlassen, ihre starre Haltung aufzugeben. Dennoch war ich überzeugt, daß sie in Wirklichkeit sehr viel mehr wußte als wir

anderen, daß sie irgendeinen Hinweis besaß, von dem wir nicht das geringste ahnten. Ich sah jedoch auch, daß es unmöglich war, sie zum Sprechen zu veranlassen.
Ich beschloß indes, jede nur mögliche Vorsichtsmaßnahme zu ergreifen, da ich überzeugt war, daß sie von einer sehr realen und nahe bevorstehenden Gefahr bedroht war. Bevor sie am folgenden Abend auf ihr Zimmer ging, wurde der ganze Raum von Settle und mir gründlich durchsucht. Außerdem hatten wir abgemacht, daß er und ich abwechselnd im Korridor Wache halten würden.
Ich übernahm die erste Wache, die ohne Zwischenfall vorüberging, und um drei Uhr löste Settle mich ab. Nach der schlaflosen Nacht war ich müde und schlief sofort ein. Und dabei hatte ich einen höchst seltsamen Traum.
Ich träumte, die graue Katze säße am Fußende meines Bettes und ihre Augen wären merkwürdig flehend auf mich gerichtet. Mit der Sicherheit des Träumenden wußte ich auf einmal, daß das Tier mich aufforderte, ihm zu folgen. Das tat ich, und es führte mich die große Treppe hinunter und dann nach rechts, in den gegenüberliegenden Flügel des Hauses und in einen Raum, der offenbar die Bibliothek war. Dort blieb das Tier an der einen Wand stehen und hob dann seine Vorderpfoten hoch und stützte sie auf eines der unteren Bücherregale; dabei blickte es mich wieder mit diesem rührenden bittenden Ausdruck an.
Auf einmal verschwanden Katze und Bibliothek; ich erwachte und stellte fest, daß es bereits Morgen war.
Auch Settles Wache war ohne Zwischenfall verlaufen; dafür interessierte er sich brennend für meinen Traum. Auf mein Verlangen hin führte er mich in die Bibliothek, die in jeder Einzelheit mit meinem Traumbild übereinstimmte. Ich konnte sogar genau auf die Stelle deuten, von der aus das Tier mir den letzten traurigen Blick zugeworfen hatte.
Schweigend und verwirrt standen wir beide da. Plötzlich kam mir eine Idee, und ich bückte mich, um die Titel jener Bücher zu lesen, die an dieser einen Stelle standen. Dabei fiel mir auf, daß sich in der Reihe eine Lücke befand.
»Irgendein Buch ist hier herausgenommen worden«, sagte ich zu Settle.
Er beugte sich ebenfalls zu dem Regal hinunter.
»Nanu«, sagte er. »Hier hinten steckt ein Nagel, an dem ein Stück vom Umschlag des fehlenden Buches hängt.«

Sorgfältig löste er den kleinen Papierfetzen ab; das Stück war zwar nicht größer als knappe drei Zentimeter im Quadrat – aber zwei bedeutungsvolle Wörter standen darauf: »Die Katze . . .«
Wir sahen uns an.
»Jetzt läuft es mir doch kalt über den Rücken«, sagte Settle. »Das ist verdammt unheimlich.«
»Ich würde alles darum geben«, sagte ich, »wenn ich wüßte, welches Buch hier fehlt. Glaubst du, es besteht eine Möglichkeit, es irgendwie herauszubekommen?«
»Vielleicht existiert irgendwo ein Katalog. Vielleicht weiß Lady Carmichael . . .«
Ich schüttelte den Kopf.
»Von Lady Carmichael werden wir nicht das geringste erfahren.«
»Glaubst du?«
»Davon bin ich überzeugt. Während wir im dunkeln tappen und uns herumtasten, weiß Lady Carmichael genau Bescheid. Und aus Gründen, die nur sie allein kennt, sagt sie nicht ein einziges Wort. Lieber geht sie das entsetzliche Risiko ein, als ihr Schweigen aufzugeben.«
Der Tag verstrich so ereignislos, daß es mich an die Stille vor dem Sturm erinnerte. Und ich hatte das seltsame Gefühl, die Lösung des Problems stehe dicht bevor. Noch tastete ich völlig im dunkeln, aber bald würde ich alles erkennen. Die Tatsachen lagen vor aller Augen, klar und deutlich; es bedurfte nur eines kleinen erhellenden Hinweises, der sie zusammenschweißen und ihre Bedeutung zeigen würde.
Und genau das geschah. In der seltsamsten Weise.
Es geschah, als wir – wie gewöhnlich – nach dem Abendessen im grünen Wohnzimmer zusammensaßen. Wir waren sehr schweigsam gewesen – so still, daß eine kleine Maus quer durch das Zimmer rannte. Und im gleichen Augenblick passierte es.
Mit einem einzigen Satz sprang Arthur Carmichael von seinem Sessel. Sein zitternder Körper war pfeilschnell hinter der Maus her. Die Maus war hinter der Wandtäfelung verschwunden; er hockte jedoch geduckt davor, vor Eifer am ganzen Körper bebend, und wartete.
Es war entsetzlich! Noch nie hatte ich dieses lähmende Gefühl verspürt. Jetzt brauchte ich nicht mehr zu grübeln, an was Arthur Carmichael mich mit seinem lautlosen Gang und den wachsamen Augen erinnerte. Wie ein Blitz kam mir plötzlich die Erklärung – wild, unglaubhaft und unfaßlich. Ich wies sie als

unmöglich zurück, als undenkbar. Aber ich konnte sie nicht aus meinen Überlegungen vertreiben.
Ich kann mich kaum erinnern, was dann noch geschah. Die ganze Situation wirkte verschwommen und unwirklich. Ich weiß nur, daß wir irgendwie nach oben gingen und uns gegenseitig kurz eine gute Nacht wünschten – beinahe so, als fürchteten wir den Blick des anderen, um in ihm nicht die Bestätigung unserer eigenen Befürchtungen zu entdecken.
Settle machte es sich vor Lady Carmichaels Tür bequem, um die erste Wache zu übernehmen, während ich ihn um drei Uhr ablösen sollte. Besondere Befürchtungen für Lady Carmichael hegte ich eigentlich nicht; ich war zu sehr mit meiner phantastischen, unmöglichen Theorie beschäftigt. Ich sagte mir zwar, daß es unmöglich sei – aber fasziniert kehrten meine Gedanken immer wieder zu diesem Punkt zurück.
Und dann zerplatzte plötzlich die Stille der Nacht. Settles Stimme steigerte sich zu einem Schreien; er rief nach mir. Ich stürzte in den Korridor hinaus.
Er hämmerte und trommelte mit aller Kraft an Lady Carmichaels Tür. »Zum Teufel mit dieser Frau!« schrie er. »Sie hat tatsächlich abgeschlossen!«
»Aber ...«
»Sie ist drinnen, Menschenskind! Bei ihr drinnen! Hörst du sie denn nicht?«
Durch die verschlossene Tür drang das langgezogene wütende Jaulen einer Katze. Es folgte ein entsetzlicher Schrei – und noch einer ... Ich erkannte Lady Carmichaels Stimme.
»Die Tür!« schrie ich. »Wir müssen sie aufbrechen – sonst ist es zu spät!«
Wir warfen uns mit der Schulter gegen die Tür und versuchten mit aller Kraft, sie einzudrücken. Krachend gab sie nach – und wir fielen beinahe in das Zimmer.
Blutüberströmt lag Lady Carmichael auf ihrem Bett. Selten habe ich einen fürchterlicheren Anblick erlebt. Ihr Herz schlug noch, aber ihre Verletzungen waren entsetzlich, denn an ihrer Kehle war die Haut zerrissen und zerfetzt ... Am ganzen Körper zitternd flüsterte ich: »Die Krallen ...« Ein Schauder abergläubischen Entsetzens überlief mich.
Sorgfältig säuberte und verband ich die Verletzungen, und dann schlug ich Settle vor, die Art der Verletzungen lieber für uns zu behalten – insbesondere gegenüber Miss Patterson.

Schließlich bestellte ich telegraphisch eine Krankenschwester; das Telegramm sollte aufgegeben werden, sobald das Postamt öffnete.
Langsam drang die Morgendämmerung durch das Fenster. Ich blickte auf den Rasen hinunter.
»Zieh dich an und komm mit«, sagte ich unvermittelt zu Settle. »Lady Carmichael ist im Moment gut aufgehoben.«
Wenig später war er bereit, und gemeinsam gingen wir in den Garten hinaus.
»Was hast du vor?«
»Ich will den Kadaver der Katze ausgraben«, sagte ich kurz. »Ich muß es genau wissen ...«
In einem Geräteschuppen fand ich einen Spaten, und dann machten wir uns unter der großen Blutbuche an die Arbeit. Nach einiger Zeit wurde unsere Mühe belohnt. Erfreulich war es nicht; das Tier war immerhin seit einer Woche tot. Aber ich sah, was ich sehen wollte.
»Das ist die Katze«, sagte ich. »Dieselbe Katze, die ich hier am Tage meiner Ankunft sah.«
Settle schnupperte. Ein Geruch nach bitteren Mandeln war immer noch wahrnehmbar.
»Blausäure«, sagte er.
Ich nickte.
»Was glaubst du?« fragte er neugierig.
»Dasselbe wie du!«
Meine Vermutung war für ihn nicht neu – in seinen Gedanken war sie, wie ich merkte, auch schon aufgetaucht.
»Das ist unmöglich«, murmelte er. »Einfach unmöglich! Es spricht gegen jegliche Wissenschaft – gegen die Natur ...« Seine Stimme wurde immer unsicherer und verstummte. »Diese Maus gestern abend«, sagte er. »Aber – mein Gott, das kann doch nicht wahr sein!«
»Lady Carmichael«, sagte ich, »ist eine sehr seltsame Frau. Sie besitzt okkulte Kräfte – hypnotische Kräfte. Ihre Vorfahren stammen tatsächlich aus dem Osten. Wissen wir, welchen Gebrauch sie gegenüber einem schwachen, liebenswerten Wesen wie Arthur Carmichael davon macht? Und vergiß eines nicht, Settle: Wenn Arthur Carmichael hoffnungslos geistesgestört und ihr ergeben bleibt, gehört der ganze Besitz praktisch ihr und ihrem Sohn – du hast selbst gesagt, sie vergöttere ihn. Und außerdem wollte Arthur heiraten!«
»Aber was machen wir jetzt, Carstairs?«

»Im Augenblick nichts«, sagte ich. »Wir können nur versuchen, Lady Carmichael vor der Rache zu schützen.«
Lady Carmichael erholte sich langsam. Ihre Verletzungen heilten von allein so gut, wie man es nur erwarten konnte – wenngleich sie die Narben von diesem Angriff wahrscheinlich bis an ihr Lebensende nicht verlieren würde.
Ich kam mir so hilflos vor wie noch nie. Die Macht, die uns besiegt hatte, war immer noch ungebrochen, unbesiegt, und obgleich sie sich im Augenblick ruhig verhielt, war doch anzunehmen, daß sie nur ihre Zeit abwartete. In einem Punkt war ich fest entschlossen. Sobald Lady Carmichael sich so weit erholt hatte, daß sie transportfähig war, mußte sie aus Wolden entfernt werden. Immerhin bestand die Möglichkeit, daß diese entsetzliche Erscheinung nicht in der Lage war, ihr dann zu folgen. Und so vergingen die Tage.
Den 18. September hatte ich als den Tag festgesetzt, an dem Lady Carmichael weggebracht werden sollte. Am Morgen des 14. September kam es jedoch überraschend zur Krise.
Ich war gerade in der Bibliothek und besprach mit Settle die Einzelheiten von Lady Carmichaels Abfahrt, als ein aufgeregtes Dienstmädchen in den Raum stürzte.
»O Sir!« rief sie. »Schnell! Mr. Arthur – er ist in den Teich gefallen! Er stieg in das Boot, und das Boot trieb mit ihm ab, und dabei hat er das Gleichgewicht verloren und ist ins Wasser gefallen! Ich habe es vom Fenster aus gesehen.«
Ich zögerte keinen Augenblick, sondern rannte sofort aus dem Zimmer, gefolgt von Settle. Phyllis stand draußen und hatte den Bericht des Mädchens selbst gehört. Sie lief mit uns hinaus.
»Aber Sie brauchen keine Angst zu haben«, rief sie. »Arthur ist ein ausgezeichneter Schwimmer.«
Ich befürchtete jedoch das Schlimmste und beschleunigte mein Tempo. Die Wasseroberfläche des Teiches war spiegelglatt. Das leere Boot trieb langsam dahin – aber von Arthur war nichts zu sehen.
Settle riß sich das Jackett herunter und zog seine Schuhe aus. »Ich gehe in den Teich«, sagte er. »Nimm du den Bootshaken und suche vom zweiten Boot aus. Das Wasser ist nicht tief.«
Die Zeit schien stillzustehen, während wir suchten. Minute folgte auf Minute. Und dann, als wir gerade verzweifelten, fanden wir ihn und brachten den anscheinend leblosen Arthur Carmichael ans Ufer.

Bis an mein Lebensende werde ich den hoffnungslosen, gequälten Ausdruck auf Phyllis' Gesicht nicht vergessen.
»Nicht – nicht ...« Ihre Lippen weigerten sich, das entsetzliche Wort zu bilden.
»Nein, nein, meine Liebe«, rief ich. »Wir bringen ihn schon wieder zu sich – keine Angst.«
Innerlich hatte ich jedoch kaum noch Hoffnung. Eine halbe Stunde war er unter Wasser gewesen. Ich schickte Settle ins Haus, um vorgewärmte Decken und andere notwendige Dinge zu besorgen, und begann dann mit Wiederbelebungsversuchen.
Angestrengt arbeiteten wir länger als eine Stunde, aber nichts deutete darauf hin, daß noch Leben in Arthur Carmichael war. Mit einer Kopfbewegung bedeutete ich Settle, mich wieder abzulösen, und näherte mich Phyllis.
»Ich fürchte«, sagte ich behutsam, »daß es keinen Sinn hat. Wir können Arthur nicht mehr helfen.«
Sie blieb einen Augenblick stumm, ohne sich zu rühren; und dann warf sie sich plötzlich über den leblosen Körper.
»Arthur!« rief sie verzweifelt. »Arthur! Komm zu mir zurück! Arthur – komm zurück – komm zurück!«
Ihre Stimme verhallte langsam. Plötzlich berührte ich Settles Arm. »Da!« sagte ich.
Das Gesicht des Ertrunkenen bekam auf einmal eine Spur von Farbe. Ich fühlte seinen Puls.
»Weiter mit der künstlichen Atmung!« rief ich. »Er kommt wieder zu sich!«
Die Augenblicke schienen jetzt vorüberzufliegen. Nach wunderbar kurzer Zeit öffneten sich seine Augen.
Und dann entdeckte ich plötzlich auch einen Unterschied: *Das hier waren intelligente Augen, menschliche Augen ...*
Ihr Blick ruhte auf Phyllis.
»Tag, Phyllis«, sagte er mit schwacher Stimme. »Bist du da? Ich dachte, du kämst erst morgen?«
Irgend etwas zu sagen, traute sie sich noch nicht zu; statt dessen lächelte sie ihn nur an. Zunehmend verwirrt sah er sich um.
»Ja – aber wo bin ich denn? Und – richtig miserabel fühle ich mich. Was ist denn mit mir los? Tag, Dr. Settle!«
»Sie wären beinahe ertrunken – das ist los«, erwiderte Settle grimmig.
Sir Arthur schnitt eine Grimasse. »Ich habe früher schon gehört, daß einem hinterher ganz übel ist, wenn man zurückkommt!

Aber wie ist es denn passiert? Bin ich etwa im Schlaf gewandelt?«
Settle schüttelte den Kopf.
»Wir müssen ihn ins Haus bringen«, sagte ich und trat einen Schritt näher.
Er starrte mich an, und Phyllis stellte mich vor: »Dr. Carstairs, der augenblicklich hier ist.«
Wir nahmen ihn zwischen uns und machten uns auf den Weg zum Haus. Plötzlich blickte er auf, als wäre ihm irgend etwas eingefallen.
»Sagen Sie, Doktor – bis zum zwölften bin ich doch wieder in Ordnung, nicht wahr?«
»Bis zum zwölften?« sagte ich langsam. »Meinen Sie vielleicht den 12. August?«
»Ja – nächsten Freitag.«
»Heute ist der 14. September«, sagte Settle unvermittelt.
Seine Verwirrung war nicht zu übersehen.
»Aber – aber ich dachte, heute wäre der 8. August? Dann muß ich also krank gewesen sein?«
Phyllis unterbrach ihn sofort mit ihrer behutsamen Stimme.
»Ja«, sagte sie, »du bist sehr krank gewesen.«
Er zog die Stirne kraus. »Das verstehe ich nicht. Als ich gestern abend zu Bett ging, war ich noch kerngesund – das heißt natürlich, wenn es tatsächlich gestern abend war. Und jetzt fällt mir auch ein, daß ich geträumt habe, geträumt ...« Seine Stirnfalten wurden noch tiefer, während er sich bemühte, sich zu erinnern. »Irgend etwas – was war es denn nur? Irgend etwas Schreckliches – irgend jemand hatte es mir angetan – und ich war wütend – verzweifelt ... Und dann träumte ich, ich wäre eine Katze – ja, eine Katze! Komisch, nicht? Aber der Traum selbst war gar nicht komisch. Er war – fürchterlich war er! Aber ich kann mich nicht mehr genau erinnern. Wenn ich nachdenke, verfliegt alles.«
Ich legte ihm die Hand auf die Schulter. »Versuchen Sie jetzt nicht erst nachzudenken, Sir Arthur«, sagte ich ernst. »Seien Sie zufrieden – daß Sie es vergessen.«
Irritiert sah er mich an und nickte. Ich hörte, wie Phyllis erleichtert aufatmete. Mittlerweile hatten wir das Haus erreicht.
»Übrigens«, sagte Arthur plötzlich, »wo ist eigentlich die Mater?«
»Sie ist – sie ist krank gewesen«, sagte Phyllis nach kurzem Überlegen.

»Ach! Die arme Mater!« Seine Stimme verriet ehrliche Besorgnis. »Wo ist sie denn? In ihrem Zimmer?«

»Ja«, sagte ich, »aber vielleicht ist es besser, wenn Sie sie jetzt nicht stören ...«

Das Wort erstarb mir auf den Lippen. Die Tür des Wohnzimmers öffnete sich, und in ihren Morgenmantel gehüllt, trat Lady Carmichael in die Diele.

Ihre Augen waren starr auf Arthur gerichtet, und wenn ich jemals den Ausdruck vollkommenen, von Schuld beladenen Entsetzens gesehen habe, dann in diesem Augenblick. Vor wahnwitzigem Entsetzen war ihr Gesicht kaum mehr menschlich. Mit der einen Hand griff sie sich an die Kehle.

In kindlicher Zuneigung machte Arthur einen Schritt auf sie zu. »Guten Tag, Mater! Dich hat es also auch erwischt, was? Das tut mir aber wirklich leid.«

Sie schrak vor ihm zurück; ihre Augen waren weit aufgerissen. Und plötzlich, mit dem Aufschrei einer verfluchten Seele, stürzte sie rücklings durch die offenstehende Tür.

Ich war sofort bei ihr, beugte mich über sie und nickte Settle zu.

»Los«, sagte ich. »Bring ihn vorsichtig nach oben, und komm dann wieder herunter. Lady Carmichael ist tot.«

Nach wenigen Minuten war er wieder da.

»Was ist los?« fragte er. »Wodurch?«

»Durch einen Schock«, sagte ich verbissen. »Durch den Schock, Arthur Carmichael, den wirklichen Carmichael, dem Leben wiedergegeben vor sich zu sehen! Oder, wie ich lieber sagen würde: durch ein Gottesurteil!«

»Du meinst ...« Er zögerte.

Ich blickte ihm in die Augen, so daß er verstand.

»Leben um Leben«, sagte ich betont.

»Aber ...«

»O nein! Ich weiß, daß ein seltsamer und unvorhergesehener Zufall es der Seele Arthur Carmichaels ermöglichte, in seinen Körper zurückzukehren. Aber trotzdem ist Arthur Carmichael vorher ermordet worden.«

Fast ängstlich blickte er mich an. »Mit Blausäure?« fragte er leise.

»Ja«, erwiderte ich. »Mit Blausäure.«

Über das, was wir glaubten, haben Settle und ich nie gesprochen. Aller Wahrscheinlichkeit nach ist es auch unglaubhaft. Entsprechend den orthodoxen Ansichten litt Arthur Carmichael lediglich an Gedächtnisschwund, zerfleischte Lady Carmichael sich den Hals in einem vorübergehenden Anfall von Wahnsinn, und das Auftreten der grauen Katze beruhte auf bloßer Einbildung.

Es existieren jedoch zwei Tatsachen, die meiner Ansicht nach unmißverständlich sind. Da ist einmal der zerfetzte Sessel im Korridor. Der zweite Punkt ist noch bedeutsamer. Tatsächlich wurde der Bibliothekskatalog gefunden, und nach gründlicher Suche zeigte sich, daß es sich bei dem fehlenden Buch um ein altes und seltsames Werk über die Möglichkeiten handelte, menschliche Geschöpfe in Tiere zu verwandeln!

Und schließlich noch etwas. Dankbar kann ich heute sagen, daß Arthur nichts weiß. Phyllis hat das Geheimnis dieser Wochen in ihr Herz eingeschlossen, und ich bin überzeugt, daß sie es ihrem Mann nie verraten wird, den sie so aufrichtig liebt und der beim Erklingen ihrer Stimme über die Grenze des Grabes wieder zurückkehrte.

Der Spiegel des Toten

I

Die Wohnung war modern. Die Einrichtung der Zimmer war ebenfalls modern. Die Armsessel waren quadratisch, die hohen Stühle eckig. Ein moderner Schreibtisch war rechtwinklig vor das Fenster gestellt, und an ihm saß ein kleiner ältlicher Mann. Sein Kopf war in diesem Zimmer praktisch das einzige, das nicht eckig war. Er war eierförmig. M. Hercule Poirot las gerade einen Brief.

Bahnstation: Whimperley	Hamborough Close
Telegrammanschrift:	Hamborough St. Mary
Hamborough St. John	Westshire

24. September 1936

M. HERCULE POIROT

Dear Sir,
Es hat sich ein Fall entwickelt, zu dessen Behandlung Feinfühligkeit und Diskretion erforderlich sind. Von Ihnen habe ich verschiedentlich Gutes gehört, und so habe ich mich entschlossen, Ihnen den Fall zu übertragen. Ich habe Grund zur Annahme, daß ich das Opfer von Betrügereien bin, aber aus familiären Gründen möchte ich nicht die Polizei hinzuziehen. Ich ergreife zwar selbst bestimmte Maßnahmen, um mit der Angelegenheit fertig zu werden, aber Sie müssen sich bereit halten, bei Empfang eines Telegramms sofort hierher zu kommen. Ich wäre Ihnen dankbar, wenn Sie diesen Brief nicht beantworteten.

Hochachtungsvoll!

GERVASE CHEVENIX-GORE

Die Augenbrauen des Monsieur Poirot kletterten langsam in die Höhe, bis sie fast in seinem Kopfhaar verschwanden.
»Und wer«, fragte er die Leere, »ist dieser Gervase Chevenix-Gore?«
Er ging zu einem Bücherregal und nahm ein großes dickes Buch heraus.

Was er suchte fand er sehr schnell.
CHEVENIX-GORE, Sir Gervase Francis Xavier, 10. Baron s. 1694; ehemals Captain 17. Lancers; *geb.* 18. Mai 1878; *ält. Sohn* v. Sir Guy Chevenix-Gore, 9. Baron, und Lady Claudia Bretherton, 2. Tocht. d. 8. Earl of Wallingford. 1912 *Eheschl.* m. Vanda Elizabeth, ält. Tocht. v. Colonel Frederick Arbuthnot. *Ausb.* Eton, diente im europ. Krieg 1914–18. *Vorlieben:* Reisen, Großwildjagd. *Anschrift:* Hamborough St. Mary, Westshire, und 218 Lowndes Square, SW 1. *Klubs:* Cavalry, Travellers'.
Leicht enttäuscht schüttelte Poirot den Kopf. Für einen Augenblick blieb er noch in Gedanken versunken; dann ging er zu seinem Schreibtisch, zog eine Schublade auf und holte einen kleinen Stoß Einladungskarten heraus.
Sein Gesicht erhellte sich.
»*A la bonne heure!* Genau das richtige! Er wird sicher da sein.«

Eine Herzogin begrüßte Monsieur Hercule Poirot in unangenehmen Tönen.
»Also konnten Sie es doch noch einrichten, hierher zu kommen, Monsieur Poirot! Das finde ich wirklich großartig.«
»Das Vergnügen ist ganz meinerseits, Madame«, murmelte Poirot und verbeugte sich.
Er entkam verschiedenen wichtigen und großartigen Wesen – einem berühmten Diplomaten, einer gleichermaßen berühmten Schauspielerin sowie einem bekannten adligen Jäger – und fand schließlich jenen Mann, den er hier gesucht hatte: den unvermeidlich ›ferner anwesenden‹ Gast Mr. Satterthwaite.
Mr. Satterthwaite plauderte munter vor sich hin.
»Die liebe Herzogin – ich genieße ihre Empfänge immer sehr ... Eine derartige Persönlichkeit, wenn Sie verstehen, was ich damit sagen will. Vor einigen Jahren war ich auf Korsika sehr oft mit ihr zusammen ...«
Mr. Satterthwaites Unterhaltung war in unangebrachter Weise durch ständige Erwähnung jener seiner Bekannten belastet, die einen Titel besaßen. Es ist möglich, daß er gelegentlich auch die Gesellschaft eines Mr. Jones, Brown oder Robinson genoß; wenn die zutraf, verschwieg er allerdings diese Tatsache. Mr. Satterthwaite als bloßen Snob und sonst nichts zu beschreiben, wäre jedoch ihm gegenüber eine Ungerechtigkeit gewesen.
Er war vielmehr ein aufmerksamer Beobachter der menschlichen Natur, und wenn es wahr ist, daß der Kiebitz am mei-

sten vom Spiel versteht, mußte Mr. Satterthwaite eine ganze Menge können.
»Wissen Sie, mein lieber Freund, es muß schon Jahre her sein, daß ich Sie sah. Ich empfinde es auch heute noch als großen Vorzug, Sie damals in dem Fall *Crow's Nest* so unmittelbar bei Ihrer Arbeit beobachtet zu haben. Seitdem habe ich das Gefühl, zu den Eingeweihten zu zählen, wie man so sagt. Übrigens habe ich Lady Mary erst in der vergangenen Woche gesehen. Ein bezauberndes Wesen – wie aus Milch und Blut!«
Nachdem er einen Augenblick bei den gegenwärtigen Skandalen verweilte – den Unbedachtheiten der Tochter eines Earls und dem beklagenswerten Betragen eines Viscounts –, gelang es Poirot, den Namen Gervase Chevenix-Gore zu erwähnen.
Mr. Satterthwaite reagierte sofort.
»Ah ja, das ist wirklich eine Persönlichkeit, wenn Sie so wollen! Der letzte der Baronets – das ist sein Spitzname.«
»Verzeihung, aber ich verstehe nicht ganz.«
Mr. Satterthwaite begab sich nachsichtig auf das niedrigere Begriffsvermögen eines Ausländers hinunter.
»Das ist ein Spaß, verstehen Sie – nur ein Spaß! In Wirklichkeit ist er natürlich nicht der letzte Baronet in England – er repräsentiert jedoch das Ende einer Ära. Der freche schlechte Baronet – der verrückte und leichtsinnige Baronet: Sie waren in den Romanen des vergangenen Jahrhunderts besonders beliebt – diese Leute, die wegen unmöglicher Dinge wetteten und ihre Wetten dann auch noch gewannen.«
Und er fuhr fort, das, was er meinte, noch eingehender zu beschreiben. In jüngeren Jahren war Gervase Chevenix-Gore mit einem Segelschiff um die Welt gefahren. Er hatte ferner an einer Expedition zum Pol teilgenommen. Einen Rennpferde züchtenden Peer hatte er zum Duell gefordert. Wegen einer Wette war er mit seiner Lieblingsstute die Treppe eines herzoglichen Hauses hinauf geritten. Einmal war er aus seiner Loge auf die Bühne gesprungen und hatte eine bekannte Schauspielerin mitten aus der Vorstellung entführt.
Die Anekdoten über ihn waren zahllos.
»Die Familie ist alt«, fuhr Mr. Satterthwaite fort. »Sir Guy de Chevenix nahm am ersten Kreuzzug teil. Und jetzt stirbt dieser Zweig aus. Der alte Gervase ist der letzte Chevenix-Gore.«
»Und das Vermögen – ist es zusammengeschmolzen?«
»Aber nicht die Spur! Gervase ist sagenhaft reich. Wertvoller

Hausbesitz, Kohlengruben gehören ihm, und außerdem besitzt er noch Anteile an irgendeinem Bergwerk in Peru oder sonstwo in Südamerika, die noch aus seiner Jugendzeit stammen und ihm bisher ein Vermögen eingebracht haben. Ein erstaunlicher Mann. Bei allem, was er unternahm, hatte er Glück.«

»Aber jetzt ist er natürlich schon älter?«

»Ja, der arme alte Gervase.« Mr. Satterthwaite seufzte und schüttelte den Kopf. »Die meisten Leute würden ihn wahrscheinlich als völlig verrückt bezeichnen. In gewisser Weise stimmt es. Er ist tatsächlich verrückt – nicht in dem Sinne, daß er in eine Anstalt gehörte oder an Wahnvorstellungen litte, sondern verrückt in dem Sinne, daß er anomal ist. Zeit seines Lebens war er ein Mann von großer charakterlicher Originalität.«

»Und im Laufe der Jahre wird Originalität zu Exzentrizität?« erkundigte sich Poirot.

»Sehr wahr. Genau das passierte dem armen alten Gervase.«

»Hat er vielleicht eine übersteigerte Vorstellung von seiner eigenen Bedeutung?«

»Vollständig. Ich könnte mir vorstellen, daß die Welt nach Ansicht Gervases in zwei Hälften geteilt ist: in die Familie Chevenix-Gore und die übrige Menschheit!«

»Ein übertriebener Familiensinn!«

»Ja. Die Chevenix-Gores sind verteufelt arrogant – eine Rasse für sich sind sie. Da er der letzte seiner Familie ist, hat Gervase besonders verrückte Vorstellungen. Er fühlt sich – also wenn man ihn hört, glaubt man es fast selbst – äh, wie der Allmächtige!«

Langsam und nachdenklich nickte Poirot.

»Ja, genauso habe ich es mir gedacht. Ich habe nämlich einen Brief von ihm bekommen. Es war ein etwas ungewöhnlicher Brief. Er fragte nicht an – er verlangte etwas!«

»Ein allerhöchster Befehl also«, sagte Satterthwaite leise kichernd.

»Genau das! Es scheint diesem Sir Gervase gar nicht in den Sinn zu kommen, daß ich, Hercule Poirot, ein Mann von Bedeutung, mit endlosen Problemen beschäftigt bin! Daß es äußerst unwahrscheinlich ist, daß ich alles andere einfach stehen und liegen lassen würde und angerannt käme, wie ein gehorsamer Hund – wie ein bloßes Nichts, das dankbar ist, einen Auftrag zu erhalten!«

Mr. Satterthwaite biß sich auf die Lippen, um ein Lächeln zu

unterdrücken. Vielleicht war ihm klargeworden, daß in Fragen des Egoismus zwischen Hercule Poirot und Gervase Chevenix-Gore gar kein so großer Unterschied bestand.
»Aber«, murmelte er, »wenn der Grund zu seiner Aufforderung nun sehr dringend war . . .?«
»Das war er eben nicht!« Diese Feststellung unterstrichen Poirots Hände mit einer weit ausholenden Gebärde. »Ich erhielt lediglich die Mitteilung, mich zu seiner Verfügung zu halten – allein für den Fall, daß er mich benötigte! *Enfin, je vous demande!*«
Wieder machten die Hände eine äußerst beredte Bewegung und drückten – besser als Worte – Monsieur Hercule Poirots äußerstes Mißfallen aus.
»Demnach«, sagte Mr. Satterthwaite, »haben Sie also abgelehnt?«
»Ich hatte noch keine Gelegenheit dazu«, sagte Poirot langsam.
»Aber Sie werden ablehnen?«
Ein ganz neuer Ausdruck huschte über das Gesicht des kleinen Mannes. Seine Stirn legte sich vor Verwirrung in lauter Falten.
»Wie soll ich es ausdrücken«, sagte er. »Ablehnen – ja, das war meine erste Regung. Aber ich weiß nicht . . . Man hat manchmal so ein Gefühl. Ganz leicht steigt einem eine Witterung in die Nase . . .«
Diese letzte Überlegung nahm Mr. Satterthwaite ohne den geringsten Ausdruck des Vergnügens zur Kenntnis.
»Ach?« sagte er. »Das ist interessant . . .«
»Ich habe das Gefühl«, fuhr Hercule Poirot fort, »daß ein Mensch, wie Sie ihn eben beschrieben haben, möglicherweise sehr wertvoll ist . . .«
»Wertvoll?« fragte Mr. Satterthwaite. Für einen Augenblick war er überrascht. Ausgerechnet dieses Wort hätte er mit Gervase Chevenix-Gore niemals in Verbindung gebracht. Aber er war ein empfindsamer Mensch und von schneller Beobachtungsgabe. Langsam sagte er: »Ich glaube – ich verstehe, was Sie meinen.«
»Solch ein Mensch steckt in einem Panzer – in einem undurchdringlichen Panzer! Die Rüstung der Kreuzfahrer war im Vergleich dazu lächerlich – gegenüber diesem Panzer aus Arroganz, Stolz und Selbstüberschätzung. In gewisser Weise ist dieser Panzer ein Schutz, von dem die Pfeile – die alltäglichen Pfeile des Lebens – einfach abprallen. Aber eine Gefahr besteht dabei: Manchmal merkt ein Mann, der in einem solchen Panzer

steckt, vielleicht gar nicht, daß er überhaupt angegriffen wird! Sehr spät erst merkt er es, hört er es – und noch später spürt er es!«

Er verstummte, und dann fragte er völlig verändert: »Woraus besteht eigentlich die Familie dieses Sir Gervase?«

»Da ist einmal Vanda, seine Frau. Eine geborene Arbuthnot – früher ein ausgesprochen umgängliches Mädchen. Auch heute noch eine umgängliche Frau. Und Gervase sehr zugetan. Soviel ich weiß, neigt sie sehr zum Okkultismus. Trägt Amulette und solche Sachen und hält sich für die Inkarnation einer ägyptischen Königin ... Dann ist da noch Ruth – ihre Adoptivtochter. Eigene Kinder haben sie nämlich nicht. Ein sehr reizvolles Mädchen und ganz modern. Das ist die ganze Familie. Ausgenommen natürlich Hugo Trent. Hugo ist Gervases Neffe. Pamela Chevenix-Gore heiratete Reggie Trent, und Hugo war das einzige Kind dieser Ehe. Jetzt ist er Vollwaise. Den Titel kann er natürlich nicht erben, aber ich könnte mir vorstellen, daß der größte Teil des Vermögens an ihn fallen wird. Übrigens ein gutaussehender Bursche, nur ein bißchen melancholisch.«

Poirot nickte nachdenklich. Dann fragte er: »Für Sir Gervase ist es wohl sehr betrüblich, ja, daß er keinen Sohn hat, der seinen Namen erbt?«

»Ich könnte mir vorstellen, daß es ihn ziemlich getroffen hat.«

»Und der Familienname – das ist wohl eine stille Leidenschaft von ihm?«

»Ja.«

Mr. Satterthwaite schwieg eine Weile. Er war ausgesprochen neugierig geworden. Schließlich wagte er sich einen Schritt vor.

»Haben Sie einen ganz bestimmten Grund, nach Hamborough Close zu fahren?«

Langsam schüttelte Poirot den Kopf.

»Nein«, sagte er, »soweit ich es übersehen kann, besteht dazu nicht der geringste Grund. Aber trotzdem habe ich das Gefühl, daß ich hinfahre.«

2

Hercule Poirot saß in der Ecke eines Abteils erster Klasse, während der Zug durch die englische Landschaft raste.

Nachdenklich holte er ein säuberlich zusammengefaltetes Telegramm aus der Tasche, das er auseinanderfaltete und noch einmal las.

NEHMEN SIE ZUG VIER UHR DREISSIG ST. PANCRAS STOP BENACHRICHTIGEN SIE ZUGSCHAFFNER DAMIT EILZUG IN WHIMPERLEY HAELT

CHEVENIX-GORE

Er faltete das Telegramm wieder zusammen und schob es in die Tasche.
Der Zugschaffner war sehr dienstbeflissen gewesen. Der Herr führe nach Hamborough Close? O ja, für Sir Gervases Gäste würde der Zug immer in Whimperley angehalten. »Wahrscheinlich ein besonderes Vorrecht, Sir.«
Dann war der Schaffner noch zweimal im Abteil erschienen: einmal, um dem Reisenden zu versichern, daß alles getan würde, damit er allein im Abteil bliebe, und das zweitemal, um bekanntzugeben, daß der Zug zehn Minuten Verspätung hätte.
Planmäßig sollte der Zug um 19.50 ankommen; als Hercule Poirot auf dem kleinen ländlichen Bahnhof aus dem Wagen stieg und dem Schaffner die erwartete halbe Krone in die Hand drückte, war es jedoch genau zwei Minuten nach acht.
Die Lokomotive stieß einen Pfiff aus, und der Northern Express fuhr wieder an. Ein hochgewachsener Chauffeur in dunkelgrüner Uniform näherte sich Poirot.
»Mr. Poirot? Nach Hamborough Close?«
Er griff nach der hübschen Reisetasche des Kriminalisten und begleitete Poirot zum Ausgang. Vor dem Bahnhof stand ein großer Rolls-Royce. Der Chauffeur hielt Poirot den Schlag auf, so daß er einsteigen konnte, und legte ihm eine riesige Pelzdecke über die Beine. Dann fuhren sie los.
Nach etwa zehnminütiger Fahrt über Land, durch scharfe Kurven und über Landstraßen bog der Wagen durch ein breites Tor, das von riesigen steinernen Jagdhunden flankiert war.
Sie fuhren durch den Park und vor dem Haus vor. Als sie hielten, wurde die Haustür geöffnet, und ein Butler von imposanter Gestalt trat auf die Treppe hinaus.
»Mr. Poirot? Wenn Sie mir bitte folgen wollen.«
Er führte den Kriminalisten durch die Halle und öffnete dann an der rechten Seite eine Tür.
»Mr. Hercule Poirot«, meldete er.

In dem Zimmer befand sich eine Reihe von Leuten in abendlicher Kleidung, und als Poirot das Zimmer betrat, nahmen seine schnellen Augen sofort wahr, daß man ihn nicht erwartet hatte. Die Blicke der Anwesenden ruhten in unverhüllter Überraschung auf ihm.
Dann kam eine hochgewachsene Frau, deren dunkles Haar von weißen Strähnen durchzogen war, unentschlossen auf ihn zu.
Poirot beugte sich über ihre Hand.
»Ich bitte um Entschuldigung, Madame«, sagte er. »Ich fürchte, mein Zug hatte Verspätung.«
»Aber ich bitte Sie«, sagte Lady Chevenix-Gore unsicher. Ihre Augen starrten ihn immer noch leicht verwirrt an. »Aber ich bitte Sie, Mr. – äh – ich habe leider Ihren ...«
»Hercule Poirot.«
Er sprach seinen Namen klar und deutlich aus.
Irgendwie hörte er, daß hinter ihm irgend jemand plötzlich tief einatmete. Im gleichen Augenblick merkte er, daß sein Gastgeber sich nicht in diesem Zimmer befinden konnte. Höflich murmelte er: »Sie wußten, daß ich kam, Madame?«
»Ich – äh, ja ...« Ihre ganze Art war keineswegs überzeugend. »Ich glaube – ich meine, ich habe es wahrscheinlich gewußt, aber ich bin so schrecklich unpraktisch, Monsieur Poirot. Ich vergesse immer alles.« Ihr Tonfall verriet ein melancholisches Vergnügen an dieser Tatsache. »Man sagt mir etwas. Scheinbar nehme ich es in mich auf – aber dann ist es doch nur zum einen Ohr hinein und zum anderen wieder hinaus gegangen! Einfach weg ist es! Als wäre nie etwas gewesen.«
Und dann blickte sie sich in der Art, als erfüllte sie eine schon lange überfällige Pflicht, unsicher um und murmelte: »Sicherlich kennen Sie die übrigen schon.«
Obgleich dies offenkundig nicht der Fall war, wollte Lady Chevenix-Gore sich mit dieser abgedroschenen Redensart ganz deutlich die Mühe des Vorstellens und die Anstrengung ersparen, sich an die richtigen Namen der verschiedenen Anwesenden erinnern zu müssen.
Um den Schwierigkeiten dieses besonderen Falles zu entsprechen, fügte sie noch unter Anspannung aller Energien hinzu: »Meine Tochter Ruth.«
Das Mädchen, das vor ihm stand, war ebenso hochgewachsen und dunkel, davon abgesehen jedoch ein ganz anderer Typ. Anstelle der verschwommenen, unbestimmbaren Gesichtszüge

der Lady Chevenix-Gore hatte sie eine feingeformte, leicht gebogene Nase und eine klare, sehr betonte Kinnpartie. Das schwarze Haar war zurückgekämmt und endete in einem Gewirr kleiner dichter Locken. Die Farbe ihres Gesichts war gesund und strahlend, obgleich sie kaum geschminkt war. In den Augen Hercule Poirots gehörte sie zu den bezauberndsten Mädchen, die er jemals gesehen hatte.
Außerdem fiel ihm auf, daß sie nicht nur schön, sondern auch gescheit war sowie ein gewisses Maß an Stolz und Temperament besaß. Wenn sie sprach, klang ihre Stimme leicht gedehnt, und er hatte den Eindruck, daß es ganz bewußt geschah.
»Wie aufregend«, sagte sie, »Monsieur Poirot als Gast hier zu haben! Der Alte hat sich damit wahrscheinlich eine Überraschung für uns ausgedacht.«
»Sie wußten also nicht, daß ich kam, Mademoiselle?« fiel er ein.
»Keine Ahnung hatte ich. Aber mein Autogrammheft kann ich erst nachher herunterholen.«
Der Klang eines Gongs drang aus der Halle herüber; dann öffnete der Butler die Tür und meldete: »Es ist serviert.«
Und noch ehe er das letzte Wort ausgesprochen hatte, passierte etwas sehr Merkwürdiges. Die priesterliche Erscheinung des Bediensteten wurde, wenn auch nur für einen kurzen Augenblick, zu einem höchst erstaunten menschlichen Wesen ...
Diese flüchtige Verwandlung erfolgte so schnell und die Maske des guterzogenen Dieners war wieder so plötzlich zurückgekehrt, daß nur derjenige, der den Diener zufällig gesehen hatte, die Veränderung bemerkt haben konnte. Poirot allerdings hatte ihn angeblickt. Und es machte ihn stutzig.
Zögernd blieb der Butler im Türrahmen stehen. Obgleich sein Gesicht wieder von korrekter Ausdruckslosigkeit war, verriet seine ganze Gestalt eine gewisse Spannung.
Unsicher sagte Lady Chevenix-Gore: »Ach Gott – das ist aber höchst sonderbar. Wirklich – ich weiß gar nicht, was ich tun soll.«
Ruth sagte zu Poirot: »Diese ungewöhnliche Bestürzung ist der Tatsache zu verdanken, daß sich mein Vater seit mindestens zwanzig Jahren zum erstenmal verspätet hat.«
»Das ist höchst sonderbar ...« Lady Chevenix-Gore sprach mit klagender Stimme. »Gervase ist noch nie ...«
Ein älterer Mann mit aufrechter soldatischer Haltung trat zu ihr. Er lachte heiter.

»Der gute alte Gervase! Endlich kommt auch er einmal zu spät! Aber das könnt ihr mir glauben: Damit werden wir ihn noch aufziehen. Wahrscheinlich ein verschwundener Kragenknopf, glaubst du nicht? Oder ist Gervase gegen unsere gewöhnlichen Schwächen so gefeit?«
Mit leiser, irritierter Stimme sagte Lady Chevenix-Gore: »Aber Gervase kommt doch nie zu spät!«
Beinahe lächerlich war diese Bestürzung, die dieser einmalige *contretemps* ausgelöst hatte. Und dennoch war sie nach Hercule Poirots Ansicht keineswegs lächerlich ... Hinter der Bestürzung spürte er eine gewisse Unruhe – vielleicht sogar gewisse Befürchtungen. Und auch er fand es seltsam, daß Gervase Chevenix-Gore nicht erschien, um seinen Gast – den er auf so geheimnisvolle Weise zu sich bestellt hatte – zu begrüßen.
Mittlerweile war klar geworden, daß niemand genau wußte, was dabei zu tun war. Eine beispiellose Situation war entstanden, und keiner wußte, wie er ihr begegnen sollte.
Schließlich ergriff Lady Chevenix-Gore die Initiative – wenn man es überhaupt als Initiative bezeichnen kann. Es war jedenfalls nicht zu übersehen, daß ihr ganzes Verhalten entschlußlos war.
»Snell«, sagte sie, »ist der Herr ...?«
Sie beendete den Satz nicht, sondern blickte den Butler lediglich erwartungsvoll an.
Snell, der offenbar die Art kannte, in der seine Herrin Erkundigungen einzog, reagierte prompt auf diese unausgesprochene Frage.
»Sir Gervase kam um fünf vor acht herunter, M'lady, und ging direkt in das Arbeitszimmer.«
»Ach so ...« Ihr Mund blieb geöffnet, ihre Augen schienen in die Ferne zu blicken. »Glauben Sie – ich meine – ob er den Gong wohl gehört hat?«
»Daran ist meiner Ansicht nach kein Zweifel, M'lady, da der Gong sich unmittelbar vor der Tür des Arbeitszimmers befindet. Natürlich wußte ich nicht, daß Sir Gervase sich noch im Arbeitszimmer aufhielt, weil ich sonst auch dort gemeldet hätte, daß serviert sei. Soll ich es vielleicht nachholen, M'lady?«
Mit deutlicher Erleichterung griff Lady Chevenix-Gore diesen Vorschlag auf. »Oh, vielen Dank, Snell. Ja, bitte tun Sie das – sofort.«
Und als der Butler das Zimmer verließ, sagte sie: »Snell ist ein

Juwel. Ich wüßte wirklich nicht, was ich ohne ihn anfangen sollte.«
Irgend jemand murmelte eine mitfühlende Zustimmung; aber niemand sprach. Hercule Poirot, der das Zimmer voller Menschen mit plötzlich geschärfter Aufmerksamkeit beobachtete, hatte den Eindruck, daß jeder einzelne sich in einem gespannten Zustand befand. Seine Augen musterten flüchtig jeden der Anwesenden und ordneten sie ein. Zwei ältere Männer – der soldatische, der gerade eben etwas gesagt hatte, und ein hagerer grauhaariger Mann mit verkniffenem Mund. Zwei jüngere Männer, die im Typ sehr verschieden waren: der eine mit Schnurrbart und leichter Arroganz, seiner Ansicht nach wahrscheinlich Sir Gervases Neffe, sowie etwas melancholisch. Der andere mit glatt zurückgekämmtem Haar und ziemlich gut aussehend; kein Zweifel, daß er einer niedrigeren gesellschaftlichen Schicht angehörte. Außerdem befanden sich noch eine kleine Frau mittleren Alters mit Kneifer und intelligenten Augen sowie ein Mädchen mit feuerroten Haaren im Zimmer.
Snell öffnete die Tür. Sein Benehmen war vollkommen, aber wieder zeigte das äußere Bild des unpersönlichen Butlers Spuren jenes verstörten menschlichen Wesens, das darunter steckte.
»Verzeihung, M'lady, aber die Tür des Arbeitszimmers ist abgeschlossen.«
»Abgeschlossen?«
Es war die Stimme eines Mannes: jung, lebhaft und mit einem leichten Anflug von Erregung. Der junge gutaussehende Mann mit dem zurückgekämmten Haar hatte diese Frage gestellt. Mit wenigen Schritten näherte er sich der Tür und sagte: »Soll ich lieber nachsehen ...?«
Aber sehr ruhig übernahm Poirot jetzt das Kommando. Er tat es so selbstverständlich, daß keiner es als merkwürdig empfand, daß dieser gerade eingetroffene Fremde sich anmaßte, in dieser Situation die erforderlichen Anordnungen zu treffen.
»Kommen Sie«, sagte er. »Begleiten Sie mich zum Arbeitszimmer.«
Und zu Snell gewandt sagte er: »Zeigen Sie uns bitte den Weg.«
Snell gehorchte. Poirot folgte ihm auf dem Fuß, und wie eine Schafherde kamen die übrigen hinterher.
Snell führte Poirot durch die große Halle, an dem weitgeschwungenen Bogen der Treppe, an einer riesigen Standuhr und schließlich an einer Nische vorbei, in der sich der Gong befand,

sowie durch einen schmalen Gang, der vor einer Tür endete. Hier schob Poirot den Butler beiseite und drückte vorsichtig auf die Türklinke. Sie ließ sich zwar bewegen, aber die Tür öffnete sich nicht. Höflich klopfte Poirot mit den Knöcheln gegen die Türfüllung. Dann wurde sein Klopfen immer lauter. Plötzlich hörte er damit auf, ließ sich auf das Knie nieder und preßte sein Auge an das Schlüsselloch.

Langsam erhob er sich und sah sich um. Sein Gesicht war ernst.

»Meine Herren«, sagte er. »Wir müssen diese Tür sofort aufbrechen.«

Unter seiner Anleitung warfen sich die beiden jungen Männer, die beide groß und kräftig gebaut waren, gegen die Tür. Es war keine leichte Aufgabe. Die Türen von Hamborough Close waren solide gearbeitet.

Schließlich gab das Schloß jedoch nach; krachend und splitternd drehte sich die Tür in ihren Angeln.

Und dann blieben alle, dicht gedrängt vor der Tür stehend und in das Zimmer hineinblickend, wie erstarrt stehen. Die Lampen brannten. An der linken Wand stand ein großer Schreibtisch, ein massives Möbelstück aus schwerem Mahagoni. Nicht am, sondern mit der einen Seite zum Schreibtisch gewandt, so daß der Rücken zur Tür zeigte, saß ein großer Mann schlaff im Schreibtischstuhl. Kopf und Oberkörper waren über die rechte Lehne geneigt, während die rechte Hand und der rechte Arm schlaff hinunterhingen. Unmittelbar unter der Hand lag eine kleine funkelnde Pistole auf dem Teppich ...

Irgendwelche Überlegungen waren nicht nötig. Das Bild war eindeutig genug. Sir Gervase Chevenix-Gore hatte sich erschossen.

3

Sekundenlang verharrte die im Türrahmen stehende Gruppe regungslos und starrte auf das Bild. Dann ging Poirot näher.

Im gleichen Augenblick sagte Hugo Trent aufgeregt: »Mein Gott, der Alte hat sich erschossen!«

Und Lady Chevenix-Gore stieß ein langes zitterndes Stöhnen aus.

»Oh, Gervase – Gervase!«

Ohne sich umzudrehen, sagte Poirot scharf: »Bringen Sie Lady Chevenix-Gore weg. Sie kann hier doch nichts tun.«

Der ältere soldatische Mann gehorchte. »Komm, Vanda«, sagte er. »Komm, Liebes. Du wirst hier nicht gebraucht. Es ist schon vorüber. Ruth, komm mit und kümmere dich um deine Mutter.«
Aber Ruth Chevenix-Gore hatte sich in das Zimmer gedrängt und stand dicht neben Poirot, als dieser sich über die Gestalt beugte, die so entsetzlich in dem Schreibtischstuhl hing – die herkulische Gestalt eines Mannes mit dem Bart eines Wikingers.
Mit leiser gespannter Stimme, die merkwürdig verhalten und erstickt klang, sagte sie: »Glauben Sie bestimmt, daß er – tot ist?«
Poirot blickte zu ihr hoch.
Das Gesicht des Mädchens spiegelte irgendeine Gefühlsregung wieder – eine sehr beherrschte und unterdrückte Gefühlsregung, die er nicht ganz begriff. Es war nicht Kummer, sondern eher eine Art fast ängstlicher Erregung.
Die kleine Frau mit dem Kneifer murmelte: »Ihre Mutter, Kind – vielleicht sollten Sie lieber . . .«
Mit heller hysterischer Stimme rief das Mädchen mit dem roten Haar plötzlich: »Dann war es also doch kein Auto und kein Sektkorken! Dann haben wir den Schuß gehört . . .«
Poirot drehte sich um und blickte die anderen an.
»Irgend jemand sollte der Polizei Bescheid sagen . . .«
Unbeherrscht schrie Ruth Chevenix-Gore auf: »Nein!«
Der ältere Mann mit dem hageren Gesicht sagte: »Ich fürchte, das wird sich nicht umgehen lassen. Wollen Sie das vielleicht übernehmen, Burrows? Hugo . . .«
»Sie sind Mr. Hugo Trent?« sagte Poirot zu dem hochgewachsenen jungen Mann mit dem Schnurrbart. »Ich fände es angebracht, wenn alle – bis auf Sie und ich – das Zimmer jetzt verließen.«
Wieder wurde seine Autorität von niemandem angezweifelt. Der hagere Mann drängte die anderen hinaus. Poirot und Hugo Trent blieben allein zurück.
Trent starrte Poirot an und sagte: »Hören Sie mal – wer sind Sie eigentlich? Ich meine, ich habe nicht die leiseste Ahnung. Was tun Sie hier?«
Poirot zog eine Visitenkartentasche hervor und entnahm ihr eine Karte.
Hugo Trent starrte sie an und sagte: »Privatdetektiv – was? Gehört habe ich natürlich schon von Ihnen . . . Aber ich begreife immer noch nicht, was Sie ausgerechnet hier zu suchen haben?«

»Sie wußten also nicht, daß Ihr Onkel – er war doch Ihr Onkel, nicht wahr?«
Sekundenlang blickten Hugos Augen auf den Toten hinunter.
»Der Alte? Ja – natürlich war er mein Onkel.«
»Sie wußten aber nicht, daß er mich hierher bestellt hatte?«
Hugo schüttelte den Kopf. Langsam sagte er: »Nicht die geringste Ahnung hatte ich.«
In seiner Stimme schwang etwas mit, das ziemlich schwer zu bestimmen war. Sein Gesicht wirkte hölzern und einfältig – es hatte einen Ausdruck, der nach Poirots Ansicht in Zeiten der Anspannung eine ausgezeichnete Maske bildete.
Ruhig sagte Poirot: »Wir befinden uns hier in Westshire, nicht wahr? Dann kenne ich den Chief Constable, Major Riddle, sehr gut.«
»Riddle wohnt ungefähr eine halbe Meile entfernt«, sagte Hugo. »Wahrscheinlich wird er persönlich herkommen.«
»Das«, sagte Poirot, »wäre sehr schön.«
Vorsichtig begann er das Zimmer zu durchsuchen. Er zog den Fenstervorhang zur Seite, betrachtete die bis zum Fußboden reichenden Fenster und drückte mit der Hand leicht dagegen. Sie waren geschlossen.
An der Wand hinter dem Schreibtisch hing ein runder Spiegel. Das Glas war zersplittert. Poirot bückte sich und hob einen kleinen Gegenstand auf.
»Was ist das?« fragte Hugo Trent.
»Das Geschoß.«
»Es durchschlug seinen Kopf und traf dann den Spiegel?«
»Es scheint so.« Poirot legte das Geschoß sehr sorgfältig an dieselbe Stelle zurück, an der er es gefunden hatte. Dann trat er an den Schreibtisch. Einige Papiere waren säuberlich aufgestapelt. Auf der Löschunterlage lag ein einzelner Bogen, auf dem mit großer zittriger Handschrift in Druckbuchstaben das Wort SORRY – Verzeihung – stand.
»Das muß er selbst geschrieben haben«, sagte Hugo, »kurz bevor – kurz bevor er es tat.«
Poirot nickte nachdenklich.
Wieder blickte er den zersplitterten Spiegel und dann den Toten an. Seine Stirn krauste sich, als wäre er irritiert. Er ging zur Tür hinüber, die mit ihrem herausgerissenen Schloß schief in den Angeln hing. Daß der Schlüssel nicht steckte, wußte er, denn sonst hätte er nicht durch das Schlüsselloch sehen können. Aber

auch auf dem Fußboden lag er nicht. Poirot beugte sich über den Toten und tastete ihn vorsichtig ab.
»Ja«, sagte er. »Der Schlüssel steckt in seiner Tasche.«
Hugo holte sein Zigaretten-Etui heraus und zündete sich eine Zigarette an. Seine Stimme klang ziemlich heiser.
»Die Angelegenheit scheint völlig klar zu sein«, sagte er. »Mein Onkel hat sich hier eingeschlossen, die Mitteilung auf einen Bogen Papier gekritzelt und sich dann erschossen.«
Poirot nickte grübelnd.
»Ich verstehe nur nicht, warum er Sie hat kommen lassen. Worum ging es denn?«
»Das ist ziemlich schwer zu erklären. Während wir auf die Beamten warten, damit sie den Fall übernehmen, könnten Sie, Mr. Trent, mir vielleicht genau erzählen, wer die Leute sind, die ich heute abend bei meiner Ankunft kennenlernte.«
»Wer sie sind?« Hugo schien mit seinen Gedanken ganz woanders zu sein. »Ach so, ja, natürlich. Verzeihung. Wollen wir uns nicht hinsetzen?« Er deutete auf ein kleines Sofa, das in jener Ecke des Zimmers stand, die am weitesten von dem Toten entfernt war. Dann sprach er leicht verkrampft weiter. »Da wäre einmal Vanda – meine Tante, wie Sie wissen. Und Ruth, meine Cousine. Aber die beiden kennen Sie bereits. Das zweite Mädchen ist Susan Cardwell. Sie ist gerade auf Besuch hier. Und Colonel Bury. Er ist ein alter Freund der Familie. Und Mr. Forbes, ebenfalls ein alter Freund, daneben aber auch der Familienanwalt und sonst noch einiges. Die beiden waren in Vanda verliebt, als sie noch jung waren, und auf eine nette anhängliche Weise machen sie ihr auch heute noch den Hof. An sich lächerlich, aber doch sehr rührend. Dann ist da noch Godfrey Burrows, der Sekretär des Alten – ich meine: meines Onkels –, und schließlich Miss Lingard, die ihm geholfen hat, die Geschichte der Chevenix-Gores zu schreiben. Sie sucht für Schriftsteller immer die historischen Sachen heraus. Und das wär's dann wohl, glaube ich.«
Poirot nickte. Dann sagte er: »Soviel ich verstanden habe, haben Sie also den Schuß, der Ihren Onkel tötete, tatsächlich genau gehört?«
»Ja, das haben wir. Wir dachten, es wäre ein Sektkorken – wenigstens dachte ich es. Susan und Miss Lingard glaubten, draußen wäre ein Wagen vorbeigekommen und hätte eine Fehlzündung gehabt – die Straße ist ziemlich nahe, wissen Sie!«

»Und wann war das?«
»Ach, etwa um zehn nach acht. Snell hatte gerade zum erstenmal gegongt.«
»Und wo waren Sie, als Sie den Schuß hörten?«
»In der Halle. Wir – wir lachten noch darüber und stritten uns, woher der Knall kam. Ich sagte, er käme aus dem Speisezimmer, Susan sagte, er käme aus der Richtung des Wohnzimmers, und Miss Lingard sagte, es klänge, als käme es von oben, und Snell sagte, es käme draußen von der Straße, nur daß der Knall oben durchs Fenster hereingekommen wäre. Und Susan sagte noch: ›Hat jemand noch eine andere Theorie?‹ Und ich lachte und sagte, Mord käme überall vor! Wenn man es sich jetzt überlegt, klingt es doch ziemlich gemein.«
In seinem Gesicht zuckte es nervös.
»Ist Ihnen denn nicht der Gedanke gekommen, Sir Gervase könnte sich erschossen haben?«
»Nein – natürlich nicht!«
»Sie haben demnach keine Ahnung, warum er sich erschossen haben könnte?«
Langsam sagte Hugo:
»Ach Gott – so kann man es nun auch wieder nicht ausdrükken ...«
»Sie haben also eine gewisse Ahnung?«
»Ja – schon – es ist so schwer zu erklären. Natürlich habe ich nicht damit gerechnet, daß er Selbstmord verüben würde, aber so fürchterlich überrascht es mich nun auch nicht. Wenn Sie es genau wissen wollen, Monsieur Poirot: Mein Onkel war völlig übergeschnappt. Das war jedem klar.«
»Und das genügt Ihnen als Erklärung?«
»Bringen sich denn nicht auch Leute um, die nur leicht blöd sind?«
»Das ist eine Erklärung von bewundernswerter Schlichtheit.«
Hugo blickte ihn verdutzt an.
Poirot stand wieder auf und wanderte ziellos durch das Zimmer. Es war behaglich eingerichtet, zumeist im wuchtigen Stil der viktorianischen Zeit: massive Bücherschränke, gewaltige Lehnsessel und ein paar echte Chippendalestühle. Herumstehen tat nicht viel; einige Bronzen auf dem Kaminsims lenkten jedoch Poirots Aufmerksamkeit auf sich und erregten offenbar seine Bewunderung. Nacheinander nahm er sie in die Hand und betrachtete sie prüfend, ehe er sie wieder sorgfältig an ihren

Platz stellte. Von jener Bronze, die am weitesten links stand, löste er mit dem Fingernagel etwas ab.
»Was ist das?« fragte Hugo ohne allzu viel Interesse.
»Nichts von Bedeutung. Ein winziger Splitter Spiegelglas.«
»Komisch«, sagte Hugo, »daß der Spiegel durch den Schuß zersplittert ist. Ein zersplitterter Spiegel bedeutet Unglück. Armer alter Gervase ... Wahrscheinlich hat sein Glück ein bißchen zu lange gedauert.«
»War Ihr Onkel denn ein glücklicher Mensch?«
Hugo lachte kurz auf.
»Schließlich war sein Glück schon sprichwörtlich! Was er auch anfaßte, verwandelte sich in Gold! Wenn er auf einen Außenseiter wettete, galoppierte der den Sieg nach Hause. Steckte er Geld in ein zweifelhaftes Bergwerk, stießen die Leute sofort auf neue Erzlager. Aus den aussichtslosesten Situationen ist er immer wieder ganz knapp herausgekommen. Mehr als einmal ist sein Leben durch eine Art von Wunder gerettet worden. Auf seine Weise war er wirklich ein ziemlich netter alter Knabe, verstehen Sie. Und bestimmt hat er mehr erlebt als die meisten seiner Generation.«
In leichtem Ton murmelte Poirot: »Sie hingen an Ihrem Onkel, Mr. Trent?«
Diese Frage schien Hugo Trent etwas zu verwirren. »Ich – äh – o ja, doch, natürlich«, sagte er ziemlich unsicher. »Wissen Sie – manchmal war er schon ein bißchen schwierig. Furchtbar anstrengend war es, mit ihm zusammenzusein. Glücklicherweise brauchte ich ihn nicht allzu häufig besuchen.«
»Er hingegen mochte Sie sehr gern?«
»So deutlich ist es mir nicht aufgefallen! Wenn Sie es genau wissen wollen: Er nahm mir meine Existenz übel, wie man so sagt.«
»Wie kommen Sie darauf, Mr. Trent?«
»Ach Gott – wissen Sie: Er hatte doch selbst keinen Sohn, und das bekümmerte ihn ziemlich. In puncto Familie und solchen Sachen war er übergeschnappt. Ich glaube, es ging ihm ziemlich an den Nerv, daß die Chevenix-Gores mit seinem Tod aufhören würden zu bestehen. Immerhin gibt es die Familie schon seit der normannischen Eroberung, verstehen Sie? Der Alte war der letzte. Von seinem Standpunkt aus war das wahrscheinlich ziemlich übel.«
»Sie selbst sind jedoch nicht dieser Ansicht?«

Hugo zuckte die Schultern. »Derartige Dinge sind meiner Meinung nach heute doch ziemlich überholt.«
»Was wird mit dem Vermögen geschehen?«
»Das kann ich Ihnen nicht genau sagen. Vielleicht bekomme ich es. Oder er hat es Ruth hinterlassen. Wahrscheinlich behält Vanda es, solange sie lebt.«
»Ihr Onkel hat seine Ansichten also nicht unmißverständlich mitgeteilt?«
»Gott – er hatte so seine Lieblingsidee.«
»Und welche war das?«
»Er wollte, daß Ruth und ich heiraten sollten.«
»Was doch zweifellos auch sehr passend gewesen wäre!«
»Ungeheuer passend. Aber Ruth – nun ja, Ruth hat dem Leben gegenüber sehr entschiedene Ansichten. Vergessen Sie nicht, daß sie eine ungewöhnlich reizvolle junge Frau ist – und es auch genau weiß. Sie hat es nicht eilig, zu heiraten und unter die Haube zu kommen.«
Poirot beugte sich vor.
»Aber Sie selbst wären damit einverstanden gewesen, Mr. Trent?«
In gelangweiltem Tonfall erwiderte Hugo: »Meiner Ansicht nach ist es heutzutage doch ziemlich egal, wen man heiratet. Es ist doch so einfach, sich wieder scheiden zu lassen. Wenn man sich nicht mehr einig ist, gibt es doch nichts Einfacheres, als den Knoten durchzuhauen und noch einmal von vorn anzufangen.«
Die Tür öffnete sich, und Forbes kam mit einem großgewachsenen, sehr elegant aussehenden Herrn herein. Dieser Herr nickte Trent zu.
»Abend, Hugo, die Geschichte tut mir unsagbar leid. Sehr schwer für euch alle.«
Hercule Poirot kam näher.
»Wie geht es Ihnen, Major Riddle? Erinnern Sie sich an mich?«
»Ja – natürlich!« Der Chief Constable gab ihm die Hand. »Ausgerechnet Sie sind also auch hier?«
Ein nachdenklicher Ton lag in seiner Stimme. Neugierig blickte er Hercule Poirot an.

4

»Also?« sagte Major Riddle.
Zwanzig Minuten waren inzwischen vergangen. Das fragende »Also?« des Chief Constable galt dem Polizeiarzt, einem schlanken älteren Mann mit ergrautem Haar.
Der Arzt zuckte die Schultern.
»Er ist seit mehr als einer halben Stunde tot – aber nicht länger als seit einer Stunde. Technische Einzelheiten interessieren Sie weniger – ich weiß und werde sie Ihnen daher ersparen. Das Geschoß durchschlug den Kopf; die Pistole war nur wenige Zentimeter von der rechten Schläfe entfernt. Das Geschoß ging unmittelbar durch das Gehirn und trat auf der anderen Seite wieder aus.«
»Mit Selbstmord demnach völlig vereinbar?«
»Völlig. Der Körper sackte dann im Stuhl zusammen, und der Revolver entfiel der Hand.«
»Haben Sie das Geschoß gefunden?«
»Ja.« Der Arzt hielt es hoch.
»Gut«, sagte Major Riddle. »Wir werden es später mit der Pistole vergleichen. Ich bin froh, daß es ein klarer Fall ist, der keine Schwierigkeiten mit sich bringt.«
Höflich fragte Hercule Poirot: »Sind Sie so überzeugt, daß es keine Schwierigkeiten geben wird, Doktor?«
Bedächtig erwiderte der Arzt: »Meiner Ansicht nach könnte man eine Sache als etwas merkwürdig bezeichnen. Als er sich erschoß, muß er sich leicht nach rechts geneigt haben. Sonst hätte das Geschoß nämlich nicht den Spiegel getroffen, sondern wäre ein Stück darunter in die Wand eingeschlagen.«
»Eine etwas unbequeme Stellung, um Selbstmord zu begehen«, sagte Poirot.
Der Arzt zuckte die Schultern.
»Mein Gott – bequem – wenn man Schluß machen will ...« Er ließ den Satz unvollendet.
»Kann der Leichnam dann weggebracht werden?« sagte Major Riddle.
»Meinetwegen ja. Ich bin hier soweit fertig.«
»Und was ist mit Ihnen, Inspektor?« Major Riddle wandte sich an einen großen Mann mit ausdruckslosem Gesicht, der Zivil trug.
»O. K., Sir. Wir haben, was wir brauchen – bis auf die Fingerabdrücke des Toten auf der Pistole.«

»Das können Sie anschließend erledigen.«
Die sterblichen Überreste von Gervase Chevenix-Gore wurden weggetragen. Der Chief Constable und Poirot blieben allein zurück.
»Na ja«, sagte Riddle, »dann scheint also alles klar und geklärt zu sein. Tür verschlossen, Fenster zugesperrt, Türschlüssel in der Tasche des Toten. Alles, wie es im Buche steht – mit einer einzigen Ausnahme.«
»Und die wäre, mein Freund?« fragte Poirot.
»Sie!« sagte Riddle schlicht. »Was haben ausgerechnet Sie hier zu suchen?«
Statt einer Antwort reichte Poirot ihm den Brief, den er vor einer Woche von dem Toten erhalten hatte, sowie das Telegramm, das ihn schließlich hierhergebracht hatte.
»Donnerwetter«, sagte Chief Constable. »Interessant. Dieser Sache müssen wir auf den Grund gehen. Meiner Ansicht nach könnte das eine direkte Bedeutung für seinen Selbstmord haben.«
»Ich bin derselben Ansicht.«
»Wir müssen sofort überprüfen, wer sich alles im Haus befindet.«
»Die Namen kann ich Ihnen nennen. Ich habe vorhin Mr. Trent darüber befragt.«
Er wiederholte die Aufzählung der Namen.
»Vielleicht wissen Sie irgend etwas über diese Leute, Major Riddle?«
»Natürlich weiß ich verschiedenes. Lady Chevenix-Gore ist auf ihre Art genauso verschroben wie der alte Sir Gervase. Sie waren sich sehr zugetan – und beide ziemlich verrückt. Sie ist das unentschlossenste Geschöpf, das jemals lebte, aber gelegentlich von einer unheimlichen Gerissenheit, die bei den überraschendsten Anlässen den Nagel haargenau auf den Kopf trifft. Die Leute lachen sehr viel über sie. Meiner Ansicht nach weiß sie es selbst, macht sich jedoch nichts daraus. Sinn für Humor hat sie jedenfalls überhaupt keinen.«
»Soweit ich orientiert bin, ist Miss Chevenix-Gore ihre Adoptivtochter?«
»Ja.«
»Eine sehr hübsche junge Dame.«
»Ein verteufelt attraktives Mädchen ist sie. Hat die meisten jungen Leute dieser Gegend schon um ihren Verstand gebracht.

Ist immer vorneweg, dreht sich dann plötzlich um und lacht sie aus. Hat einen ausgezeichneten Sitz zu Pferde und eine wunderbare Hand.«

»Das dürfte im Augenblick nicht allzu sehr interessieren.«

»Äh – nein, vielleicht nicht ... Und von den anderen kenne ich natürlich den alten Bury. Die meiste Zeit ist er hier. Wie eine zahme Katze streicht er dauernd im Hause herum. Für Lady Chevenix-Gore ist er so eine Art Adjutant. Er ist ein alter Freund von ihr. Ihr ganzes Leben lang kennen die beiden sich schon. Ich glaube, er und Sir Gervase interessierten sich gemeinsam für irgendeine Firma, bei der Bury Direktor war.«

»Wissen Sie etwas über Forbes?«

»Ich glaube, ich bin ihm früher schon einmal begegnet.«

»Miss Lingard?«

»Noch nie etwas von ihr gehört.«

»Miss Susan Cardwell?«

»Ein einigermaßen hübsch aussehendes Mädchen mit roten Haaren? In den letzten Tagen habe ich sie einige Male mit Ruth Chevenix-Gore zusammen gesehen.«

»Mr. Burrows?«

»Ja, den kenne ich allerdings – Chevenix-Gores Sekretär. Unter uns: Allzuviel halte ich nicht von ihm. Er sieht gut aus und weiß es leider. Nicht ganz aus der obersten Schublade.«

»Ist er schon lange bei Sir Gervase?«

»Seit ungefähr zwei Jahren, wie ich annehme.«

»Und sonst ist niemand ...?«

Poirot unterbrach sich.

Ein großer Mann mit blondem Haar und im Straßenanzug kam hereingestürzt. Er war außer Atem und machte einen verstörten Eindruck.

»Guten Abend, Major Riddle. Gerüchteweise erfuhr ich, daß Sir Gervase sich erschossen hätte, und bin sofort hergekommen. Snell erzählte mir, daß es stimmt. Das ist unvorstellbar! Ich kann es nicht fassen!«

»Trotzdem stimmt es, Lake. Darf ich bekannt machen: Das ist Captain Lake, Sir Gervases Vermögensverwalter. Monsieur Poirot, von dem Sie vielleicht schon gehört haben.«

Lakes Gesicht strahlte ein wenig auf, als wäre er erfreut und ungläubig zugleich.

»Monsieur Hercule Poirot? Ich freue mich schrecklich, Sie kennenzulernen. Wenigstens ...« Er verstummte; das flüchtige

charmante Lächeln verschwand – er sah verwirrt und fassungslos aus. »Ist etwas – stimmt irgend etwas nicht mit dem Selbstmord, Sir?«
»Warum sollte etwas nicht stimmen, wie Sie es nennen?« fragte der Chief Constable scharf.
»Ich meine nur, weil Monsieur Poirot hier ist. Und weil alles so unvorstellbar zu sein scheint!«
»Nein, nein«, sagte Poirot schnell. »Wegen des Todes von Sir Gervase bin ich nicht hier. Ich war bereits im Hause – als Gast.«
»Ach so! Merkwürdig, daß er mir gegenüber mit keinem Wort erwähnte, daß Sie kämen, als ich heute nachmittag mit ihm einige Abrechnungen durchsah.«
Ruhig sagte Poirot: »Sie haben zweimal das Wort ›unvorstellbar‹ gebraucht, Captain Lake. Kommt es denn für Sie derart überraschend, daß Sir Gervase Selbstmord verübt hat?«
»Das kann ich allerdings behaupten! Es ist zwar kein Geheimnis, daß er völlig übergeschnappt war. Aber trotzdem kann ich mir einfach nicht vorstellen, daß er glaubte, die Welt könne ohne ihn auskommen.«
»Ja«, sagte Poirot. »Das ist allerdings ein Gesichtspunkt.« Und anerkennend blickte er dem jungen Mann in das offene und intelligente Gesicht.
Major Riddle räusperte sich.
»Da Sie nun schon einmal hier sind, Captain Lake, nehmen Sie vielleicht Platz und beantworten mir ein paar Fragen.«
»Gewiß, Sir.«
Lake zog sich einen Stuhl heran und setzte sich den beiden gegenüber.
»Wann haben Sie Sir Gervase zum letztenmal gesehen?«
»Heute nachmittag, kurz vor drei Uhr. Einige Abrechnungen mußten geklärt werden, und außerdem ging es um einen neuen Pächter für einen der Höfe.«
»Wie lange waren Sie bei ihm?«
»Vielleicht eine halbe Stunde.«
»Überlegen Sie genau und sagen Sie, ob Ihnen an Sir Gervases Verhalten irgend etwas Ungewöhnliches aufgefallen ist.«
Der junge Mann dachte nach.
»Nein, das glaube ich eigentlich nicht. Vielleicht war er ein bißchen aufgeregter – aber das war bei ihm keineswegs ungewöhnlich.«

»Er war also nicht irgendwie deprimiert?«
»O nein! Er schien vielmehr guter Laune zu sein. Seit er an der Geschichte seiner Familie arbeitete, war dies für ihn ein großartiger Spaß.«
»Wie lange hatte er sich schon damit beschäftigt?«
»Angefangen hat er damit vor etwa sechs Monaten.«
»Und damals kam auch Miss Lingard hierher?«
»Nein. Sie kam erst vor etwa zwei Monaten, als er entdeckt hatte, daß er die erforderlichen Nachforschungen allein nicht erledigen konnte.«
»Und Sie glauben, es machte ihm viel Spaß?«
»O ja – sehr sogar! Er kam gar nicht auf die Idee, daß es auf dieser Welt neben seiner Familie noch etwas Wesentliches gäbe.«
In der Stimme des jungen Mannes schwang vorübergehend eine leichte Verbitterung mit.
»Soweit Sie informiert sind, hatte Sir Gervase also keinen Grund zu irgendwelchen Sorgen?«
Es folgte eine kleine – ganz kleine – Pause, bevor Captain Lake antwortete.
»Nein.«
Poirot warf plötzlich eine Frage dazwischen.
»Sir Gervase machte sich Ihrer Ansicht nach auch keine Sorgen irgendwelcher Art über seine Tochter?«
»Über seine Tochter?«
»Genau das sagte ich.«
»Nicht daß ich wüßte«, sagte der junge Mann förmlich.
Poirot schwieg daraufhin. Statt dessen sagte Major Riddle: »Dann danke ich Ihnen, Lake. Vielleicht bleiben Sie noch eine Weile erreichbar, falls ich Sie etwas fragen möchte.«
»Gewiß, Sir.« Er erhob sich. »Kann ich sonst noch etwas tun?«
»Ja – vielleicht schicken Sie den Butler her. Und vielleicht können Sie sich erkundigen, wie es Lady Chevenix-Gore geht und ob ich mich in absehbarer Zeit kurz mit ihr unterhalten kann, oder ob sie dazu noch zu aufgeregt ist.«
Der junge Mann nickte und verließ mit schnellem, entschlossenem Schritt das Zimmer.
»Ein reizender Mann«, sagte Hercule Poirot.
»Ja, ein netter Kerl – und tüchtig. Er ist überall beliebt.«

5

»Nehmen Sie Platz, Snell«, sagte Major Riddle in freundlichem Ton. »Ich habe Sie eine ganze Menge zu fragen, und wahrscheinlich war das alles für Sie ein ziemlicher Schock.«
»Das war es, weiß Gott, Sir. Vielen Dank, Sir.« Snell setzte sich so unauffällig hin, daß es praktisch genauso war, als wäre er stehen geblieben.
»Sie sind jetzt doch schon ziemlich lange hier, nicht wahr?«
»Seit sechzehn Jahren, Sir. Seit Sir Gervase – äh – zur Ruhe kam, wie man so sagt.«
»Richtig. Ihr Herr ist seinerzeit sehr viel herumgereist.«
»Ja, Sir. Er nahm an einer Polarexpedition teil und hat viele interessante Gegenden aufgesucht.«
»Übrigens, Snell – können Sie mir sagen, wann Sie Ihren Herrn heute abend zum letztenmal gesehen haben?«
»Ich war gerade im Speisezimmer, Sir, und vergewisserte mich, daß die Tafel richtig gedeckt war. Die Tür zur Halle stand offen, und ich sah, wie Sir Gervase die Treppe herunterkam, die Halle durchquerte und durch den Gang in sein Arbeitszimmer ging.«
»Um welche Zeit war das?«
»Kurz vor acht Uhr. Möglicherweise ist es fünf Minuten vor acht gewesen.«
»Und bei dieser Gelegenheit haben Sie ihn zum letztenmal gesehen?«
»Ja, Sir.«
»Haben Sie einen Schuß gehört?«
»Ja, Sir – das habe ich! Aber natürlich war es mir zu dem Zeitpunkt noch nicht klar! Wie sollte es auch?«
»Für was haben Sie ihn denn gehalten?«
»Ich glaubte, es wäre ein Wagen, Sir. Die Straße läuft gleich hinter der Parkmauer entlang. Oder es hätte ein Schuß im Wald sein können – möglicherweise ein Wilderer. Ich hätte nie geglaubt ...«
Major Riddle unterbrach ihn.
»Um welche Zeit war das?«
»Es war genau um acht Minuten nach acht, Sir.«
»Wie kommt es, daß Sie den Zeitpunkt auf die Minute genau angeben können?« fragte der Chief Constable scharf.
»Das ist sehr einfach, Sir. Ich hatte gerade zum erstenmal gegongt.«

»Zum erstenmal?«
»Ja, Sir. Entsprechend den Befehlen Sir Gervases mußte genau sieben Minuten vor dem Gong, der zum Abendessen rief, zum erstenmal gegongt werden. Er war nämlich sehr darauf bedacht, Sir, daß sich jeder im Wohnzimmer bereit hielt, wenn zum zweitenmal gegongt wurde. Sobald ich das getan hatte, betrat ich das Wohnzimmer, meldete, daß serviert sei, und die Herrschaften begaben sich in das Speisezimmer.«
»Langsam beginne ich zu begreifen«, sagte Hercule Poirot, »warum Sie so überrascht aussahen, als Sie heute abend meldeten, es sei serviert. Gewöhnlich hielt sich auch Sir Gervase zu diesem Zeitpunkt im Wohnzimmer auf?«
»Ich habe es noch nie erlebt, daß er nicht dort gewesen wäre, Sir. Für mich war es ein ziemlicher Schock. Ich traute kaum ...«
Wieder unterbrach Major Riddle ihn mit einer Frage. »Waren die übrigen Herrschaften gewöhnlich auch dort?«
Snell hüstelte. »Wer sich zum Abendessen verspätete, Sir, wurde nie mehr eingeladen.«
»Aha – also eine sehr drastische Maßnahme!«
»Sir Gervase beschäftigte einen Küchenchef, Sir, der früher beim Kaiser von Moravia gearbeitet hatte. Und er pflegte zu sagen, Sir, daß das Abendessen genauso wichtig sei wie ein religiöses Ritual.«
»Und die Familie?«
»Lady Chevenix-Gore war immer sehr bemüht, ihm Aufregungen zu ersparen, Sir, und sogar Miss Ruth wagte nicht, zum Abendessen zu spät zu kommen.«
»Interessant«, murmelte Hercule Poirot.
»Ich verstehe«, sagte Riddle. »Da also das Abendessen um Viertel nach acht begann, wurde zum erstenmal um acht Minuten nach acht gegongt?«
»So ist es, Sir – aber das war nicht die Regel. Üblicherweise begann das Abendessen vielmehr um acht. Sir Gervase hatte jedoch angeordnet, daß das Abendessen heute eine Viertelstunde später beginnen sollte, da er noch einen Herrn erwartete, der mit dem Spätzug kam.« Während Snell sprach, deutete er mit einer leichten Verbeugung auf Poirot.
»Machte Ihr Herr vielleicht einen erregten oder besorgten Eindruck, als er sich in sein Arbeitszimmer begab?«
»Das kann ich nicht sagen, Sir. Ich war nicht nahe genug, um

seinen Gesichtsausdruck beurteilen zu können. Ich bemerkte ihn lediglich – mehr nicht.«
»War er allein, als er in sein Arbeitszimmer ging?«
»Ja, Sir.«
»Hat anschließend noch jemand das Arbeitszimmer betreten?«
»Das kann ich nicht sagen, Sir. Anschließend begab ich mich nämlich in die Anrichte, und dort blieb ich, bis ich um acht Minuten nach acht zum erstenmal gongte.«
»Dort waren Sie also auch, als Sie den Schuß hörten?«
»Ja, Sir.«
Höflich warf Poirot eine Frage dazwischen. »Ich kann mir vorstellen, daß der Schuß auch von anderen gehört wurde?«
»Das ist richtig, Sir. Mr. Hugo und Miss Cardwell hörten ihn ebenfalls. Und Miss Lingard.«
»Diese drei hielten sich auch in der Halle auf?«
»Miss Lingard kam aus dem Wohnzimmer, während Miss Cardwell und Mr. Hugo gerade die Treppe herunterkamen.«
»Kam es zu einer Unterhaltung über diese Angelegenheit?« fragte Poirot.
»Mr. Hugo erkundigte sich nur, ob es zum Abendessen Champagner gäbe, Sir. Ich erwiderte, daß Sherry, Rheinwein und Burgunder serviert würden.«
»Er hielt es also für einen Sektkorken?«
»Jawohl, Sir.«
»Aber niemand nahm den Knall ernst?«
»O nein, Sir. Die Herrschaften begaben sich anschließend – miteinander sprechend und lachend – in das Wohnzimmer.«
»Wo waren die anderen Bewohner des Hauses zu diesem Zeitpunkt?«
»Das kann ich nicht sagen, Sir.«
»Wissen Sie irgend etwas über diese Pistole?« sagte Major Riddle. Dabei hielt er die Waffe hoch.
»Doch, Sir. Sie gehört Sir Gervase. Er bewahrte sie immer in der Schublade des Schreibtisches dort drüben auf.«
»War sie gewöhnlich geladen?«
»Das entzieht sich meiner Kenntnis, Sir.«
Major Riddle legte die Pistole weg und räusperte sich.
»Ich möchte Ihnen jetzt eine ziemlich wichtige Frage stellen, Snell. Und ich hoffe, daß Sie sie möglichst wahrheitsgemäß beantworten. Können Sie sich irgendeinen Grund vorstellen, der Ihren Herrn veranlaßte, Selbstmord zu verüben?«

»Nein, Sir. Ich kenne keinen.«
»Sir Gervase war in letzter Zeit nicht irgendwie merkwürdig in seinem Verhalten? Nicht deprimiert? Oder besorgt?«
Snell hüstelte entschuldigend.
»Sie entschuldigen, Sir, wenn ich es sage – aber in den Augen Fremder wirkte Sir Gervase möglicherweise immer etwas seltsam. Er war ein höchst origineller Gentleman, Sir.«
»Ja, ja, das ist mir genau bekannt.«
»Außenstehende, Sir, verstanden Sir Gervase nicht immer.«
Snell legte soviel Bedeutung in diesen Satz, als wäre er mit großen Buchstaben geschrieben.
»Ich weiß – ich weiß. Demnach gab es also nichts, was beispielsweise Sie als ungewöhnlich bezeichnet hätten?«
Der Butler zögerte.
»Ich glaube, Sir, daß Sir Gervase über irgend etwas besorgt war«, sagte er schließlich.
»Besorgt und deprimiert?«
»Deprimiert würde ich es nicht nennen, Sir. Aber besorgt – ja.«
»Haben Sie irgendeine Ahnung, was der Grund zu dieser Besorgnis gewesen sein könnte?«
»Nein, Sir.«
»Hing sie zum Beispiel mit irgendeiner besonderen Person zusammen?«
»Das entzieht sich wirklich meiner Kenntnis, Sir. Jedenfalls ist es auch nur ein Eindruck, den ich hatte.«
Wieder schaltete Poirot sich ein.
»Sein Selbstmord kam für Sie überraschend?«
»Völlig überraschend, Sir. Für mich war es ein fürchterlicher Schock. So etwas wäre mir nicht einmal im Traum eingefallen.«
Poirot nickte nachdenklich.
Riddle warf ihm einen Blick zu und sagte dann: »Na, schön, Snell, das ist – glaube ich – alles, was ich Sie fragen wollte. Sie sind also überzeugt, daß Sie uns sonst nichts Wichtiges mitteilen können – keinen ungewöhnlichen Vorfall, zum Beispiel, der sich in den letzten Tagen zutrug?«
Der Butler, der sich erhob, schüttelte den Kopf.
»Nichts, Sir, wirklich gar nichts.«
»Sie können dann gehen.«
»Danke, Sir.«

Als Snell sich der Tür näherte, blieb er plötzlich stehen und trat zur Seite. Lady Chevenix-Gore schwebte in das Zimmer.
Sie trug ein orientalisch wirkendes Gewand aus dunkelroter und orangefarbener Seide, das locker um ihren Körper gelegt war. Ihr Gesicht war ruhig, ihre Art gesammelt und still.
»Lady Chevenix-Gore!« Major Riddle sprang auf.
»Man teilte mir mit«, sagte sie, »daß Sie mich gern sprechen wollten. Deshalb bin ich hierher gekommen.«
»Sollen wir dazu vielleicht lieber in einen anderen Raum gehen? Der Anblick dieses Zimmers ist für Sie sicherlich schmerzlich.«
Lady Chevenix-Gore schüttelte den Kopf und setzte sich auf einen der Chippendale-Stühle. »Ach nein – was ist daran denn schon wichtig«, murmelte sie.
»Es ist sehr reizend von Ihnen, Lady Chevenix-Gore, Ihre Empfindungen völlig beiseite zu lassen. Ich weiß, wie entsetzlich dieser Schock für Sie gewesen sein muß ...«
Sie unterbrach ihn.
»Zuerst war es wirklich ein großer Schock«, gab sie zu. Sie sprach in leichtem Konversationston. »Aber so etwas wie Tod gibt es in Wirklichkeit gar nicht – verstehen Sie? Es gibt nur einen Wechsel.« Und sie fügte hinzu: »Genaugenommen steht Gervase im Augenblick dicht neben Ihrer linken Schulter. Ich erkenne ihn ganz deutlich.«
Major Riddles linke Schulter zuckte leicht. Beinahe argwöhnisch sah er Lady Chevenix-Gore an.
Sie lächelte ihn an. Es war ein unbestimmtes, glückliches Lächeln.
»Natürlich glauben Sie mir nicht! Das tun nur wenige Leute. Für mich ist die geistige Welt jedoch genauso real wie diese. Aber nun fragen Sie mich bitte, was Sie wollen, und glauben Sie nicht, daß Sie mich damit quälten. Ich bin wirklich überhaupt nicht unglücklich. Alles ist Schicksal, verstehen Sie? Man kann seinem Karma nicht entkommen. Alles paßt genau zusammen – der Spiegel – alles.«
»Der Spiegel, Madame?« fragte Poirot.
Mit einer unsicheren Kopfbewegung deutete sie hinüber.
»Ja. Er ist zersplittert – sehen Sie? Ein Symbol! Kennen Sie Tennysons Gedicht? Als Mädchen habe ich es immer wieder gelesen – obgleich ich natürlich seine esoterische Seite damals noch nicht erkannte. *›Der Spiegel zersprang querdurch. »Der Fluch ist über mich gekommen!« rief die Lady of Shalott.‹*

Genau dasselbe erlebte Gervase. Der Fluch ist plötzlich über ihn gekommen. Wissen Sie – meiner Ansicht nach liegt über den meisten sehr alten Familien ein Fluch ... Der Spiegel zersprang. Er wußte, daß er verdammt war! Der Fluch war über ihn gekommen!«

»Aber Madame – nicht ein Fluch hat den Spiegel zerspringen lassen. Ein Geschoß war es!«

Immer noch in derselben heiteren unentschlossenen Art sagte Lady Chevenix-Gore: »Das läuft doch auf dasselbe hinaus ... Es war Schicksal.«

»Aber Ihr Mann hat sich selbst erschossen.«

Lady Chevenix-Gore lächelte nachsichtig.

»Das hätte er natürlich nicht tun sollen. Aber Gervase war schon immer ungeduldig. Er konnte nie abwarten. Seine Stunde war gekommen – und da ging er ihr ein Stück entgegen. In Wirklichkeit ist alles ganz einfach.«

Major Riddle, der sich vor Erbitterung räusperte, sagte in scharfem Ton: »Dann hat es Sie also überhaupt nicht überrascht, daß Ihr Mann sich das Leben nahm? Hatten Sie damit gerechnet, daß etwas Derartiges passierte?«

»Aber nein!« Ihre Augen waren weit geöffnet. »Man kann nicht immer in die Zukunft schauen. Gervase war natürlich ein sehr seltsamer Mensch, ein sehr ungewöhnlicher Mensch. Er war so ganz anders als alle übrigen. Er war die Wiedergeburt eines großen Mannes. Das habe ich schon seit einiger Zeit gewußt. Und ich nehme an, daß er selbst es auch gewußt hat. Es fiel ihm sehr schwer, sich den lächerlichen kleinen Anforderungen der alltäglichen Welt anzupassen.« Und über Major Riddles Schulter hinweg blickend, fügte sie hinzu: »Jetzt lächelt er. Und überlegt, wie dumm wir alle doch sind. Das sind wir auch. Wie Kinder so dumm. Wir tun, als wäre das Leben Wirklichkeit und sehr wichtig ... Dabei ist es nur eine der großen Illusionen.«

In dem Gefühl, auf verlorenem Posten zu stehen, fragte Major Riddle verzweifelt: »Sie können uns also gar keinen Hinweis geben, aus welchem Grunde Ihr Mann sich das Leben genommen haben könnte?«

Sie zuckte ihre schmalen Schultern.

»Mächte bewegen uns – sie bewegen uns ... Man kann es nicht begreifen. Sie selbst bewegen sich immer nur auf der materiellen Ebene.«

Poirot hüstelte.

»Da wir gerade von der materiellen Ebene sprechen: Haben Sie, Madame, eine Ahnung, in welcher Weise Ihr Mann über sein Vermögen verfügt hat?«

»Vermögen?« Sie starrte ihn an. »Ich kümmere mich nie um Gelddinge.«

Ihre Stimme klang hochmütig.

Poirot wechselte das Thema. »Um welche Zeit sind Sie heute abend zum Essen heruntergekommen?«

»Um welche Zeit? Was ist denn schon Zeit? Unendlich – das ist die Antwort. Zeit ist unendlich.«

»Aber Ihr Mann, Madame«, sagte Poirot leise, »nahm die Zeit sehr genau – besonders, wie man mir sagte, die Zeit des Abendessens.«

»Lieber Gervase.« Sie lächelte nachsichtig. »In diesem Punkt war er sehr dumm. Aber es machte ihn glücklich. Deshalb haben wir uns auch nie verspätet.«

»Waren Sie im Wohnzimmer, Madame, als zum erstenmal gegongt wurde?«

»Nein. Ich war noch auf meinem Zimmer.«

»Erinnern Sie sich vielleicht, wer sich im Wohnzimmer befand, als Sie herunter kamen?«

»Fast alle, glaube ich«, sagte Lady Chevenix-Gore unsicher. »Ist denn das so wichtig?«

»Möglicherweise nicht«, gab Poirot zu. »Aber noch etwas anderes. Hat Ihr Mann Ihnen irgendwann mitgeteilt, daß er glaubte, betrogen zu werden?«

Diese Frage schien Lady Chevenix-Gore nicht allzusehr zu interessieren.

»Betrogen? Nein, das glaube ich nicht.«

»Beraubt, betrogen – ein Opfer irgendwelcher Vorgänge . . .?«

»Nein – nein – das glaube ich nicht . . . Gervase wäre sehr ärgerlich geworden, wenn irgend jemand versucht hätte, so etwas zu tun.«

»Jedenfalls hat er Ihnen gegenüber nichts Derartiges erwähnt?«

»Nein – nein.« Lady Chevenix-Gore schüttelte den Kopf, immer noch ohne wirkliches Interesse. »Ich müßte mich doch erinnern . . .«

»Wann haben Sie Ihren Mann zum letztenmal lebend gesehen?«

»Vor dem Abendessen, auf dem Weg nach unten, schaute er wie gewöhnlich bei mir herein. Meine Zofe war dabei. Er sagte nur, er ginge schon nach unten.«

»Worüber hat er in den letzten Wochen am häufigsten gesprochen?«
»Ach, über die Familiengeschichte. Er kam so gut damit voran. Und er hatte diese seltsame Frau, Miss Lingard, gefunden, die für ihn unbezahlbar war. Sie suchte für ihn im Britischen Museum immer die Unterlagen heraus – und derartige Dinge. Sie hatte vorher schon Lord Mulcaster bei seinem Buch geholfen. Und sie war taktvoll – ich meine: Sie suchte nicht die falschen Dinge heraus. Schließlich hat jeder Mensch Vorfahren, an die er nicht gern erinnert werden möchte. In diesem Punkt war Gervase sehr empfindlich. Mir hat sie übrigens auch geholfen. Eine Menge Informationen über Hatshepsut hat sie mir besorgt. Ich bin nämlich die Wiedergeburt Hatshepsuts, wissen Sie.«
Diese Neuigkeit gab Lady Chevenix-Gore mit ruhiger Stimme bekannt.
»Und vorher war ich Priesterin in Atlantis«, fuhr sie fort.
Major Riddle wurde in seinem Sessel etwas unruhig.
»Äh – äh – sehr interessant«, sagte er. »Ja, Lady Chevenix-Gore, ich glaube, das ist alles. Es war sehr freundlich von Ihnen.«
Lady Chevenix-Gore erhob sich und raffte das orientalische Gewand zusammen.
»Gute Nacht«, sagte sie. Und dann, die Augen auf einen Punkt gerichtet, der sich hinter Major Riddle befand: »Gute Nacht, Gervase – Lieber. Ich wünschte, du könntest mitkommen; aber ich weiß, daß du hierbleiben mußt.« Und als Erklärung fügte sie hinzu: »Mindestens vierundzwanzig Stunden mußt du dort bleiben, wo du hinübergegangen bist. Es wird also noch etwas dauern, bis du dich frei bewegen und Verbindung aufnehmen kannst.«
Dann verließ sie das Zimmer.
Major Riddle wischte sich die Stirn ab.
»Puh«, murmelte er. »Sie ist doch erheblich verrückter, als ich annahm. Ob sie diesen ganzen Unsinn wirklich glaubt?«
Poirot schüttelte nachdenklich den Kopf.
»Es ist möglich, daß es ihr hilft«, sagte er. »In diesem Moment hat sie es bitter nötig, sich eine Welt der Illusionen zu schaffen, so daß sie der krassen Wirklichkeit – dem Tod ihres Mannes – entfliehen kann.«
»Auf mich macht sie den Eindruck einer Wahnsinnigen«, sagte Major Riddle. »Ein gewaltiges Durcheinander von Unsinnigkeiten und kein einziges vernünftiges Wort.«

»O nein, mein Freund. Interessant ist vielmehr, wie Mr. Hugo Trent mir gegenüber beiläufig erwähnte, daß in dem ganzen Schwall gelegentlich eine gerissene Schlauheit zum Vorschein kommt. Das zeigte sich beispielsweise in ihrer Bemerkung über den Takt von Miss Lingard, die keine unerwünschten Vorfahren ausgräbt. Glauben Sie mir – Lady Chevenix-Gore ist alles andere als dumm.«

Er stand auf und wanderte im Zimmer hin und her.

»Es gibt in dieser Angelegenheit Dinge, die mir gar nicht gefallen. Nein – sie gefallen mir überhaupt nicht.«

Neugierig blickte Riddle ihn an.

»Sie meinen das Motiv für den Selbstmord?«

»Selbstmord – Selbstmord! Das ist völlig falsch. Hören Sie auf mich. Psychologisch ist es falsch. Für was hielt Chevenix-Gore sich selbst? Für einen Koloß, eine unendlich wichtige Persönlichkeit, für den Mittelpunkt des Universums! Bringt ein solcher Mann sich um? Bestimmt nicht. Viel wahrscheinlicher ist, daß er eher einen anderen vernichtet – irgendeine elende krabbelnde Ameise von menschlichem Wesen, die gewagt hat, ihn zu belästigen ... Ein derartiges Vorgehen hätte er vielleicht für notwendig gehalten – für gerechtfertigt! Aber Selbstvernichtung? Die Zerstörung eines derartigen Ichs?«

»Das klingt alles sehr schön, Poirot. Aber die Beweise sind doch klar genug. Tür abgeschlossen, Schlüssel in seiner eigenen Tasche. Fenster geschlossen und zugesperrt. Ich weiß, daß in Büchern so etwas vorkommt – im wirklichen Leben bin ich ihnen jedoch noch nie begegnet. Sonst noch etwas?«

»O ja – da ist noch etwas.« Poirot setzte sich in den Schreibtischstuhl. »Hier sitze ich, ich – Chevenix-Gore. Ich sitze an meinem Schreibtisch. Ich bin entschlossen, mich umzubringen, weil – weil, sagen wir, ich eine Entdeckung gemacht habe, die für den Familiennamen eine ungeheuerliche Schande bedeutet. Sehr überzeugend klingt es zwar nicht, aber es muß genügen. *Eh bien*, was tue ich also? Ich kritzele auf einen Bogen Papier das Wort SORRY. Gut, das ist möglich. Dann ziehe ich die Schublade des Schreibtisches auf, hole die Pistole heraus, die ich dort aufbewahre, lade sie, falls sie nicht geladen ist, und dann – erschieße ich mich dann etwa? O nein! Zuerst drehe ich meinen Stuhl zur Seite – so, und jetzt beuge ich mich ein bißchen nach rechts – so – und dann – und dann erst halte ich die Pistole an meine Schläfe und drücke ab!«

Poirot sprang auf, fuhr herum und sagte: »Ich frage Sie: Tut ein vernünftiger Mensch so etwas? Wenn beispielsweise dort drüben an der Wand ein Bild hinge, dann – ja, dann gäbe es für dieses Verhalten vielleicht eine Erklärung. Irgendein Porträt, dessen Anblick ein sterbender Mann als letztes mit hinübernehmen möchte! Aber ein Vorhang – *ah non,* das ergibt keinen Sinn.«
»Vielleicht hatte er den Wunsch, aus dem Fenster zu blicken. Ein letzter Blick auf seinen Besitz.«
»Mein lieber Freund, das wollen Sie doch wohl nicht im Ernst behaupten. Genaugenommen wissen Sie doch selbst, daß es Unsinn ist. Um acht Minuten nach acht war es draußen bereits dunkel, und außerdem waren die Vorhänge zugezogen. Nein, es muß irgendeine andere Erklärung geben ...«
»Soviel ich sehe, gibt es nur eine einzige: Gervase Chevenix-Gore war verrückt.«
Unzufrieden schüttelte Poirot den Kopf.
Major Riddle erhob sich.
»Kommen Sie«, sagte er. »Befragen wir erst einmal die restlichen Anwesenden. Vielleicht kommen wir damit einen Schritt weiter.«

6

Nach den Schwierigkeiten, Lady Chevenix-Gore zu einer direkten Aussage zu bewegen, war die Unterhaltung mit einem gescheiten Anwalt wie Forbes eine ausgesprochene Erholung für Major Riddle.
Mr. Forbes war in seinen Angaben äußerst vorsichtig und beherrscht; seine Antworten bezogen sich jedoch unmittelbar auf die Fragen.
Er gab zu, daß Sir Gervases Selbstmord für ihn einen großen Schock bedeutet hätte. Er hätte Sir Gervase niemals zugetraut, zu jenen Menschen zu gehören, die sich selbst das Leben nähmen. Von einem Grund für eine derartige Tat war ihm nicht das geringste bekannt.
»Sir Gervase war nicht nur mein Klient, sondern gleichzeitig ein sehr alter Freund. Seit meiner Jugendzeit kannte ich ihn. Und ich möchte behaupten, daß er das Leben immer genossen hat.«
»Unter den gegebenen Umständen, Mr. Forbes, muß ich Sie bitten, ganz offen zu sein. Wissen Sie etwas von einer geheimen Sorge oder einem Kummer in Sir Gervases Leben?«

»Nein. Er hatte kleinere Sorgen, wie jeder sie hat, aber ernsterer Art waren sie nicht.«
»Auch keine Krankheit? Keine Unstimmigkeiten zwischen ihm und seiner Frau?«
»Nein. Sir Gervase und seine Frau hingen sehr aneinander.«
Vorsichtig sagte Major Riddle: »Lady Chevenix-Gore macht den Eindruck, etwas seltsame Ansichten zu haben.«
Mr. Forbes lächelte – ein nachsichtiges, männliches Lächeln. »Damen«, sagte er, »muß man gewisse Launen zugestehen.«
»Sie erledigten die juristischen Probleme für Sir Gervase?« fuhr der Chief Constable fort.
»Ja. Meine Firma Forbes, Ogilvie and Spence ist für die Familie Chevenix-Gore seit mehr als hundert Jahren tätig.«
»Gab es in der Familie Chevenix-Gore jemals irgendwelche – Skandale?«
Die Augenbrauen des Mr. Forbes waren hochgezogen. »Ihre Frage ist mir, ehrlich gesagt, nicht ganz verständlich.«
»Monsieur Poirot, würden Sie Mr. Forbes bitte jenen Brief zu lesen geben, den Sie mir bereits zeigten.«
Wortlos erhob Poirot sich und überreichte Mr. Forbes den Brief mit einer leichten Verbeugung.
Mr. Forbes las ihn, und seine Augenbrauen wanderten noch mehr in die Höhe.
»Ein höchst bemerkenswerter Brief«, sagte er. »Jetzt begreife ich auch Ihre Frage. Nein – soweit ich orientiert bin, gab es nichts, was das Aufsetzen eines derartigen Briefes rechtfertigte.«
»Sir Gervase hat über diese Angelegenheit nicht mit Ihnen gesprochen?«
»Nicht ein Wort. Ich muß sagen, ich finde es sehr merkwürdig, daß er es nicht getan hat.«
»Er war es gewohnt, Ihnen zu vertrauen?«
»Ich glaube, er vertraute meinem Urteil.«
»Und Sie können sich nicht vorstellen, auf was dieser Brief sich bezieht?«
»Ich möchte keine übereilten Vermutungen anstellen.«
Major Riddle gab sich mit dem Sinn dieser Antwort zufrieden.
»Vielleicht, Mr. Forbes, können Sie uns jedoch sagen, in welcher Weise Sir Gervase über sein Vermögen verfügt hat?«
»Gewiß. Ich sehe keinen Anlaß, es nicht zu tun. Seiner Frau vermachte Sir Gervase ein jährliches Einkommen von sechstau-

send Pfund zu Lasten des Grundbesitzes sowie die Wahl zwischen Dower House und der Stadtwohnung am Lowndes Square; je nachdem, welchen Wohnsitz sie vorzieht. Dann gibt es natürlich noch eine Reihe von Legaten und Vermächtnissen, die jedoch keineswegs aus dem Rahmen des Üblichen fallen. Den Grundbesitz vermachte er seiner Adoptivtochter Ruth unter der Bedingung, daß im Falle einer Heirat ihr Mann den Namen Chevenix-Gore annehmen muß.«

»Seinem Neffen, Mr. Hugo Trent, ist nichts vermacht worden?«

»Doch – eine Erbschaft von fünftausend Pfund.«

»Soweit ich orientiert bin, war Sir Gervase ein reicher Mann?«

»Er war äußerst wohlhabend. Abgesehen vom Grundbesitz besaß er ein sehr erhebliches Privatvermögen. Natürlich waren seine Verhältnisse nicht mehr ganz so wie früher. Praktisch alle investierten Einkommen sind in Mitleidenschaft gezogen worden. Außerdem hat Sir Gervase eine ganze Menge Geld bei einer bestimmten Gesellschaft eingebüßt – bei der Paragon Synthetic Rubber Company. Colonel Bury hatte ihn überredet, erhebliche Summen in diese Firma zu stecken.«

»Also kein sehr guter Rat?«

Mr. Forbes seufzte.

»Wenn pensionierte Soldaten sich mit finanziellen Dingen beschäftigen, ziehen sie immer den kürzeren. Ich habe festgestellt, daß sie in ihrer Leichtgläubigkeit noch sehr viel weiter gehen als etwa Witwen – und das will schon eine Menge heißen.«

»Diese unglücklichen Investitionen hatten jedoch für Sir Gervases Vermögen keine ernsten Folgen?«

»O nein – das nicht. Er war immer noch ein reicher Mann.«

»Wann wurde sein Testament aufgesetzt?«

»Vor zwei Jahren.«

»Diese Abmachung«, murmelte Poirot, »war gegenüber Mr. Hugo Trent, Sir Gervases Neffen, vielleicht ein bißchen ungerecht? Schließlich ist er Sir Gervases nächster Blutsverwandter!«

Mr. Forbes zuckte die Schultern.

»Dabei muß man die Familiengeschichte in gewisser Weise berücksichtigen.«

»Was zum Beispiel?«

Mr. Forbes schien wenig Lust zu haben, darüber zu sprechen.

»Sie dürfen nicht glauben«, sagte Major Riddle, »daß wir über Gebühr daran interessiert sind, alte Skandale oder ähnliche

Dinge wieder aufleben zu lassen. Aber dieser Brief Sir Gervases an Monsieur Poirot muß aufgeklärt werden.«

»Skandalöse Dinge brauchen wir nicht zu bemühen, um Sir Gervases Haltung gegenüber seinem Neffen zu erklären«, sagte Mr. Forbes schnell. »Es handelt sich vielmehr nur darum, daß Sir Gervase seine Stellung als Familienoberhaupt sehr ernst nahm. Er hatte einen jüngeren Bruder und eine jüngere Schwester. Der Bruder, Anthony Chevenix-Gore, fiel im Krieg. Pamela, seine Schwester, heiratete, und Sir Gervase mißbilligte die Ehe – will sagen: Er war der Meinung gewesen, sie hätte vor der Eheschließung seine Zustimmung und Genehmigung einholen müssen. Seiner Ansicht nach war die Familie Captain Trents nicht ausreichend prominent, um eine Verbindung mit der Familie Chevenix-Gore einzugehen. Seine Schwester hingegen amüsierte sich nur über seine Ansicht. Die Folge war, daß Sir Gervase sehr dazu neigte, seinen Neffen nicht ausstehen zu können. Ich glaube, daß das auch seinen Entschluß beeinflußte, ein Kind zu adoptieren.«

»Es bestand keine Aussicht, daß er eigene Kinder haben würde?«

»Nein. Ungefähr ein Jahr nach der Hochzeit kam ein Kind tot zur Welt. Die Ärzte erklärten, daß Lady Chevenix-Gore nie mehr ein Kind bekommen würde. Ungefähr zwei Jahre danach adoptierte er dann Ruth.«

»Und wie hieß Mademoiselle Ruth früher? Wie kam es, daß gerade sie adoptiert wurde?«

»Sie war, glaube ich, das Kind einer entfernten Verwandten.«

»Das hatte ich vermutet«, sagte Poirot. Er sah die Wand an, die mit Familienporträts behängt war. »Man sieht gleich, daß sie aus derselben Familie stammt – die Nase, und die Kinnlinie. Auf den Bildern wiederholen sie sich ständig.«

»Und das Temperament hat sie ebenfalls geerbt«, sagte Mr. Forbes trocken.

»Das kann ich mir vorstellen. Wie ist sie eigentlich mit ihrem Adoptivvater ausgekommen?«

»Etwa so, wie Sie annehmen. Mehr als einmal ist es zu einem erbitterten Zusammenstoß gekommen, weil jeder seinen eigenen Willen hatte. Aber trotz dieser Streitereien glaube ich doch, daß im Grunde zwischen ihnen eine gewisse Harmonie bestand.«

»Trotzdem verursachte sie ihm erheblichen Kummer?«

»Unaufhörlichen Kummer. Ich kann Ihnen jedoch versichern, daß dies für ihn kein Grund war, sich das Leben zu nehmen.«

»Das sicher nicht«, gab Poirot zu. »Man jagt sich nicht eine Kugel in den Kopf, weil man eine dickköpfige Tochter hat! Und Mademoiselle Ruth ist also die Erbin! Hat Sir Gervase nie daran gedacht, sein Testament abzuändern?«

»Ehem!« Mr. Forbes hüstelte, um sein leichtes Unbehagen zu verbergen. »Um genau zu sein: Bei meiner Ankunft – also vor zwei Tagen – erhielt ich von Sir Gervase die Anweisung, ein neues Testament aufzusetzen.«

»Was soll das?« Major Riddle rückte seinen Sessel ein wenig näher. »Bisher haben Sie uns gegenüber nichts davon erwähnt!«

»Bisher haben Sie mich auch nur nach den Einzelheiten des bestehenden Testaments von Sir Gervase gefragt«, sagte Mr. Forbes schnell. »Ich habe Ihnen die Information gegeben, die Sie haben wollten. Das neue Testament war noch nicht einmal ganz aufgesetzt – geschweige denn unterschrieben.«

»Was sah das neue Testament vor? Vielleicht ergibt sich daraus ein Hinweis auf Sir Gervases Geistesverfassung.«

»In der Hauptsache blieb alles beim alten. Miss Chevenix-Gore sollte das Erbe jedoch nur unter der Bedingung antreten, daß sie Mr. Hugo Trent ehelichte.«

»Aha«, sagte Poirot. »Das ist allerdings ein sehr entscheidender Unterschied!«

»Ich billigte diese Klausel nicht«, sagte Mr. Forbes. »Und ich fühlte mich zu dem Hinweis verpflichtet, daß immerhin die Möglichkeit bestünde, sie erfolgreich anzufechten. Von den Gerichten werden Vermächtnisse mit bestimmten Auflagen keineswegs gebilligt. Sir Gervase war jedoch fest entschlossen.«

»Und wenn Miss Chevenix-Gore – oder zufälligerweise Mr. Trent – sich geweigert hätte, die Klausel zu erfüllen?«

»Falls Mr. Trent nicht bereit war, Miss Chevenix-Gore zu ehelichen, sollte das Erbe ihr bedingungslos zufallen. Für den Fall jedoch, daß er bereit war und sie sich weigerte, sollte das Erbe an ihn fallen.«

»Eine merkwürdige Angelegenheit«, sagte Major Riddle.

Poirot beugte sich vor. Er klopfte dem Anwalt auf das Knie.

»Was steckt dahinter? Was hatte Sir Gervase vor Augen, als er diese Bestimmung einsetzte? Irgend etwas Bestimmtes muß geschehen sein ... Meiner Meinung nach hat er dabei an einen anderen Mann gedacht – an einen Mann, der ihm nicht genehm war. Ich glaube, Mr. Forbes, daß Sie eigentlich wissen müßten, wer dieser Mann war?«

»Darüber besitze ich wirklich keine Informationen, Mr. Poirot.«
»Und vermuten tun Sie es auch nicht?«
»Ich vermute nie etwas«, sagte Mr. Forbes, und man spürte seine Empörung.
Er nahm seinen Kneifer ab, putzte die Gläser mit einem seidenen Taschentuch und fragte: »Haben Sie sonst noch etwas, was Sie wissen möchten?«
»Im Augenblick nicht«, sagte Poirot. »Soweit es mich betrifft, wäre das alles.« Mr. Forbes machte den Eindruck, als wäre es seiner Ansicht nach nicht allzuviel, und richtete seine Aufmerksamkeit auf den Chief Constable.
»Vielen Dank, Mr. Forbes. Ich glaube, das ist alles. Und wenn es möglich ist, würde ich mich jetzt gern mit Miss Chevenix-Gore unterhalten.«
»Gewiß. Ich glaube allerdings, daß sie oben bei Lady Chevenix-Gore ist.«
»Richtig. Vielleicht spreche ich dann lieber erst mit – wie heißt er denn noch? Burrows? Und anschließend mit dieser familiengeschichtlichen Frau.«
»Beide halten sich in der Bibliothek auf. Ich werde ihnen Bescheid sagen.«

7

»Ein schweres Stück Arbeit«, sagte Major Riddle, als der Anwalt den Raum verließ. »Einem dieser altmodischen und dickköpfigen Juristen Informationen zu entlocken, strengt ganz schön an. Diese ganze Geschichte scheint sich im übrigen um das Mädchen zu drehen.«
»Ja – anscheinend.«
»Aha, da kommt schon Burrows.« Godfrey Burrows war von bereitwilliger Freundlichkeit, sich nützlich zu machen. Sein Lächeln war auf diskrete Weise von Schwermut überschattet und zeigte nur eine Spur zuviel von seinen Zähnen. Es wirkte weniger spontan als vielmehr etwas mechanisch. »Mr. Burrows, wir hätten Ihnen gern einige Fragen gestellt.«
»Selbstverständlich, Major Riddle. Fragen Sie, was Sie wissen wollen.«
»Zuerst vor allem, und um es ganz einfach auszudrücken: Können Sie sich irgendeinen Grund für Sir Gervases Selbstmord vorstellen?«

»Nicht einen einzigen. Für mich war es ein wahnsinniger Schock.«

»Sie haben den Schuß gehört?«

»Nein. Soweit ich bisher herausbekommen habe, muß ich gerade in der Bibliothek gewesen sein. Ich kam schon ziemlich zeitig nach unten und ging sofort in die Bibliothek, weil ich noch etwas nachschlagen wollte. Das Arbeitszimmer liegt im anderen Teil des Hauses, so daß ich nichts hören konnte.«

»War noch jemand gleichzeitig mit Ihnen in der Bibliothek?« fragte Poirot.

»Nein – niemand.«

»Haben Sie eine Ahnung, wo die übrigen Anwesenden sich um diese Zeit aufhielten?«

»Ich kann mir vorstellen, daß die meisten oben waren und sich umzogen.«

»Wann sind Sie in das Wohnzimmer gekommen?«

»Unmittelbar vor Monsieur Poirots Eintreffen. Die anderen waren bereits versammelt – mit Ausnahme von Sir Gervase natürlich.«

»Kam es Ihnen merkwürdig vor, daß er noch nicht erschienen war?«

»Doch – das tat es. In der Regel war er schon vor dem ersten Gong bereits im Wohnzimmer.«

»Sind Ihnen in letzter Zeit irgendwelche Veränderungen in Sir Gervases Auftreten aufgefallen? War er besorgt? Oder bekümmert? Oder vielleicht deprimiert?«

Godfrey Burrows überlegte.

»Nein – ich glaube nicht. Ein bißchen – ja, ›versponnen‹ könnte man es vielleicht nennen.«

»Aber über irgendeine bestimmte Angelegenheit schien er sich keine Sorgen zu machen?«

»Nein.«

»Und wie war es mit – finanziellen Sorgen irgendwelcher Art?«

»Beunruhigen taten ihn nur die Vorkommnisse bei einer ganz bestimmten Firma – um genau zu sein: bei der Paragon Synthetic Company.«

»Was hat er im einzelnen darüber geäußert?«

Wieder erschien plötzlich Godfrey Burrows' mechanisches Lächeln, und wieder wirkte es einigermaßen unwirklich.

»Mein Gott – genaugenommen sagte er ungefähr folgendes:

›Old Bury ist entweder ein Idiot oder ein Schuft. Eher wahrscheinlich ein Idiot. Aber um Vandas willen kann ich ihm nicht an den Kragen.‹«

»Und weshalb sagte er das – um Vandas willen?« fragte Poirot.

»Sie müssen das verstehen: Lady Chevenix-Gore hat Colonel Bury sehr gern, und er verehrt sie. Wie ein Hund folgt er ihr überallhin.«

»Und Sir Gervase war überhaupt nicht – eifersüchtig?«

»Eifersüchtig?« Burrows stutzte und lachte dann los. »Sir Gervase und eifersüchtig? Er hätte gar nicht gewußt, was er damit hätte anfangen sollen! Und es wäre ihm auch nie in den Kopf gegangen, daß irgend jemand einen anderen lieber haben könnte als ihn. So etwas war völlig unmöglich – verstehen Sie?«

Höflich sagte Poirot: »Ich glaube, Sie mögen Sir Gervase nicht allzusehr?«

Burrows wurde rot.

»O doch – das schon. Aber heutzutage kommt einem das alles doch ein bißchen lächerlich vor.«

»Was alles?« fragte Poirot.

»Wie soll ich es ausdrücken – zum Beispiel dieses feudale Gehabe. Diese Verehrung der Vorfahren und diese persönliche Arroganz. Sir Gervase war in vieler Hinsicht ein fähiger Mann und hatte ein interessantes Leben geführt; aber er selbst wäre noch viel interessanter gewesen, hätte er sich nicht immer so hinter sich und seinen Egoismus versteckt.«

»Stimmte seine Tochter in diesem Punkt mit Ihnen überein?«

Wieder wurde Burrows rot – diesmal puterrot.

»Soweit ich mir ein Urteil erlauben darf, gehört Miss Chevenix-Gore ganz zu den modernen Menschen! Über ihren Vater habe ich mich mit ihr natürlich niemals unterhalten.«

»Aber moderne Menschen unterhalten sich doch in Wirklichkeit sehr ausführlich über ihre Väter!« sagte Poirot. »Es entspricht doch dem Geist der Moderne, die eigenen Eltern zu kritisieren!«

Burrows zuckte die Schultern.

»Und sonst gab es nichts ...?« fragte Major Riddle. »Keine sonstigen finanziellen Sorgen? Hat Sir Gervase Ihnen gegenüber nie erwähnt, daß er betrogen worden war?«

»Betrogen?« Burrows schien verblüfft zu sein. »Nein.«

»Und Sie selbst kamen gut mit ihm aus?«

»Selbstverständlich. Warum auch nicht?«
»Ich frage Sie das in allem Ernst, Mr. Burrows.«
Der junge Mann machte ein verdrossenes Gesicht.
»Wir kamen großartig miteinander aus.«
»Wußten Sie, daß Sir Gervase einen Brief an Monsieur Poirot geschrieben und ihn aufgefordert hatte, hierher zu kommen?«
»Nein.«
»Schrieb Sir Gervase seine Briefe üblicherweise immer selbst?«
»Nein – fast immer hat er sie mir diktiert.«
»Aber nicht in diesem besonderen Fall?«
»Nein.«
»Was mag ihn wohl dazu veranlaßt haben?«
»Das kann ich nicht sagen.«
»Sie können keinen Grund nennen, warum er diesen Brief selbst geschrieben hat?«
»Nein, das kann ich nicht.«
»Aha!« sagte Major Riddle und fügte sanft hinzu: »Ziemlich merkwürdig. Wann haben Sie Sir Gervase zum letztenmal gesehen?«
»Kurz bevor ich mich zum Abendessen umzog. Ich brachte ihm einige Briefe zur Unterschrift.«
»Wie war er zu dem Zeitpunkt?«
»Völlig normal. Ich glaube sogar, daß er wegen irgendeiner Sache sehr zufrieden war.«
Poirot rutschte in seinem Sessel hin und her.
»Ach?« sagte er. »Das also war Ihr Eindruck? Daß er wegen irgendeiner Sache zufrieden war? Und trotzdem erschoß er sich gar nicht so viel später. Merkwürdig ist das!«
Godfrey Burrows zuckte die Schultern.
»Ich habe nur von meinen Eindrücken gesprochen.«
»Ja, sicher – und sie sind auch sehr wertvoll. Schließlich gehören Sie vermutlich zu den letzten, die Sir Gervase noch lebend gesehen haben.«
»Als letzter hat Snell ihn gesehen.«
»Gesehen – ja. Aber nicht mit ihm gesprochen.«
Burrows erwiderte nichts.
»Um welche Zeit«, fragte Major Riddle, »gingen Sie nach oben, um sich umzuziehen?«
»Etwa um fünf nach sieben.«
»Was machte Sir Gervase?«
»Er war noch in seinem Arbeitszimmer.«

»Wie lange brauchte er gewöhnlich zum Umziehen?«
»Gewöhnlich brauchte er dazu eine dreiviertel Stunde.«
»Wenn das Abendessen um Viertel nach acht begann, wird er demnach spätestens wohl um halb acht hinaufgegangen sein?«
»Das ist anzunehmen.«
»Sie selbst gingen schon vorher nach oben?«
»Ja. Ich wollte mich umziehen, um anschließend noch in die Bibliothek zu gehen und einige erforderliche Hinweise nachzuschlagen.«
Poirot nickte gedankenvoll.
»Ich glaube, das ist im Augenblick alles«, sagte Major Riddle. »Würden Sie dann bitte Miss – wie heißt sie doch noch – diese Miss herschicken?«
Die kleine Miss Lingard kam fast unmittelbar danach in das Zimmer getrippelt. Sie trug mehrere Ketten, die ein wenig klirrten, als sie sich hinsetzte, und blickte die beiden Männer abwechselnd fragend an.
»Das ist alles sehr – äh – betrüblich, Miss Lingard«, begann Major Riddle.
»Wirklich sehr betrüblich«, sagte Miss Lingard schicklicherweise.
»Wann sind Sie eigentlich hierher gekommen?«
»Vor etwa zwei Monaten. Sir Gervase hatte an einen Freund geschrieben, der im Britischen Museum tätig ist – Colonel Fotheringay war es –, und Colonel Fotheringay empfahl mich. Ich habe schon eine ganze Menge historischer Nachforschungen durchgeführt.«
»War es für Sie schwierig, für Sir Gervase zu arbeiten?«
»Eigentlich nicht. Natürlich mußte man ihm einiges zugute halten. Aber das muß man, wie ich festgestellt habe, bei den meisten Männern.«
Mit dem unbehaglichen Gefühl, daß Miss Lingard in diesem Augenblick auch ihm wahrscheinlich einiges zugute hielt, fuhr Major Riddle fort: »Ihre Arbeit bestand darin, Sir Gervase bei dem Buch, an dem er schrieb, behilflich zu sein?«
»Ja.«
»Was gehörte alles dazu?«
Für einen Moment sah Miss Lingard richtig menschlich aus. Ihre Augen zwinkerten leicht, als sie erwiderte: »Wenn ich ganz genau sein will, gehörte es zu meinen Aufgaben, das Buch zu schreiben. Ich besorgte sämtliche Informationen, machte Noti-

zen und ordnete das Material. Und später überarbeitete ich dann das, was Sir Gervase geschrieben hatte.«

»Dazu war auf Ihrer Seite sicherlich eine Menge Takt erforderlich, Mademoiselle«, sagte Poirot.

»Takt und Festigkeit. Man braucht beides«, sagte Miss Lingard.

»Sir Gervase nahm Ihnen Ihre – Festigkeit nicht übel?«

»Nein – überhaupt nicht. Natürlich redete ich ihm ein, daß er seine Zeit nicht mit allen Einzelheiten zu vergeuden brauchte.«

»Ah ja – ich verstehe.«

»Es war wirklich ganz einfach«, sagte Miss Lingard. »Mit Sir Gervase kam man ausgezeichnet zurecht, wenn man es verstand, ihn richtig zu nehmen.«

»Jetzt, Miss Lingard, hätte ich gern erfahren, ob Ihnen irgend etwas bekannt ist, das ein Licht auf diese Tragödie werfen könnte.«

Miss Lingard schüttelte den Kopf.

»Ich fürchte, dabei kann ich Ihnen nicht helfen. Sie müssen verstehen, daß ich nicht zu jenen gehörte, denen er derartige Dinge anvertraute. Praktisch war ich für ihn eine Fremde. Jedenfalls glaube ich, daß er viel zu stolz war, um mit irgend jemandem über familiäre Sorgen zu sprechen.«

»Sie glauben jedoch, daß familiäre Sorgen ihn veranlaßten, sich das Leben zu nehmen?«

Miss Lingard machte einen ziemlich überraschten Eindruck.

»Aber natürlich! Gibt es denn eine andere Möglichkeit?«

»Sie sind überzeugt, daß familiäre Sorgen ihn bedrückten?«

»Ich weiß, daß ihn irgend etwas schrecklich bedrückte.«

»Ach, das wissen Sie?«

»Aber natürlich.«

»Sagen Sie, Mademoiselle – hat er mit Ihnen darüber gesprochen?«

»Nicht unmittelbar.«

»Was sagte er denn?«

»Lassen Sie mich einen Moment überlegen. Zum Beispiel merkte ich, daß er manchmal anscheinend gar nicht begriff, was ich ihm erzählte ...«

»Einen Moment. *Pardon.* Wann war das?«

»Heute nachmittag. Gewöhnlich arbeiteten wir von drei bis fünf.«

»Erzählen Sie bitte weiter.«

»Wie ich schon sagte, fiel es Sir Gervase anscheinend schwer, sich zu konzentrieren – er erwähnte es sogar selbst und fügte noch hinzu, daß verschiedene ernste Angelegenheiten ihn stark beschäftigten. Und er sagte – warten Sie – er sagte ungefähr folgendes (genau kann ich seine Worte natürlich nicht wiedergeben): ›Es ist entsetzlich, Miss Lingard, wenn eine Familie, die zu den stolzesten des Landes gehörte, plötzlich mit Schande bedeckt wird.‹«

»Und was sagten Sie daraufhin?«

»Ach, irgend etwas Besänftigendes. Ich sagte, glaube ich, daß in jeder Generation Schwächlinge aufträten – daß das die Schattenseite der Größe wäre –, daß ihr Versagen bei der Nachwelt jedoch meistens in Vergessenheit geriete.«

»Und hatte das den besänftigenden Erfolg, den Sie erhofften?«

»Mehr oder weniger. Wir wandten uns dann wieder Sir Roger Chevenix-Gore zu. In einem zeitgenössischen Manuskript hatte ich eine interessante Stelle gefunden, in der er erwähnt wird. Aber Sir Gervases Aufmerksamkeit beschäftigte sich wieder mit anderen Dingen. Schließlich sagte er, er wolle für dieses Mal mit der Arbeit aufhören. Er sagte, er hätte einen Schock bekommen.«

»Einen Schock?«

»Das sagte er. Natürlich stellte ich keine Fragen. Ich sagte nur: ›Das tut mir leid, Sir Gervase.‹ Und dann bat er mich, Snell zu sagen, daß Monsieur Poirot käme und das Abendessen deshalb erst um acht Uhr fünfzehn begänne. Und daß der Wagen zu dem Zug um zehn vor acht geschickt werden solle.«

»Bat er Sie gewöhnlich darum, derartige Vorkehrungen zu treffen?«

»Ich – nein – das gehörte eigentlich zu Mr. Burrows' Aufgaben. Ich hatte lediglich mit dem Buch zu tun. Als Sekretärin – was man auch immer darunter verstehen mag – war ich nicht engagiert.«

»Glauben Sie«, fragte Poirot, »daß Sir Gervase einen triftigen Grund hatte, Sie – und nicht Mr. Burrows – in diesem Fall zu bitten, das Erforderliche zu veranlassen?«

Miss Lingard überlegte.

»Möglich wäre es schon ... Heute nachmittag habe ich mich allerdings um diese Frage nicht gekümmert. Ich glaubte nur, es wäre so am einfachsten. Und dabei fällt mir ein, daß er mich sogar bat, niemandem zu sagen, daß Monsieur Poirot käme. Es sollte eine Überraschung sein, sagte er.«

»Aha! Das hat er also gesagt? Sehr merkwürdig, sehr interessant. Und haben Sie es vielleicht irgend jemandem weitergesagt?«
»Aber nein, Monsieur Poirot! Ich sagte Snell wegen des Abendessens Bescheid und daß er den Chauffeur zum Zug um zehn vor acht schicken solle, da ein Herr erwartet würde.«
»Hat Sir Gervase sonst noch irgend etwas gesagt, was in dieser Situation von Bedeutung sein könnte?«
Miss Lingard dachte nach.
»Nein – das glaube ich nicht – er war allerdings auch sehr nervös. Und ich erinnere mich, daß er sagte, als ich das Zimmer gerade verließ: ›Obgleich es eigentlich gar keinen Sinn hat, daß er noch kommt – dazu ist es zu spät!‹«
»Und Sie haben keine Ahnung, was er damit sagen wollte?«
»N–nein.«
Nur ein ganz leiser Anflug von Unentschlossenheit bei der Verneinung. Mit gefurchter Stirn wiederholte Poirot: »Zu spät! Das hat er also gesagt, nicht wahr? Zu spät!«
Major Riddle sagte: »Sie können uns keinen Hinweis auf die Art jener Umstände geben, die Sir Gervase Sorgen machten, Miss Lingard?«
Bedächtig sagte Miss Lingard: »Ich könnte mir vorstellen, daß es in irgendeiner Weise mit Mr. Hugo Trent zu tun hatte.«
»Mit Hugo Trent? Wie kommen Sie darauf?«
»Eindeutig kann ich es zwar nicht sagen, aber gestern nachmittag beschäftigten wir uns gerade mit Sir Hugo de Chevenix – der in den Rosenkriegen, wie ich fürchte, keine allzu gute Figur gemacht hat –, und da sagte Sir Gervase: ›Meine Schwester wollte ihrem Sohn unbedingt den in der Familie vorkommenden Namen Hugo geben! Dabei hat dieser Name in unserer Familie nie einen guten Klang gehabt. Sie hätte wissen müssen, daß aus einem Hugo nie allzuviel wird.‹«
»Was Sie uns erzählen, ist sehr bedeutungsvoll«, sagte Poirot. »Ja, es bringt mich auf eine völlig neue Idee.«
»Deutlicher äußerte Sir Gervase sich nicht?« fragte Major Riddle.
Miss Lingard schüttelte den Kopf. »Nein. Und mir stand es natürlich nicht zu, daraufhin irgend etwas zu sagen. Sir Gervase führte im Grunde ein Selbstgespräch. Mich meinte er gar nicht.«
»Allerdings.«
»Mademoiselle«, sagte Poirot, »Sie, eine Fremde, sind seit zwei

Monaten im Hause. Meiner Ansicht nach wäre es sehr wertvoll, wenn Sie uns ganz offen Ihre Eindrücke von der Familie und den Hausbewohnern mitteilen würden.«

Miss Lingard nahm ihren Kneifer ab und kniff die Augen nachdenklich zu.

»Ach Gott – zuerst dachte ich, ich wäre mitten in ein Irrenhaus geraten! Lady Chevenix-Gore sah ständig Dinge, die gar nicht existierten, und Sir Gervase führte sich wie ein – wie ein Tyrann auf und dramatisierte alles auf höchst ungewöhnliche Weise – ich war wirklich der Meinung, daß ich in meinem ganzen Leben noch keinem merkwürdigeren Menschen begegnet war. Miss Chevenix-Gore hingegen war völlig normal, und später stellte ich dann auch fest, daß Lady Chevenix-Gore in Wirklichkeit eine äußerst freundliche nette Frau war. Kein Mensch hätte freundlicher und netter zu mir sein können als sie. Sir Gervase – ich bin beinahe überzeugt, daß er tatsächlich verrückt war. Seine Egomanie – nennt man es nicht so? – wurde von Tag zu Tag unerträglicher.«

»Und die anderen?«

»Ich kann mir vorstellen, daß Mr. Burrows es nicht leicht hatte. Ich glaube, daß er froh war, durch unsere Arbeit an dem Buch eine kleine Verschnaufpause zu bekommen. Colonel Bury war immer sehr charmant. Er hing sehr an Lady Chevenix-Gore, und mit Sir Gervase kam er ausgezeichnet zurecht. Mr. Trent, Mr. Forbes und Miss Cardwell sind erst seit einigen Tagen hier, so daß ich über sie natürlich nicht viel weiß.«

»Vielen Dank, Mademoiselle. Und was ist mit Captain Lake, dem Vermögensverwalter?«

»Oh – er ist wirklich reizend. Jeder mag ihn.«

»Einschließlich Sir Gervase?«

»Aber ja. Einmal hörte ich, wie er sagte, Lake sei der beste Verwalter, den er bisher gehabt habe. Natürlich gab es zwischen Sir Gervase und Captain Lake auch Schwierigkeiten – aber alles in allem kam er doch sehr gut zurecht. Auch wenn es nicht einfach war.«

Poirot nickte nachdenklich. Dann murmelte er: »Da war noch irgend etwas – irgend etwas – das ich Sie fragen wollte – irgendeine Kleinigkeit . . . Was war es denn nur?«

Geduldig blickte Miss Lingard ihn an.

Verstört schüttelte Poirot den Kopf. »Ja – und dabei liegt es mir förmlich auf der Zunge!«

Major Riddle wartete eine Weile; als Poirot jedoch weiterhin nur verwirrt die Stirn runzelte, führte er die Vernehmung fort. »Wann haben Sie Sir Gervase zum letztenmal gesehen?«
»Beim Tee – hier im Zimmer.«
»Und wie war er dabei? Normal?«
»So normal wie immer.«
»Fiel Ihnen auf, daß zwischen den Anwesenden eine gewisse Spannung herrschte?«
»Nein. Soweit ich mich erinnere, war jeder anscheinend wie immer.«
»Wohin begab sich Sir Gervase nach dem Tee?«
»Wie gewöhnlich ging er mit Mr. Burrows in sein Arbeitszimmer.«
»Und später haben Sie ihn nicht mehr gesehen?«
»Nein. Ich ging in das kleine Frühstückszimmer, in dem ich arbeitete, und tippte nach den Notizen, die ich mit Sir Gervase durchgesehen hatte, ein Kapitel des Buches. Das dauerte bis sieben Uhr. Anschließend ging ich nach oben, um mich auszuruhen und mich zum Abendessen umzuziehen.«
»Soweit ich orientiert bin, haben Sie den Schuß gehört?«
»Ja. Ich war in diesem Zimmer. Ich hörte ein Geräusch, das wie ein Schuß klang, und ging in die Halle. Mr. Trent stand draußen, und Miss Cardwell auch. Mr. Trent fragte Snell, ob es zum Essen denn Champagner gäbe, und machte dabei noch Witze. Leider sind wir gar nicht auf den Gedanken gekommen, den Knall ernst zu nehmen. Wir waren überzeugt, daß es die Fehlzündung eines Autos gewesen war.«
Poirot meinte: »Haben Sie gehört, wie Mr. Trent sagte, Mord käme überall vor?«
»Ich glaube schon, daß er so etwas gesagt hat – wenn auch natürlich im Spaß.«
»Was geschah dann?«
»Wir sind dann hierher gegangen.«
»Können Sie sich noch erinnern, in welcher Reihenfolge die anderen zum Abendessen herunter kamen?«
»Miss Chevenix-Gore kam, glaube ich, zuerst, und dann Mr. Forbes. Anschließend Colonel Bury und Lady Chevenix-Gore gemeinsam und Mr. Burrows unmittelbar nach ihnen. Das muß ungefähr die Reihenfolge gewesen sein, obgleich ich mir nicht so ganz sicher bin, weil mehr oder weniger alle auf einmal hereinkamen!«

»Veranlaßt durch das erste Gongen?«
»Ja. Jeder beeilte sich, wenn gegongt wurde, denn abends achtete Sir Gervase immer besonders auf Pünktlichkeit.«
»Um welche Zeit kam er selbst gewöhnlich herunter?«
»Er selbst war fast immer schon vor dem ersten Gong in seinem Arbeitszimmer.«
»Überraschte es Sie, daß er bei dieser Gelegenheit nicht unten war?«
»Sehr sogar.«
»Jetzt habe ich es!« rief Poirot.
Als die beiden anderen ihn fragend ansahen, fuhr er fort: »Jetzt ist mir wieder eingefallen, was ich fragen wollte. Heute abend, Mademoiselle, als Snell gemeldet hatte, daß die Tür zum Arbeitszimmer abgeschlossen wäre, und wir alle daraufhin nachschauten, bückten Sie sich und hoben irgend etwas auf.«
»Habe ich etwas aufgehoben?« Miss Lingard schien überrascht.
»Ja – als wir in den Gang zum Arbeitszimmer einbogen. Irgend etwas Kleines und Glänzendes.«
»Wie merkwürdig – ich kann mich wirklich nicht erinnern. Warten Sie – doch, es stimmt. Ganz instinktiv hatte ich es aufgehoben. Einen Moment – ich muß es hier haben.«
Sie klappte ihre schwarze Seidenhandtasche auf und schüttete den Inhalt auf den Tisch.
Interessiert betrachteten Poirot und Major Riddle das Sammelsurium. Es bestand aus zwei Taschentüchern, einer Puderdose, einem kleinen Schlüsselbund, einem Brillanten und einem weiteren Gegenstand, nach dem Poirot sofort griff.
»Ein Geschoß – bei Gott!« sagte Major Riddle.
Das Ding war tatsächlich wie ein Geschoß geformt, erwies sich dann jedoch als kleiner Bleistift.
»Das habe ich aufgehoben«, sagte Miss Lingard. »Ich hatte es ganz vergessen.«
»Wissen Sie, wem es gehört, Miss Lingard?«
»Aber ja – Colonel Bury. Er hat sich den Bleistift aus einem Geschoß anfertigen lassen, von dem er im Burenkrieg verwundet wurde.«
»Und wissen Sie auch, wann es sich noch in seinem Besitz befand?«
»Doch. Heute nachmittag beim Bridge. Als ich nämlich zum Tee kam, fiel mir auf, daß er damit seine Eintragungen machte.«
»Wer spielte Bridge?«

»Colonel Bury, Lady Chevenix-Gore, Mr. Trent und Miss Cardwell.«
»Ich glaube«, sagte Poirot, »daß wir es hier behalten und es dem Colonel selbst zurückgeben.«
»Ach, das wäre nett! Ich bin nämlich so vergeßlich, und vielleicht denke ich dann nicht mehr daran.«
»Vielleicht, Mademoiselle, wären Sie so gut und bäten Colonel Bury, hierher zu kommen.«
»Selbstverständlich. Ich werde ihm sofort Bescheid sagen.«
Sie verschwand eilends. Poirot stand auf und begann, ziellos im Zimmer herumzuwandern.
»Wir fangen an«, sagte er, »den Nachmittag zu rekonstruieren. Das ist sehr interessant. Um halb drei sieht Sir Gervase mit Captain Lake einige Abrechnungen durch. *Er ist leicht aufgeregt.* Um drei diskutiert er mit der Lingard das Buch, das er gerade schreibt. *Er macht einen ziemlich bedrückten Eindruck.* Diese Bedrücktheit bringt Miss Lingard auf Grund einer zufälligen Bemerkung mit Hugo Trent in Verbindung. Bei Tee *ist sein Verhalten normal.* Nach dem Tee ist er, wie Godfrey Burrows berichtet, *äußerst zufrieden.* Um fünf Minuten vor acht kommt er herunter, geht in sein Arbeitszimmer, kritzelt ›sorry‹ auf einen Bogen und erschießt sich!«
Langsam sagt Riddle: »Ich verstehe, was Sie meinen. Das alles ist nicht folgerichtig.«
»Merkwürdige Stimmungsschwankungen bei Sir Gervase Chevenix-Gore! Er ist aufgeregt – ist ernstlich bedrückt – ist normal – ist bester Laune! Irgend etwas sehr Merkwürdiges steckt doch dahinter! Und dann dieser Ausspruch von ihm: Es ist zu spät! Daß ich also ›zu spät‹ käme! Damit hat er immerhin recht behalten. Ich bin tatsächlich zu spät gekommen, um ihn noch lebend anzutreffen.«
»Ich verstehe. Sie glauben also ...?«
»Ich werde nie erfahren, warum Sir Gervase mich kommen ließ! Das steht mit Sicherheit fest!«
Poirot wanderte noch immer im Zimmer umher. Ab und zu rückte er auf dem Kaminsims etwas zurecht, betrachtete prüfend einen an der Wand stehenden Spieltisch, zog dann dessen Schublade heraus und nahm die Bridgeblöcke in die Hand. Anschließend schlenderte er zum Schreibtisch und blickte in den Papierkorb. Bis auf eine Papiertüte war er leer. Poirot holte die Tüte heraus, beroch sie, murmelte »Apfelsinen«, strich sie glatt und las

den aufgedruckten Namen. ›Carpenter and Sons, Fruiterers, Hamborough St. Mary‹. Er faltete die Tüte gerade säuberlich zusammen, als Colonel Bury in das Zimmer trat.

8

Der Colonel ließ sich in einen Sessel fallen, schüttelte den Kopf, seufzte und sagte: »Eine schreckliche Geschichte ist das, Riddle. Lady Chevenix-Gore trägt es wunderbar – einfach wunderbar. Großartige Frau! Tapfer bis dorthinaus!«
Poirot kam unauffällig zu seinem Sessel zurück und sagte: »Sie kennen sie schon seit vielen Jahren, glaube ich?«
»Ja, das tue ich. Ich war auf ihrem ersten Ball dabei. Rosenknospen trug sie damals im Haar – das weiß ich noch. Und ein weißes duftiges Kleid ... Keine konnte ihr auch nur das Wasser reichen!« Seine Stimme war voller Begeisterung.
Poirot hielt ihm den Bleistift hin. »Ich glaube, das gehört Ihnen?«
»Wie? Was? Oh, vielen Dank. Heute nachmittag, als wir Bridge spielten, hatte ich ihn noch. Erstaunlich, wissen Sie: Dreimal hintereinander spielte ich Pik und gewann. So etwas ist mir bisher noch nicht passiert.«
»Soweit ich orientiert bin, spielten Sie vor dem Tee Bridge?« sagte Poirot. »In welcher Geistesverfassung befand sich Sir Gervase, als er zum Tee erschien?«
»Wie üblich – genau wie immer. Nicht im Traum hätte ich daran gedacht, daß er die Absicht hatte, Schluß zu machen. Vielleicht war er ein bißchen nervöser als sonst – wenn ich es mir genauer überlege.«
»Wann haben Sie ihn zum letztenmal gesehen?«
»Genau da – beim Tee. Lebend habe ich den armen Kerl dann nicht mehr gesehen.«
»Sie waren nach dem Tee nicht im Arbeitszimmer?«
»Nein, ich habe ihn nicht mehr gesehen.«
»Wann sind Sie zum Abendessen herunter gekommen?«
»Nach dem ersten Gongen.«
»Sie und Lady Chevenix-Gore kamen zusammen herunter?«
»Nein, wir – äh – wir trafen uns in der Halle. Ich glaube, sie hatte im Speisezimmer noch nach den Blumen gesehen – oder etwas Ähnliches.«

»Hoffentlich haben Sie nichts dagegen, Colonel«, sagte Major Riddle, »wenn ich Ihnen jetzt eine ziemlich persönliche Frage stelle. Hatte es zwischen Ihnen und Sir Gervase irgendwelche Unstimmigkeiten wegen der Paragon Synthetic Rubber Company gegeben?«

Colonel Burys Gesicht wurde plötzlich puterrot.

»Aber nein! Wirklich nicht! Der alte Gervase war ein Mann, mit dem man nicht vernünftig reden konnte. Das dürfen Sie bei allem nicht übersehen. Er erwartete immer, daß alles, was er anfaßte, sich als Trumpf erwies! Schien einfach nicht zu begreifen, daß die ganze Welt augenblicklich mitten in einer Krise steckt. Und das wirkt sich zwangsweise auf sämtliche Aktien und Papiere aus.«

»Also bestanden doch gewisse Unstimmigkeiten zwischen Ihnen?«

»Unstimmigkeiten ist zuviel gesagt. Gervase wollte bloß nicht mit sich reden lassen.«

»Er gab Ihnen die Schuld an bestimmten Verlusten, die er hatte hinnehmen müssen?«

»Gervase war nicht normal! Auch Vanda wußte das. Aber sie konnte mit ihm umgehen. Ich gab mich damit zufrieden, daß sie die Geschichte in die Hand nahm.«

Poirot hüstelte, und Major Riddle wechselte das Thema, nachdem er Poirot einen kurzen Blick zugeworfen hatte.

»Ich weiß, daß Sie ein alter Freund der Familie sind, Colonel Bury. Sind Sie darüber orientiert, wie Sir Gervase über sein Vermögen verfügt hat?«

»Ich könnte mir vorstellen, daß es im wesentlichen an Ruth fällt. Wenigstens nehme ich es nach allem, was Gervase darüber fallenließ, mit einiger Sicherheit an.«

»Finden Sie das Hugo gegenüber nicht ein bißchen ungerecht?«

»Gervase mochte Hugo nicht. Konnte ihn nie leiden.«

»Aber er besaß doch einen ausgeprägten Familiensinn. Schließlich ist Miss Chevenix-Gore doch nur seine Adoptivtochter.«

Colonel Bury zögerte; nachdem er sich eine Weile gewunden und geräuspert hatte, sagte er: »Wissen Sie – ich glaube, ich schenke Ihnen lieber reinen Wein ein. Natürlich streng vertraulich und so weiter!«

»Natürlich – selbstverständlich.«

»Ruth ist zwar ein uneheliches Kind, aber trotzdem eine Chevenix-Gore. Sie ist die Tochter von Gervases Bruder Anthony, der im Krieg fiel. Dieser Anthony hatte anscheinend etwas mit einer Stenotypistin. Als er gefallen war, schrieb das Mädchen an Vanda. Vanda fuhr hin – das Mädchen erwartete ein Kind. Vanda besprach die Geschichte mit Gervase, zumal sie gerade erfahren hatte, daß sie selbst nie ein Kind bekommen könnte. Das Ergebnis bestand darin, daß sie das Kind, als es geboren war, zu sich nahmen und rechtmäßig adoptierten. Die Mutter verzichtete auf sämtliche Ansprüche. Sie haben Ruth dann wie ihre eigene Tochter großgezogen, und alles in allem ist sie tatsächlich ihre Tochter: man braucht sie nur anzusehen, um zu merken, daß sie eine echte Chevenix-Gore ist.«

»Aha«, sagte Poirot. »Ich verstehe. Das erklärt zu einem Teil Sir Gervases Verhalten. Aber wenn er Mr. Hugo Trent nun nicht mochte – warum bemühte er sich dann so, daß es zu einer Heirat zwischen Hugo Trent und Mademoiselle Ruth kam?«

»Um die Verhältnisse innerhalb der Familie zu regeln. Er hielt es für angebracht.«

»Obgleich er den jungen Mann weder mochte noch ihm traute?«

Colonel Bury schnaubte.

»Sie begreifen den alten Gervase nicht! Es war ihm einfach nicht möglich, in den Leuten menschliche Wesen zu sehen. Er arrangierte Verlobungen, als handelte es sich bei den Betroffenen um Persönlichkeiten aus der königlichen Familie! Und seiner Ansicht nach war es nur recht billig, daß Ruth und Hugo heirateten und Hugo dann den Namen Chevenix-Gore annähme. Wie Hugo und Ruth darüber dachten, spielte keine Rolle.«

»Und war Mademoiselle Ruth einverstanden, sich diesem Arrangement zu unterwerfen?«

Colonel Bury lachte leise vor sich hin.

»Sie nicht! Dazu ist sie viel zu temperamentvoll!«

»Ist Ihnen bekannt, daß Sir Gervase kurz vor seinem Tod ein neues Testament aufsetzen ließ, nach dem Miss Chevenix-Gore das Erbe nur unter der Bedingung antreten durfte, daß sie Hugo Trent heiratete?«

Colonel Bury pfiff vor sich hin.

»Dann hatte er also doch Wind von der Sache zwischen ihr und Burrows ...«

Kaum hatte er dies gesagt, biß er sich auf die Lippen; aber es war zu spät. Poirot griff dieses Eingeständnis sofort auf.

»Es war etwas zwischen Mademoiselle Ruth und dem jungen Monsieur Burrows?«

»Wahrscheinlich hatte es nichts zu bedeuten – gar nichts zu bedeuten.«
Major Riddle hüstelte und sagte: »Ich glaube, Colonel Bury, Sie sollten uns alles erzählen, was Sie wissen. Vielleicht ergibt sich daraus eine Erklärung für Sir Gervases Geistesverfassung.«
»Möglicherweise«, sagte Colonel Bury bedächtig. »Also gut – die Sache ist folgende: Der junge Burrows ist ein gutaussehender Bursche, zumindest in den Augen der Frauen. In letzter Zeit scheinen er und Ruth sich mächtig angefreundet zu haben, und das paßte Gervase nicht – gar nicht paßte es ihm. Um nichts zu überstürzen, wollte er Burrows aber auch nicht fristlos auf die Straße setzen. Immerhin kannte er Ruth. Sie hätte sich keine Vorschriften machen lassen. Meiner Ansicht nach ist er deshalb auf diesen Plan verfallen. Ruth gehört nicht zu jenen Mädchen, die um der Liebe willen alles opfern. Sie sitzt nun einmal gern vor vollen Fleischtöpfen, und Geld verachtet sie auch nicht.«
»Haben Sie selbst irgend etwas gegen Mr. Burrows einzuwenden?«
Der Colonel äußerte die Ansicht, daß Godfrey Burrows nicht ganz astrein sei – ein Ausspruch, der Poirot völlig unverständlich war, während Major Riddle sich ein Lächeln nicht verbeißen konnte.
Es wurden noch einige weitere Fragen gestellt und beantwortet, und dann ging Colonel Bury wieder. Riddle warf Poirot einen Blick zu; Poirot war in Gedanken versunken.
»Was halten Sie von dieser Geschichte, Monsieur Poirot?«
Der kleine Mann hob abwehrend beide Hände.
»Irgendwie taucht langsam ein Muster, ein ganz bestimmter Zweck hinter dem Ganzen auf.«
»Verdammt schwierig«, sagte Riddle.
»Ja, schwierig ist es. Aber ein einziger Ausspruch, der ganz nebenbei und leichthin geäußert wurde, gewinnt in meinen Augen immer mehr an Bedeutung.«
»Und das wäre?«
»Dieser von Hugo Trent lachend ausgesprochene Satz: Mord käme überall vor . . .«
»Ja«, sagte Riddle scharf, »ich habe schon die ganze Zeit gemerkt, daß Sie in diese Richtung zielen.«
»Sind Sie denn nicht auch der Meinung, mein Freund, daß das Motiv für einen Selbstmord immer schwächer wird, je mehr wir in dieser Angelegenheit herausbekommen? Und für einen Mord

besitzen wir mittlerweile eine überraschende Kollektion von Motiven!«

»Trotzdem dürfen Sie bei allem die reinen Tatsachen nicht außer acht lassen: die abgeschlossene Tür und der Schlüssel in der Tasche des Toten. Schon gut – ich weiß selbst, daß es auch dafür Erklärungen gibt: gebogene Haarnadeln und ähnliche Scherze. Möglich wäre es wahrscheinlich schon ... Aber funktionieren diese Tricks wirklich? Gerade das möchte ich doch sehr stark bezweifeln.«

»Auf jeden Fall sollten wir den Fall einmal so untersuchen, als handele es sich um Mord – nicht um Selbstmord.«

»Gut, einverstanden. Da Sie selbst am Tatort erschienen sind, dürfte es sich vermutlich um Mord handeln!«

Für einen Augenblick lächelte Poirot. »Ich kann nicht sagen, daß mir Ihre Bemerkung gefällt.« Dann wurde er wieder ernst. »Ja, untersuchen wir also den Fall vom Standpunkt eines Mordes aus. Der Schuß wurde gehört; vier Leute – Miss Lingard, Hugo Trent, Miss Cardwell und Snell – befinden sich zu diesem Zeitpunkt in der Halle. Wo aber waren die übrigen?«

»Burrows befand sich, entsprechend seinen eigenen Angaben, in der Bibliothek. Überprüfen läßt sich diese Behauptung nicht. Die anderen befanden sich vermutlich auf ihren Zimmern – aber wer weiß, wo sie sich tatsächlich aufhielten? Jeder scheint allein für sich herunter gekommen zu sein. Sogar Lady Chevenix-Gore und Bury trafen sich erst in der Halle. Lady Chevenix-Gore kam dabei aus dem Speisezimmer. Woher kam Bury? Ist es nicht vorstellbar, daß er nicht von oben, sondern aus dem Arbeitszimmer kam? Dafür spricht der Bleistift.«

»Ja, der Bleistift ist tatsächlich interessant. Er verriet keinerlei Bewegung, als ich den Bleistift hervorholte; vielleicht kam es aber daher, daß er nicht wußte, wo er gefunden worden war und wo er ihn verloren hatte. Wer aber war dabei, als Bridge gespielt und der Bleistift benutzt wurde? Hugo Trent und Miss Cardwell. Sie kommen nicht in Betracht, denn Miss Lingard und der Butler können ihr Alibi bestätigen. Bleibt, als vierter Partner, Lady Chevenix-Gore übrig.«

»Es ist doch nicht Ihr Ernst, sie zu verdächtigen?«

»Warum nicht, mein Freund? Eines will ich Ihnen sagen: Verdächtigen kann ich alle! Angenommen beispielsweise, daß sie zwar offensichtlich an ihrem Mann hängt, daß sie jedoch in Wirklichkeit einzig und allein Bury liebt?«

»Hm«, meinte Riddle. »In gewisser Weise ist das seit Jahren eine *ménage à trois* gewesen.«

»Und wegen der Firma hat es zwischen Sir Gervase und Colonel Bury einigen Ärger gegeben.«

»Es stimmt, daß Sir Gervase möglicherweise die Absicht hatte, äußerst unangenehm zu werden. Die näheren Umstände kennen wir allerdings nicht. Es könnte jedoch zu dem passen, was Sie folgern. So kann Sir Gervase den Verdacht gehabt haben, Bury hätte ihn bewußt übers Ohr gehauen, nur wollte er seinen Verdacht nicht aussprechen, weil die Möglichkeit bestand, daß seine Frau mit der Angelegenheit zu tun hatte. Ja, das ist möglich. Damit hätte jeder der beiden ein plausibles Motiv. Andererseits ist es tatsächlich ein bißchen merkwürdig, daß Lady Chevenix-Gore den Tod ihres Mannes so ruhig hinnahm. Und dieser ganze Spiritismus kann genausogut gespielt sein!«

»Hinzu kommt noch eine weitere Komplikation«, sagte Poirot. »Miss Chevenix-Gore und Burrows – es lag doch sehr in ihrem Interesse, daß Sir Gervase das neue Testament nicht unterschrieb. So, wie es augenblicklich ist, bekommt sie alles unter der einzigen Bedingung, daß ihr Mann den Familiennamen annimmt . . .«

»Ja, und Burrows' Aussage über Sir Gervases Verhalten heute abend ist ebenfalls nicht ganz einwandfrei. Gutgelaunt und zufrieden! Das paßt überhaupt nicht zu allem, was wir sonst noch erfahren haben.«

»Und dann noch Mr. Forbes. Sehr korrekt, sehr seriös, und dazu aus einer alten und angesehenen Firma. Aber alle Anwälte, auch die angesehensten, sind dafür bekannt, daß sie sich an den Geldern ihrer Klienten vergreifen, wenn sie selbst in der Klemme sitzen.«

»Jetzt werden Sie meiner Meinung nach ein bißchen zu sensationslüstern, Poirot!«

»Sie glauben, daß das, was ich andeute, zu sehr einem Film ähnelt? Aber das Leben, Major Riddle, ähnelt den Filmen manchmal erstaunlich.«

»In Westshire bisher allerdings nicht«, sagte der Chief Constable. »Aber hören wir uns lieber an, was die übrigen uns noch zu erzählen haben – finden Sie nicht auch? Es wird langsam spät. Ruth Chevenix-Gore haben wir noch nicht gesprochen, und sie dürfte wahrscheinlich die wichtigste Person sein.«

»Einverstanden. Außerdem fehlt auch noch Miss Cardwell.

Vielleicht sollten wir uns zuerst mit ihr unterhalten, da es bei ihr sowieso nicht lange dauern wird, und Miss Chevenix-Gore als letzte hören.«
»Keine schlechte Idee.«

9

Bisher hatte Poirot für Susan Cardwell nur einen flüchtigen Blick übriggehabt. Jetzt betrachtete er sie aufmerksamer. Ein intelligentes Gesicht, überlegte er, nicht ausgesprochen gutaussehend, aber doch von einem Reiz, um den ein nur hübsches Mädchen sie beneiden dürfte. Ihr Haar war prachtvoll, ihr Gesicht war geschickt zurechtgemacht. Und ihre Augen waren sehr wach, wie Poirot merkte.
Nach einigen einführenden Fragen sagte Major Riddle: »Ich weiß gar nicht, wie gut Sie mit der Familie bekannt sind, Miss Cardwell?«
»Ich kenne niemanden. Hugo hat veranlaßt, daß ich eingeladen wurde.«
»Dann sind Sie also eine Bekannte von Hugo Trent?«
»Ja, genau das bin ich: Hugos Freundin.« Susan Cardwell lächelte, als sie dies ganz obenhin sagte.
»Sie kennen ihn schon länger?«
»Aber nein – seit ungefähr einem Monat.« Sie verstummte, fügte dann jedoch noch hinzu: »Übrigens wollen wir uns verloben.«
»Und er brachte Sie hierher, um Sie seinen Verwandten vorzustellen?«
»Um Himmels willen – deswegen nicht! Wir haben noch mit keinem Menschen darüber geredet. Ich bin bloß hergekommen, um mir alles einmal anzusehen! Hugo hat mir nämlich erzählt, daß es hier zuginge wie in einem Irrenhaus. Und deswegen wollte ich es mir mit eigenen Augen anschauen. Hugo, der Süße, ist zwar ein richtiger Schatz, aber Verstand hat er nicht die Spur. Außerdem war die Situation ziemlich kritisch. Keiner von uns beiden hat nämlich Geld, und der alte Sir Gervase, der Hugos einzige Hoffnung war, hatte alles darauf gesetzt, ihn mit Ruth zu verheiraten. Hugo ist ein bißchen schwach, verstehen Sie? Und deshalb bestand die Möglichkeit, daß er diesem Plan zustimmte und glaubte, sich später einmal wieder frei machen zu können.«

»Diese Idee ist Ihrer Ansicht nach nicht sehr empfehlenswert, Mademoiselle?« fragte Poirot höflich.
»Aber niemals! Immerhin bestünde doch die Möglichkeit, daß Ruth plötzlich komisch wird und eine Scheidung ablehnt oder sonst etwas. Da mache ich nicht mit. In die Kirche geht er erst, wenn ich dabei bin – vor Aufregung zitternd und mit einem Lilienstrauß im Arm.«
»Dann sind Sie also hierher gekommen, um sich alles persönlich anzusehen?«
»Ja.«
»*Eh bien!*« sagte Poirot.
»Na ja, und Hugo hat natürlich recht gehabt! Die ganze Familie spielt völlig verrückt! Ausgenommen Ruth, die vollkommen vernünftig zu sein scheint. Sie hat ihren eigenen Freund und hat für diese Heiratsidee genausowenig übrig wie ich.«
»Sprechen Sie jetzt von Mr. Burrows?«
»Von Burrows? Ach wo. Auf einen Schwindler wie den würde Ruth nie hereinfallen.«
»Wer war denn dann das Ziel ihrer Zuneigung?«
Susan Cardwell schwieg, griff nach einer Zigarette, zündete sie an und bemerkte: »Das fragen Sie sie vielleicht am besten selbst. Schließlich geht es mich nichts an.«
Major Riddle fragte: »Wann haben Sie Sir Gervase zum letztenmal gesehen?«
»Beim Tee.«
»Ist Ihnen an seinem Verhalten irgend etwas aufgefallen?«
Das Mädchen zuckte die Schultern. »Nur das übliche.«
»Was taten Sie nach dem Tee?«
»Da habe ich mit Hugo Billard gespielt.«
»Sir Gervase haben Sie danach nicht mehr gesehen?«
»Nein.«
»Und was können Sie uns über den Schuß sagen?«
»Das war ziemlich komisch. Sehen Sie – ich hatte geglaubt, es hätte zum erstenmal gegongt, beeilte mich also mit dem Umziehen, stürzte aus meinem Zimmer, dachte, es gongte bereits zum zweitenmal und rannte die Treppe hinunter. Am ersten Abend war ich eine Minute zu spät gekommen, und Hugo hatte gesagt, damit hätte ich unsere Chance bei dem Alten restlos zerstört – deswegen sauste ich also nach unten. Hugo war direkt vor mir, und dann kam von irgendwoher ein ganz komischer Knall, und Hugo sagte, das wäre ein Sektkorken gewesen,

aber Snell sagte nein, und meiner Ansicht nach war es auch gar nicht im Speisezimmer gewesen. Miss Lingard meinte, es wäre oben gewesen, aber dann kamen wir überein, daß es sicherlich eine Fehlzündung gewesen wäre, gingen dann langsam ins Wohnzimmer und dachten nicht mehr darüber nach.«

»Es ist Ihnen also überhaupt nicht der Gedanke gekommen, Sir Gervase könnte sich erschossen haben?« fragte Poirot.

»Aber ich bitte Sie – wer denkt denn schon an so etwas! Dem alten Herrn schien es doch einen Mordsspaß zu machen, überall das letzte Wort zu haben. Daß er so etwas tun könnte, wäre mir niemals eingefallen. Und ich kann mir auch nicht erklären, warum er es getan hat. Wahrscheinlich doch wohl, weil er verrückt war.«

»Ein unglücklicher Vorfall.«

»Sehr – besonders für Hugo und mich. Ich kann mir vorstellen, daß er Hugo nichts oder doch fast nichts vererbt hat.«

»Wer hat Ihnen das gesagt?«

»Hugo hat es vom alten Forbes.«

»Ja, Miss Cardwell ...« Major Riddle schwieg einen Moment. »Ich glaube, das ist alles. Meinen Sie, daß Miss Chevenix-Gore in der Lage sein wird, zu uns herunter zu kommen?«

»Das glaube ich schon. Ich werde ihr Bescheid sagen.«

Poirot unterbrach sie. »Einen Moment noch, Mademoiselle. Haben Sie das hier schon irgendwann einmal gesehen?«

Er hielt ihr Colonel Burys Bleistift hin.

»Aber ja, heute nachmittag beim Bridge haben wir damit geschrieben. Ich glaube, er gehört dem alten Colonel.«

»Hat er ihn eingesteckt, als das Spiel zu Ende war?«

»Das kann ich Ihnen wirklich nicht sagen.«

»Vielen Dank, Mademoiselle. Das war alles.«

»Schön, dann sage ich jetzt Ruth Bescheid.«

Ruth Chevenix-Gore betrat das Zimmer wie eine Königin. Ihre Farben waren lebhaft, ihr Kopf war hoch aufgerichtet. Aber ihre Augen waren, wie die Susan Cardwells, sehr wachsam. Sie trug dasselbe Kleid wie bei Poirots Ankunft. Es hatte die blasse Farbe einer Aprikose. An ihre Schulter hatte sie eine lachsfarbene Rose gesteckt. Noch vor einer Stunde war diese Blume frisch und voll erblüht gewesen; jetzt fing sie an zu welken.

»Ja?« sagte Ruth.

»Es tut mir außerordentlich leid, Sie belästigen zu müssen«, begann Major Riddle.

Sie unterbrach ihn.
»Es ist doch nur natürlich, daß Sie mich belästigen müssen. Das haben Sie doch bei allen anderen auch gemußt. Aber ich kann Ihnen Zeit sparen: Ich habe nicht die leiseste Idee, warum der Alte sich erschossen hat. Ich kann Ihnen nur sagen, daß ihm gerade das überhaupt nicht ähnlich sah.«
»Ist Ihnen an seinem Verhalten heute irgend etwas merkwürdig vorgekommen? War er deprimiert, oder ungewöhnlich erregt – ist Ihnen irgend etwas Ungewohntes an ihm aufgefallen?«
»Das glaube ich nicht. Ich habe nichts bemerkt ...«
»Wann haben Sie ihn zum letztenmal gesehen?«
»Beim Tee.«
»Sind Sie danach noch in seinem Arbeitszimmer gewesen?« fiel Poirot ein.
»Nein. Zum letztenmal habe ich ihn in diesem Zimmer gesehen. Er saß dort drüben.«
Sie zeigte auf einen Stuhl.
»Ich verstehe. Kennen Sie diesen Bleistift, Mademoiselle?«
»Er gehört Colonel Bury.«
»Haben Sie diesen Bleistift in letzter Zeit irgendwo gesehen?«
»Das kann ich wirklich nicht genau sagen.«
»Wissen Sie irgend etwas von einer – Unstimmigkeit zwischen Sir Gervase und Colonel Bury?«
»Wegen der Paragon Synthetic Rubber Company, meinen Sie?«
»Ja.«
»Doch. Der Alte war darüber ziemlich wütend.«
»Glaubte er vielleicht, beschwindelt worden zu sein?«
Ruth zuckte die Schultern.
»Von finanziellen Dingen hatte er nicht die geringste Ahnung.«
»Darf ich Ihnen eine Frage stellen, Mademoiselle – eine etwas impertinente Frage?«
»Bitte, wenn Sie wollen.«
»Es handelt sich – tut es Ihnen leid, daß Ihr – Vater tot ist?«
Sie starrte ihn an.
»Natürlich tut es mir leid. In Tränen zerfließen tue ich zwar nicht gerade. Aber ich werde ihn vermissen ... Ich habe ihn sehr gern gemocht, den Alten. So haben wir, Hugo und ich, ihn immer genannt. Der Alte – wissen Sie, das stammt noch aus primitiven Zeiten, als wir vom Affen abstammten, und hat einen so schön patriarchalischen Klang. Es klingt zwar respektlos, aber trotzdem steckt in Wirklichkeit eine Menge Zuneigung

dahinter. Natürlich war er eigentlich der kompletteste und dümmste alte Esel, der je gelebt hat!«
»Das interessiert mich, Mademoiselle.«
»Der Alte hatte das Gehirn einer Laus! Es tut mir leid, daß ich es aussprechen muß, aber es stimmt. Er war unfähig, mit seinem Kopf irgend etwas zu leisten. Vergessen Sie dabei nicht, daß er eine Persönlichkeit war – phantastisch tapfer und so weiter! Es machte ihm nichts aus, zum Pol zu fahren oder sich zu duellieren. Ich habe mir immer vorgestellt, daß er sich nur so aufplusterte, weil er genau wußte, daß mit seinem Kopf nicht viel los war. In diesem Punkt war er jedem anderen glatt unterlegen.«
Poirot zog den Brief aus der Tasche.
»Lesen Sie das, Mademoiselle.«
Sie las den Brief und gab ihn dann zurück.
»Deshalb sind Sie also hierhergekommen!«
»Sagt er Ihnen irgend etwas – dieser Brief?«
Sie schüttelte den Kopf.
»Nein. Wahrscheinlich stimmt es, was er schreibt. Diesen armen alten Mann hätte jeder betrügen können. John meint, der vorige Verwalter hätte ihn von hinten und von vorn begaunert. Wissen Sie – der Alte war so großartig und hochtrabend, daß er sich nie dazu herabließ, auf Einzelheiten zu achten! Gauner wurden von ihm förmlich angezogen.«
»Das Bild, Mademoiselle, das Sie schildern, unterscheidet sich erheblich von dem sonstigen.«
»Gott, ja – er verstand es ziemlich gut, sich zu tarnen. Vanda, meine Mutter, unterstützte ihn noch mit allen Kräften darin. Er war so glücklich, wenn er überall herumstakste und so tat, als wäre er Gott der Allmächtige. Das ist auch der Grund, daß ich in gewisser Weise über seinen Tod froh bin. Für ihn ist es so am besten.«
»Leider kann ich Ihnen nicht ganz folgen, Mademoiselle.«
Grübelnd sagte Ruth: »Es machte sich immer mehr bemerkbar bei ihm. Irgendwann hätte man ihn einsperren müssen ... Die Leute fingen schon an, darüber zu reden.«
»Wußten Sie, Mademoiselle, daß er sich mit der Absicht trug, ein neues Testament aufzusetzen, nach dem Sie sein Vermögen nur erben sollten, wenn Sie Mr. Trent heirateten?«
»Das ist doch albern!« rief sie. »Außerdem hätte man es bestimmt anfechten können ... Man kann den Leuten doch bestimmt nicht einfach vorschreiben, wen sie heiraten sollen!«

»Hätten Sie sich einem derartigen Testament unterworfen, Mademoiselle, wenn es tatsächlich unterschrieben worden wäre?«
Sie starrte vor sich hin. »Ich . . .«
Sie unterbrach sich. Zwei oder drei Minuten lang saß sie unentschlossen da und schaute auf ihren wippenden Pumps hinunter. Ein kleiner Erdbrocken löste sich vom Absatz des Schuhes und fiel auf den Teppich.
Plötzlich sagte Ruth Chevenix-Gore: »Warten Sie einen Moment!«
Sie stand auf und lief hinaus. Fast unmittelbar darauf kehrte sie wieder zurück, begleitet von Captain Lake.
»Es ist herausgekommen«, sagte sie ziemlich atemlos. »Dann sollen Sie es also auch wissen. John und ich haben vor drei Wochen in London geheiratet.«

10

Den verwirrteren Eindruck von den beiden machte Captain Lake.
»Das ist allerdings eine große Überraschung, Miss Chevenix-Gore – Mrs. Lake, muß ich jetzt wohl sagen«, meinte Major Riddle. »Hat kein Mensch über Ihre Heirat Bescheid gewußt?«
»Nein. Wir haben es geheimgehalten. John gefiel es zwar ganz und gar nicht.«
Lake sagte, und dabei stotterte er ein bißchen: »Ich – ich weiß, daß es eine ziemlich unmögliche Art und Weise ist, wie wir das Problem gelöst haben. An sich hätte ich lieber direkt zu Sir Gervase gehen sollen . . .«
Ruth unterbrach ihn.
»Und ihm erzählen sollen, du wolltest seine Tochter heiraten, damit er dir aller Wahrscheinlichkeit nach einen Tritt versetzt hätte und ich enterbt worden wäre, und er hätte das Haus in eine Hölle verwandelt, und wir hätten uns immer wieder vorreden können, wie anständig wir uns doch aufgeführt hätten! Glaube mir – so war es besser! Geschehen ist geschehen. Es hätte zwar trotzdem einen gewaltigen Aufruhr gegeben – aber schließlich hätte er sich damit abfinden müssen.«
Lake machte immer noch ein unglückliches Gesicht.
»Wann hatten Sie die Absicht, Sir Gervase diese Neuigkeit mitzuteilen?« fragte Poirot.

»Ich wollte ihn langsam darauf vorbereiten«, erwiderte Ruth. »John und mir gegenüber war er schon ziemlich mißtrauisch geworden, und deshalb tat ich, als richtete sich meine Aufmerksamkeit auf Godfrey. Natürlich fiel er auch prompt darauf herein. Ich hatte mir ausgerechnet, daß die Nachricht, ich sei inzwischen mit John verheiratet, unter diesen Umständen eine große Erleichterung für ihn bedeutet hätte!«

»Hat denn wirklich kein Mensch erfahren, daß Sie geheiratet haben?«

»Doch – Vanda habe ich es schließlich erzählt. Ich wollte sie auf meine Seite ziehen.«

»Und ist Ihnen das gelungen?«

»Ja. Wissen Sie – sie legte keinen allzu großen Wert darauf, daß ich Hugo heiratete – ich glaube, weil er mein Vetter ist. Sie fand anscheinend, weil die Familie schon jetzt so verrückt war, daß wir wahrscheinlich doch nur völlig verrückte Kinder haben würden. Vielleicht war das albern, weil ich doch nur adoptiert bin – verstehen Sie? Soviel ich weiß, bin ich das Kind irgendeines entfernten Vetters.«

»Sie sind überzeugt, daß Sir Gervase von der Wahrheit nichts ahnte?«

»Nein, bestimmt nicht.«

»Ist das wahr, Captain Lake?« sagte Poirot. »Bei Ihrer Unterhaltung mit Sir Gervase heute nachmittag – wissen Sie ganz genau, daß dieses Thema nicht erwähnt wurde?«

»Nein, Sir. Es wurde nicht erwähnt.«

»Wissen Sie, Captain Lake, gewisse Beweise deuten darauf hin, daß Sir Gervase nach Ihrem Besuch äußerst erregt war und daß er nicht nur einmal von einer Familienschande sprach.«

»Das Thema wurde zwischen uns nicht erwähnt«, wiederholte Lake. Sein Gesicht war sehr blaß geworden.

»Wann haben Sie Sir Gervase eigentlich zum letztenmal gesehen? Bei dieser Besprechung?«

»Ja. Das habe ich bereits gesagt.«

»Und wo waren Sie heute abend um acht Minuten nach acht?«

»Wo ich war? Zu Hause. Am Ausgang des Dorfes, ungefähr eine halbe Meile von hier entfernt.«

»Und Sie sind zu diesem Zeitpunkt nicht in die Nähe von Hamborough Close gekommen?«

»Nein.«

Poirot wandte sich an das Mädchen.

»Wo waren Sie, Mademoiselle, als Ihr Vater sich erschoß?«
»Im Garten.«
»Im Garten? Haben Sie vielleicht den Schuß gehört?«
»Ja – doch! Aber ich habe mich nicht besonders darum gekümmert. Ich dachte, es wäre vielleicht jemand, der Jagd auf Kaninchen machte, obgleich mir jetzt wieder einfällt, daß ich den Eindruck hatte, der Schuß müßte ganz in der Nähe gefallen sein.«
»Sie kehrten dann ins Haus zurück – auf welchem Weg?«
»Ich stieg durch das Fenster.«
Mit einer Drehung ihres Kopfes deutete Ruth auf das Fenster, das sich hinter ihr befand.
»War irgend jemand hier?«
»Nein. Aber Hugo, Susan und Miss Lingard kamen fast im selben Moment aus der Halle hier herein. Sie sprachen von Schüssen und Mord und solchen Sachen.«
»Ich verstehe«, sagte Poirot. »Ja, ich glaube, ich begreife jetzt ...«
Ziemlich zweifelnd sagte Major Riddle: »Ja – äh – ich danke Ihnen. Im Augenblick dürfte das wohl alles sein.«
Ruth und ihr Mann wandten sich um und verließen das Zimmer.
»Zum Teufel noch mal ...« begann Major Riddle und schloß einigermaßen hoffnungslos: »Es wird immer schwieriger, dieser Sache auf die Spur zu kommen.«
Poirot nickte. Er hatte den kleinen Erdklumpen aufgehoben, der von Ruths Schuh herabgefallen war, und hielt ihn nachdenklich in der Hand.
»Es ist ähnlich wie mit dem zersplitterten Spiegel an der Wand«, sagte er. »Wie mit dem Spiegel des Toten. Jede neue Tatsache, auf die wir stoßen, zeigt uns den Toten aus einem völlig anderen Blickwinkel. Aus jeder nur vorstellbaren Richtung wird er widergespiegelt. Nicht mehr lange, und wir besitzen ein vollständiges Bild ...«
Er erhob sich und ließ den kleinen Erdklumpen sorgfältig in den Papierkorb fallen.
»Eines will ich Ihnen sagen, mein Freund. Die Lösung des ganzen Geheimnisses ist der Spiegel. Gehen Sie in das Arbeitszimmer und sehen Sie selbst nach, wenn Sie mir nicht glauben.«
Entschlossen sagte Major Riddle: »Wenn es Mord war, liegt es bei Ihnen, es auch zu beweisen. Wenn Sie mich fragen – ich

behaupte nachdrücklich, daß es Selbstmord war. Ist Ihnen aufgefallen, daß das Mädchen sagte, ein früherer Verwalter hätte den alten Gervase betrogen? Ich wette, daß Lake dieses Märchen in die Welt gesetzt hat, um es für seine Zwecke auszunutzen. Wahrscheinlich hat er ein bißchen in die Kasse gegriffen, Sir Gervase hat Verdacht geschöpft und hat Sie kommen lassen, weil er nicht wußte, wie weit die Dinge zwischen Lake und Ruth inzwischen gediehen waren. Heute nachmittag hat Lake ihm dann erzählt, daß sie verheiratet wären. Das hat Gervase den Rest gegeben. Jetzt war es ›zu spät‹, um noch irgend etwas zu unternehmen. Er beschloß, mit allem Schluß zu machen. Genaugenommen war sein Verstand, der selbst zu besten Zeiten nicht allzu gut ausbalanciert war, dem nicht gewachsen. So muß es meiner Ansicht nach gewesen sein. Was haben Sie dagegen einzuwenden?«

Poirot stand reglos in der Mitte des Zimmers.

»Was ich dagegen einzuwenden habe? Folgendes: Gegen Ihre Theorie habe ich nichts einzuwenden – nur geht sie nicht weit genug. Es gibt bestimmte Dinge, die Sie dabei nicht berücksichtigt haben.«

»Beispielsweise?«

»Die Diskrepanzen in Sir Gervases Stimmung heute, das Auffinden von Colonel Burys Bleistift, die Aussage von Miss Cardwell – die sehr wichtig ist –, die Aussagen von Miss Lingard über die Reihenfolge, in der die Hausbewohner zum Abendessen herunter kamen, die Stellung von Sir Gervases Stuhl, als er aufgefunden wurde, die Papiertüte, in der sich Apfelsinen befunden hatten, und schließlich der so eminent wichtige Anhaltspunkt: der zersplitterte Spiegel.«

Major Riddle starrte ihn an.

»Wollen Sie mir etwa weismachen, daß dieser ganze Quatsch einen Sinn ergibt?« fragte er.

Sanft erwiderte Poirot: »Ich hoffe, das genau festzustellen – bis morgen.«

11

Es war kurz nach dem Anbruch der Dämmerung, als Poirot am folgenden Morgen aufwachte. Man hatte ihm ein Schlafzimmer auf der Ostseite des Hauses gegeben.

Nachdem er aufgestanden war, zog er den Fenstervorhang bei-

seite und stellte zufrieden fest, daß nicht nur die Sonne aufgegangen war, sondern daß ein herrlicher Morgen anbrach.
Er begann, sich mit der üblichen peinlichen Sorgfalt anzukleiden. Nachdem er damit fertig war, hüllte er sich in einen dicken Mantel und band sich einen Schal um den Hals.
Dann verließ er auf Zehenspitzen sein Zimmer und schlich durch das stille Haus bis zum Wohnzimmer. Geräuschlos öffnete er die bis zum Boden reichenden Fenster und kletterte in den Garten hinaus.
Die Sonne stieg jetzt am Himmel hoch. Die Luft war feucht wie an jedem schönen Morgen. Hercule Poirot folgte dem mit Platten ausgelegten Weg, der um das Haus herumführte, bis er zu den Fenstern von Sir Gervases Arbeitszimmer kam. Hier blieb er stehen und sah sich genau um.
Unmittelbar unter den Fenstern befand sich ein Grasstreifen, der parallel zum Haus verlief. Vor dem Rasenstreifen lag eine breite, mit Blumen bepflanzte Einfassung. Die Herbstastern boten immer noch einen großartigen Anblick. Und vor der Einfassung verlief der Plattenweg, auf dem Poirot jetzt stand. Von dem Grasstreifen hinter der Einfassung führte ein mit Gras bewachsener Weg zur Terrasse. Poirot betrachtete ihn aufmerksam und schüttelte den Kopf. Dann wandte er seine Aufmerksamkeit den Einfassungen auf beiden Seiten des Grasstreifens zu. Ganz langsam nickte er. Auf der rechten Einfassung waren in dem feuchten Erdboden deutlich Fußabdrücke zu erkennen.
Als er mit gerunzelter Stirn auf sie hinunterschaute, traf ein Geräusch seine Ohren, und sofort hob er den Kopf. Über ihm war ein Fenster aufgestoßen worden. Er sah einen Kopf mit zerzausten roten Haaren. Umgeben von einem rotgoldenen Schimmer, erkannte er das intelligente Gesicht Susan Cardwells.
»Was um Himmels willen machen Sie denn um diese Zeit da unten, Monsieur Poirot? Sind Sie auf Spurensuche?«
Poirot verneigte sich mit äußerster Korrektheit.
»Guten Morgen, Mademoiselle. Ja, es ist, wie Sie sagen. Sie sehen im Augenblick einen Detektiv – einen großen Detektiv, möchte ich beinahe sagen – bei der Aufklärung eines Falles.«
Diese Bemerkung war ein wenig allzu deutlich. Susan legte den Kopf auf die Seite.
»Das muß ich unbedingt in meinen Memoiren erwähnen«, bemerkte sie. »Soll ich hinunterkommen und Ihnen helfen?«
»Ich würde enchantiert sein.«

»Zuerst habe ich Sie vorhin für einen Einbrecher gehalten. Wie sind Sie hinausgekommen?«
»Durch das Fenster im Wohnzimmer.«
»Warten Sie eine Minute – ich bin sofort unten.«
Und sie hielt Wort. Allem Anschein nach hatte Poirot sich inzwischen nicht vom Fleck gerührt.
»Sie sind schon sehr früh aufgewacht, Mademoiselle?«
»Ich habe auch nicht richtig schlafen können. Und ich fühlte mich so grenzenlos elend, wie man sich um fünf Uhr morgens immer fühlt.«
»Aber ganz so früh ist es doch nicht mehr!«
»Aber man hat das Gefühl! Also, mein Super-Fährtenleser, was suchen wir?«
»Sehen Sie genau hin, Mademoiselle – Fußabdrücke.«
»Tatsächlich.«
»Und zwar vier«, fuhr Poirot fort. »Passen Sie auf, ich werde sie Ihnen genau zeigen. Zwei führen zum Fenster hin, zwei kommen vom Fenster her.«
»Und zu wem gehören sie? Zum Gärtner?«
»Mademoiselle, Mademoiselle! Diese Fußabdrücke stammen von den kleinen, zierlichen und hochhackigen Schuhen einer Frau. Sehen Sie selbst – überzeugen Sie sich. Treten Sie bitte einmal auf den Erdboden neben die Abdrücke.«
Susan zögerte eine Minute; dann stellte sie einen Fuß vorsichtig auf jene Stelle des Erdbodens, auf die Poirot gezeigt hatte. Sie trug kleine hochhackige Pumps aus dunkelbraunem Leder.
»Sehen Sie – Ihr Abdruck ist fast genauso groß. Fast, aber nicht ganz. Diese hier stammen von einem etwas längeren Fuß als Ihrem. Vielleicht von Miss Chevenix-Gore – oder Miss Lingard – oder sogar von Lady Chevenix-Gore.«
»Bestimmt nicht von Lady Chevenix-Gore – sie hat winzige Füße. Damals machten die Leute – damals gelang es ihnen, kleine Füße zu bekommen, meine ich. Und Miss Lingard trägt komische Treter mit flachen Absätzen.«
»Dann sind es die Abdrücke von Miss Chevenix-Gore. Ach ja, ich erinnere mich, daß sie erwähnte, gestern Abend noch einmal im Garten gewesen zu sein.«
Vor ihr her ging er um das Haus zurück.
»Suchen wir immer noch nach Spuren?« fragte Susan.
»Aber gewiß doch. Wir begeben uns jetzt in Sir Gervases Arbeitszimmer.«

Er ging voraus. Sie folgte ihm.
Die Tür hing immer noch traurig in ihren Angeln. Das Zimmer selbst war genauso wie am vorigen Abend. Poirot zog die Vorhänge beiseite und ließ das Tageslicht herein.
Eine Weile blieb er am Fenster stehen und blickte auf die Einfassung hinunter. Schließlich sagte er: »Mit Einbrechern, Mademoiselle, haben Sie wohl kaum Bekanntschaft?«
Bedauernd schüttelte Susan Cardwell den Kopf.
»Leider nicht, Monsieur Poirot.«
»Auch der Chief Constable genießt nicht den Vorzug, freundschaftliche Beziehungen mit ihnen zu unterhalten. Sein Kontakt mit den verbrecherischen Schichten ist immer streng offiziell gewesen. Bei mir ist das anders. Ich hatte einmal mit einem Einbrecher eine äußerst angenehme Unterhaltung. Dabei erfuhr ich interessante Einzelheiten über diese bis zum Boden reichenden Fenster – einen Trick, den man anwenden kann, wenn der Riegel genügend locker ist.«
Während er dies sagte, drehte er am Griff des linken Fensters. Die Verriegelungsstange kam aus dem im Fußboden befindlichen Loch, und Poirot konnte die beiden Fensterflügel nach innen öffnen. Anschließend schloß er sie wieder – allerdings ohne am Griff zu drehen, so daß sie nicht verriegelt waren. Dann ließ er den Griff los, wartete einen Moment und schlug schließlich mit der Faust kräftig gegen den oberen Teil des Fensterrahmens, in welchem die Verriegelungsstange verlief. Durch die Erschütterung rutschte die Stange nach unten und in das Loch im Fußboden – der Griff drehte sich dabei von selbst.
»Haben Sie gesehen, Mademoiselle?«
Susan war ziemlich blaß geworden.
»Das Fenster ist jetzt geschlossen. Es ist unmöglich, einen Raum zu betreten, wenn das Fenster verriegelt ist; nicht unmöglich ist es jedoch, den Raum zu verlassen, die Flügel von außen zuzuziehen, dann gegen den Rahmen zu schlagen, wie ich es eben tat, und das Fenster dadurch fest zu verriegeln. Das Fenster ist geschlossen, und wer es sieht, behauptet, es sei von innen geschlossen worden.«
»Und das ...« Susans Stimme zitterte ein wenig, »... das ist gestern abend passiert?«
»Vermutlich, Mademoiselle!«
Heftig sagte Susan: »Nicht ein einziges Wort glaube ich davon!«

Poirot erwiderte nichts. Er ging zum Kaminsims hinüber. Dann fuhr er herum.
»Mademoiselle, ich brauche Sie jetzt als Zeugin. Einen Zeugen habe ich bereits – Mr. Trent. Er sah, wie ich gestern abend diesen winzigen Splitter Spiegelglas entdeckte. Ich habe es ihm gesagt. Wegen der Polizei habe ich den Splitter gelassen, wo ich ihn fand. Ich habe sogar dem Chief Constable gesagt, daß der zersplitterte Spiegel ein wertvoller Hinweis sei. Aber der Chief Constable hat meine Andeutung nicht verwertet. Sie sind jetzt Zeugin, daß ich diesen Splitter aus Spiegelglas – auf den ich, wie Sie wissen, schon Mr. Trents Aufmerksamkeit lenkte – in einen kleinen Umschlag tue. So!« Er ließ seinen Worten sofort die Tat folgen. »Und jetzt schreibe ich es noch darauf – so – und klebe den Umschlag zu. Sie waren Zeugin, Mademoiselle?«
»Ja – aber – aber ich weiß doch gar nicht, was es zu bedeuten hat?«
Poirot ging zur anderen Seite des Zimmers. Vor dem Schreibtisch blieb er stehen und starrte auf den zersplitterten Spiegel, der vor ihm an der Wand hing.
»Ich will Ihnen sagen, was es zu bedeuten hat, Mademoiselle. Wenn Sie gestern abend hier gestanden und in den Spiegel geblickt hätten, hätten sie in ihm sehen können, wie ein Mord begangen wurde ...«

12

An diesem Tag ihres Lebens kam Ruth Chevenix-Gore – jetzt Ruth Lake – sehr zeitig zum Frühstück herunter. Hercule Poirot hielt sich in der Halle auf und nahm sie beiseite, bevor sie das Speisezimmer betrat.
»Ich hätte Sie gern etwas gefragt, Madame.«
»Ja?«
»Sie waren gestern abend im Garten. Sind Sie irgendwann auf das Blumenbeet vor dem Fenster von Sir Gervases Arbeitszimmer getreten?«
Ruth schaute ihn an.
»Ja – zweimal.«
»Aha. Zweimal also. Wieso gleich zweimal?«
»Beim erstenmal habe ich Herbstastern geschnitten. Das war gegen sieben Uhr.«

»War das nicht eine ziemlich ungewöhnliche Tageszeit, um Blumen zu schneiden?«

»Ja – das war es genaugenommen schon. Ich hatte gestern vormittag frische Blumen geholt, aber nach dem Tee meinte Vanda, die Blumen auf dem Tisch des Speisezimmers wären nicht mehr schön genug. Ich hatte gedacht, sie wären noch in Ordnung, und deswegen hatte ich sie nicht erneuert.«

»Ihre Mutter bat Sie also, frische Blumen zu holen? Ist das richtig?«

»Ja. Deswegen ging ich kurz vor sieben noch einmal hinaus. Ich holte die Blumen von diesem Teil des Beetes, weil kaum jemand dorthin kommt und es daher nichts ausmacht, wenn dort ein paar Astern weggenommen werden.«

»Schön, schön! Aber das zweitemal. Sie gingen noch ein zweites Mal dorthin, sagten Sie?«

»Das war kurz vor dem Abendessen. Mir war ein Tropfen Brillantine auf das Kleid gefallen – genau auf die Schulter. Und ich hatte keine Lust, mich noch einmal umzuziehen; andererseits paßte keine meiner künstlichen Blumen zu dem Gelbrot des Kleides. Dann fiel mir ein, daß ich beim Schneiden der Astern eine späte Rose gesehen hatte, und deshalb lief ich schnell hinaus, schnitt sie ab und steckte sie an meine Schulter.«

Poirot nickte bedächtig.

»Ja, ich erinnere mich, daß Sie gestern abend eine Rose angesteckt hatten. Um welche Zeit, Madame, holten Sie sich die Rose?«

»Das weiß ich wirklich nicht.«

»Aber es ist wesentlich, Madame. Überlegen Sie – denken Sie genau nach ...«

Ruth zog die Stirne kraus. Sie blickte Poirot flüchtig an und schaute dann wieder weg.

»Genau kann ich es nicht sagen«, meinte sie schließlich. »Es muß – ja, natürlich – um ungefähr fünf Minuten nach acht muß es gewesen sein. Als ich nämlich wieder zurückging, hörte ich den Gong, und dann diesen komischen Knall. Ich beeilte mich noch, weil ich dachte, es hätte schon zum zweitenmal gegongt – und nicht erst zum erstenmal.«

»Aha, das dachten Sie dabei – und machten Sie sich nicht am Fenster des Arbeitszimmers zu schaffen, als Sie in dem Blumenbeet standen?«

»Das habe ich tatsächlich. Ich dachte, es wäre vielleicht offen, so daß ich auf diesem Weg schneller wieder ins Haus gekommen wäre. Aber es war verriegelt.«

»Damit wäre alles erklärt. Ich gratuliere Ihnen, Madame.«

Sie starrte ihn an.

»Was soll das heißen?«

»Weil Sie für alles eine Erklärung haben: für die Erde an Ihren Schuhen, für Ihre Schuhabdrücke im Blumenbeet und für Ihre Fingerabdrücke an der Außenseite des Fensters. Es paßt alles ausgezeichnet zusammen.«

Noch ehe Ruth antworten konnte, kam Miss Lingard eilig die Treppe herunter. Auf ihren Wangen lag eine seltsame dunkle Röte, und sie machte einen leicht verwirrten Eindruck, als sie Poirot und Ruth nebeneinander stehen sah.

»Verzeihen Sie«, sagte sie. »Ist etwas los?«

Ärgerlich sagte Ruth: »Ich glaube, Monsieur Poirot ist verrückt geworden!«

Sie drängte sich an den beiden vorbei und verschwand im Speisezimmer. Miss Lingard wandte Poirot ein erstauntes Gesicht zu.

Er schüttelte den Kopf.

»Nach dem Frühstück«, sagte er, »werde ich alles erklären. Ich möchte gern, daß alle sich um zehn Uhr in Sir Gervases Arbeitszimmer einfinden.«

Er wiederholte seine Bitte, als er das Speisezimmer betrat.

Susan Cardwell warf ihm einen flüchtigen Blick zu und sah dann zu Ruth hinüber. Als Hugo »Wieso? Was ist denn los?« sagte, versetzte sie ihm einen kräftigen Stoß in die Seite, und gehorsam schwieg er.

Als Poirot das Frühstück beendet hatte, erhob er sich und ging zur Tür. Er drehte sich noch einmal um und zog eine große altmodische Uhr hervor.

»Es ist fünf vor zehn. In fünf Minuten also – im Arbeitszimmer.«

Poirot blickte sich um. Ein Kreis interesssierter Gesichter erwiderte seinen Blick. Jeder war gekommen, stellte er fest – mit einer einzigen Ausnahme; und im gleichen Augenblick betrat die Ausnahme auch schon das Zimmer. Mit leisen gleitenden Schritten kam Lady Chevenix-Gore herein. Sie sah verhärmt und elend aus.

Poirot schob einen der schweren Sessel für sie zurecht, und sie setzte sich.

Sie sah den zersplitterten Spiegel an, erschauerte und schob ihren Sessel ein wenig herum.
»Gervase ist immer noch hier«, sagte sie in sachlichem Ton. »Armer Gervase ... Aber bald wird er frei sein.«
Poirot räusperte sich und erklärte: »Ich habe Sie alle gebeten, hierher zu kommen, damit Sie die wahren Tatsachen über Sir Gervases Selbstmord erfahren.«
»Es war Schicksal«, sagte Lady Chevenix-Gore. »Gervase war stark, aber sein Schicksal war stärker.«
Colonel Bury drängte sich nach vorn.
»Vanda – Liebe.«
Sie lächelte zu ihm auf, hob dann ihre Hand zu ihm hoch. Er ergriff sie. »Du bist wirklich ein Trost für mich, Ned«, sagte sie sanft.
Mit scharfer Stimme sagte Ruth: »Wollen Sie damit sagen, Monsieur Poirot, daß Sie den Grund für den Selbstmord meines Vaters festgestellt haben?«
Poirot schüttelte den Kopf.
»Nein, Madame.«
»Was soll denn dann dieser ganze Unsinn?«
Ruhig sagte Poirot: »Den Grund für den Selbstmord von Sir Gervase Chevenix-Gore kenne ich nicht, weil Sir Gervase Chevenix-Gore nicht Selbstmord verübte! Er hat sich nicht selbst umgebracht. Er wurde vielmehr ermordet ...«
»Ermordet?« Verschiedene Stimmen wiederholten dieses Wort. Verblüffte Gesichter wandten sich Poirot zu. Lady Chevenix-Gore blickte auf, sagte: »Ermordet? O nein!« und schüttelte leicht den Kopf.
»Umgebracht, sagten Sie?« Hugo war es, der jetzt sprach. »Unmöglich! Als wir die Tür aufbrachen, befand sich niemand im Zimmer. Die Tür war von innen abgeschlossen, und der Schlüssel steckte in der Tasche meines Onkels. Wie könnte er also ermordet worden sein?«
»Trotzdem ist er ermordet worden.«
»Und der Mörder entwischte dann vermutlich durch das Schlüsselloch?« sagte Colonel Bury skeptisch. »Oder flog durch den Kamin davon?«
»Der Mörder«, sagte Poirot, »verschwand durch das Fenster. Wie, das werde ich Ihnen jetzt zeigen.«
Er wiederholte den Trick mit dem Fenster.
»Haben Sie es gesehen?« sagte er. »Auf diese Weise wurde es

gemacht. Von Anfang an hielt ich es für unwahrscheinlich, daß Sir Gervase Selbstmord verübt haben sollte. Er litt an ausgesprochener Egomanie, und ein solcher Mann bringt sich nicht um.

Hinzu kamen noch andere Dinge! Offenbar hatte Sir Gervase sich kurz vor seinem Tod an diesen Schreibtisch gesetzt, das Wort SORRY auf einen Bogen gekritzelt und sich dann erschossen. Vor seiner letzten Handlung hatte er jedoch aus irgendeinem Grund die Stellung seines Stuhles verändert und ihn so gedreht, daß er mit der Seite zum Schreibtisch zeigte. Warum? Dafür mußte er doch irgendeinen Grund haben? Ich begann etwas klarer zu sehen, als ich am Fuß einer schweren Bronzefigur einen winzigen Splitter Spiegelglas entdeckte ...

Ich stellte mir die Frage: Wie kommt dieser Glassplitter dorthin? Die Antwort drängte sich mir von selbst auf. Der Spiegel war zerschmettert worden, aber nicht von einem Geschoß, sondern durch einen Schlag mit einer schweren Bronzefigur. Der Spiegel war vorsätzlich zerschlagen worden.

Aber warum? Ich kehrte zum Schreibtisch zurück und blickte auf den Stuhl hinunter. Ja – jetzt sah ich es. Alles war völlig falsch. Kein Selbstmörder würde seinen Stuhl herumrücken, sich weit über die Armlehne beugen und sich dann erschießen. Das Ganze war arrangiert. Der Selbstmord war vorgetäuscht!

Und jetzt komme ich zu einem sehr wichtigen Punkt. Zur Aussage von Miss Cardwell. Miss Cardwell sagte, sie wäre gestern abend nach unten gelaufen, weil sie geglaubt hätte, es wäre schon zum zweitenmal gegongt worden. Das bedeutet, daß sie glaubte, sie hätte den Gong bereits vorher gehört.

Beachten Sie jetzt bitte, wohin das Geschoß geflogen wäre, wenn Sir Gervase in normaler Haltung am Tisch gesessen hätte, als er erschossen wurde. Da es eine gerade Linie beschreibt, wäre es bei geöffneter Tür durch den Türrahmen geflogen und hätte dann den Gong getroffen!

Erkennen Sie jetzt die Wichtigkeit von Miss Cardwells Aussage? Niemand sonst hatte den Gong beim erstenmal gehört, aber da Miss Cardwells Zimmer unmittelbar über diesem hier liegt, befand sie sich in der günstigsten Lage, den Gong zu hören. Und vergessen Sie nicht, daß der Gong durch das Geschoß nur ein einziges Mal ertönte.

Es bestand damit also nicht der geringste Zweifel mehr, daß Sir Gervase sich nicht selbst erschossen hatte. Ein Toter kann nicht aufstehen, die Tür schließen, sie zusperren und sich dann in die entsprechende Position setzen! Irgend jemand anderes hatte seine Hand im Spiel, und daher war es nicht Selbstmord, sondern Mord. Irgend jemand, dessen Gegenwart von Sir Gervase hingenommen wurde, hatte neben ihm gestanden und mit ihm gesprochen. Sir Gervase hatte geschrieben – vielleicht! Der Mörder hält die Pistole an die rechte Seite seines Kopfes und drückt ab. Es ist geschehen! Also schnell an die Arbeit! Der Mörder streift sich Handschuhe über. Die Tür wird abgeschlossen, der Schlüssel wird Sir Gervase in die Tasche gesteckt. Aber angenommen, irgend jemand hat den Gong gehört? Dann wird man merken, daß die Tür bei der Abgabe des Schusses nicht geschlossen war, sondern offenstand! Also wird der Stuhl herumgedreht, die Leiche anders hingesetzt, die Finger des Toten gegen die Pistole gedrückt und der Spiegel überlegt zerschlagen. Dann verläßt der Mörder das Zimmer durch das Fenster, zieht die Flügel hinter sich zu, tritt nicht auf das Gras, sondern geht über das Blumenbeet, wo die Fußspuren später leicht beseitigt werden können, läuft um das Haus herum und klettert ins Wohnzimmer.«

Er schwieg einen Augenblick.

»Nur eine einzige Person befand sich draußen im Garten, als der Schuß fiel. Diese Person hinterließ Fußabdrücke auf dem Blumenbeet und Fingerabdrücke an der Außenseite des Fensters.«

Er näherte sich Ruth.

»Und ein Motiv gab es auch, nicht wahr? Ihr Vater hatte erfahren, daß Sie heimlich geheiratet hatten. Er bereitete die entsprechenden Maßnahmen vor, um Sie zu enterben.«

»Das ist gelogen!« Ruths Stimme klang zornig und klar. »Nicht ein wahres Wort ist an Ihrer ganzen Geschichte! Von Anfang bis Ende ist sie erlogen!«

»Die Beweise gegen Sie sind sehr eindrücklich, Madame. Es ist möglich, daß das Gericht Ihnen glaubt -- genauso möglich ist es jedoch, daß es das nicht tut!«

»Sie wird vor keinem Gericht stehen!«

Die anderen fuhren herum – verblüfft. Miss Lingard war aufgesprungen. Ihr Gesicht hatte sich verändert. Sie zitterte am ganzen Körper.

»Ich war es, die ihn erschossen hat. Ich gestehe es! Ich hatte Gründe dazu. Ich – ich wollte es schon seit einiger Zeit. Monsieur Poirot hat völlig recht. Ich bin ihm hierher gefolgt. Die

Pistole hatte ich schon früher aus der Schublade genommen. Ich stand neben ihm und sprach mit ihm über das Buch – und dabei habe ich ihn erschossen. Das Geschoß traf den Gong. Ich wäre nie auf die Idee gekommen, daß es seinen Kopf einfach durchschlagen würde. Aber ich hatte keine Zeit, hinauszulaufen und es zu suchen. Ich schloß die Tür ab und steckte den Schlüssel in seine Tasche. Dann drehte ich den Stuhl herum, zerschlug den Spiegel, und nachdem ich ›SORRY‹ auf einen Bogen geschrieben hatte, kletterte ich durch das Fenster und schloß es, wie Monsieur Poirot es Ihnen vorgemacht hat. Ich ging über das Blumenbeet, beseitigte jedoch die Fußabdrücke mit einer kleinen Harke, die ich dort bereitgestellt hatte. Dann lief ich zum Wohnzimmer. Ich wußte nicht, daß Ruth ebenfalls durch dieses Fenster geklettert war. Sie muß vorne um das Haus herumgegangen sein, als ich hinten herum kam. Ich mußte nämlich die Harke wieder in den Schuppen zurückbringen. Dann wartete ich im Wohnzimmer, bis ich hörte, daß jemand herunter kam und Snell gongte, und dann ...«

Sie blickte Poirot an.

»Sie wissen nicht, was ich dann gemacht habe?«

»O doch. Die Tüte im Papierkorb habe ich gefunden. Das war sehr gescheit, dieser Einfall. Sie machten das, was Kinder immer so gern tun. Sie bliesen die Tüte auf und ließen sie dann zerplatzen. Der Knall war laut genug. Die Tüte warfen Sie in den Papierkorb, und dann liefen Sie in die Diele. Damit hatten Sie den Zeitpunkt des Selbstmordes festgelegt – und sich selbst ein Alibi geschaffen. Aber eine Sache machte Ihnen noch Kummer. Sie hatten noch keine Zeit gehabt, das Geschoß aufzuheben. Es mußte ganz in der Nähe des Gongs liegen. Und es war wichtig, daß es im Arbeitszimmer, in der Nähe des Spiegels, gefunden würde. Ich weiß nicht, wann Sie auf die Idee kamen, Colonel Burys Bleistift an sich zu nehmen ...«

»Das war zur selben Zeit«, sagte Miss Lingard. »Wir gingen von der Halle ins Wohnzimmer. Ich war erstaunt, daß Ruth dort war. Ich merkte dann, daß sie durch das Fenster geklettert war. Gleichzeitig sah ich, daß Colonels Bleistift auf dem Bridgetisch lag. Ich tat ihn unbemerkt in meine Handtasche. Sollte später jemand bemerken, wie ich das Geschoß aufhob, konnte ich immer so tun, als wäre es der Bleistift gewesen. Im Grunde war ich überzeugt, daß niemand gesehen hatte, wie ich das Geschoß aufhob. Ich ließ es dann unter den Spiegel fallen, wäh-

rend Sie den Toten betrachteten. Als Sie mich danach fragten, war ich sehr froh, daß ich an den Bleistift gedacht hatte.«
»Ja, das war sehr klug. Es brachte mich völlig durcheinander.«
»Außerdem befürchtete ich, daß irgend jemand den eigentlichen Schuß gehört haben könnte, obgleich ich wußte, daß alle sich zum Abendessen umzogen und die Türen ihrer Zimmer geschlossen waren. Das Personal war in seinen Räumen. Eigentlich konnte nur Miss Cardwell den Schuß gehört haben, und sie würde wahrscheinlich annehmen, daß es die Fehlzündung eines Autos gewesen war. Tatsächlich gehört hat sie dann jedoch nur den Gong. Ich dachte – ich dachte schon, alles wäre gutgegangen ...«
Sehr langsam und betont sagte Mr. Forbes: »Das ist eine höchst ungewöhnliche Geschichte. Anscheinend fehlt jedes Motiv ...«
Mit klarer Stimme erwiderte Miss Lingard: »Ich hatte ein Motiv ...« Und heftig fügte sie hinzu: »Los! Holen Sie endlich die Polizei! Worauf warten Sie denn noch?«
Höflich sagte Poirot: »Ich wäre Ihnen dankbar, wenn Sie alle das Zimmer verlassen würden. Mr. Forbes, wenn Sie Major Riddle anrufen würden. Ich werde hier auf ihn warten.«
Langsam verließen die übrigen Anwesenden nacheinander das Zimmer. Erstaunt, verständnislos und entsetzt warfen sie verlegene Blicke auf die schlanke aufrechte Gestalt mit dem sorgfältig gescheitelten grauen Haar.
Ruth ging als letzte. Zögernd blieb sie in der Tür stehen.
»Das begreife ich einfach nicht!« Ihre Stimme klang verärgert, herausfordernd und anklagend zugleich. »Gerade eben waren Sie noch fest davon überzeugt, daß ich es gewesen wäre.«
»Nein, nein.« Poirot schüttelte den Kopf. »Das habe ich keine Sekunde angenommen.«
Langsam ging Ruth hinaus.
Poirot blieb mit der kleinen spröden Frau mittleren Alters zurück, die gerade zugegeben hatte, einen vorsätzlich geplanten und kaltblütigen Mord begangen zu haben.
»Nein«, sagte Miss Lingard. »Sie haben wirklich nicht angenommen, daß sie es gewesen war. Sie haben sie nur beschuldigt, um mich zum Reden zu bringen. Das stimmt doch, nicht wahr?«
Poirot nickte langsam.
»Während wir warten«, sagte Miss Lingard im Konversationston, »könnten Sie mir eigentlich erzählen, wie Sie dazu gekommen sind, ausgerechnet mich zu verdächtigen.«

»Aus verschiedenen Gründen. Da war einmal Ihr Urteil über Sir Gervase. Ein hochmütiger Mann wie Sir Gervase hätte einem Außenstehenden gegenüber, besonders vor einem Menschen in Ihrer Stellung, nie abfällig über seinen Neffen gesprochen. Sie aber wollten damit die Selbstmordtheorie bekräftigen. Außerdem begingen Sie einen Fehler, als Sie andeuteten, daß der Grund zum Selbstmord möglicherweise in Unstimmigkeiten zu suchen sei, die mit einem unehrenhaften Verhalten Hugo Trents zusammenhingen. Auch das war eine Sache, die Sir Gervase einem Außenstehenden gegenüber niemals zugegeben hätte. Dann war da der Gegenstand, den Sie in der Halle aufhoben, und die sehr bedeutsame Tatsache, daß Sie mit keinem Wort erwähnten, Ruth hätte das Wohnzimmer vom Garten her betreten. Und schließlich entdeckte ich die Papiertüte – einen Gegenstand, der im Wohnzimmer von Hamborough Close völlig fehl am Platz war! Sie waren die einzige Person, die sich im Wohnzimmer aufhielt, als der sogenannte Schuß fiel. Der Trick mit der Papiertüte gehörte zu jenen, die auf eine Frau hinweisen – ein sehr einfallsreicher, aber doch primitiver Kniff. Damit paßte alles zusammen: der Versuch, den Verdacht auf Hugo zu lenken und ihn von Ruth fernzuhalten, die Art, in der das Verbrechen durchgeführt wurde – und das Motiv!«

»Sie kennen das Motiv?«

»Ich glaube, daß ich es kenne. Ruths Glück – das war das Motiv! Wahrscheinlich hatten Sie sie mit John Lake zusammen gesehen – Sie wußten, wie es um die beiden stand. Ferner war es für Sie einfach, sich Zugang zu Sir Gervases Papieren zu verschaffen, und dabei stießen Sie auf den Entwurf des neuen Testaments, mit dem Ruth enterbt werden sollte, falls sie nicht Hugo Trent heiratete. Das gab den Anstoß für Sie, das Recht in Ihre Hände zu nehmen, indem Sie die Tatsache ausnutzten, daß Sir Gervase mir bereits geschrieben hatte. Wahrscheinlich sahen Sie einen Durchschlag dieses Briefes. Welche verworrenen Gefühle, welches Mißtrauen und welche Angst ihn ursprünglich zu diesem Brief veranlaßten, weiß ich nicht. Er muß den Verdacht gehabt haben, daß entweder Burrows oder Lake ihn systematisch betrog. Seine Ungewißheit im Hinblick auf Ruths Empfindungen veranlaßten ihn, private Nachforschungen anstellen zu lassen. Diese Tatsache nutzten Sie aus; Sie bereiteten alles so vor, daß es wie Selbstmord aussah, und bestärkten diese Vermutung noch durch Ihre Behauptung, Sir Gervase wäre wegen irgendeiner Sache, die mit Hugo Trent in Zusammenhang stünde, sehr besorgt gewesen. Sie schickten mir ein Telegramm, berichteten jedoch, Sir Gervase hätte gesagt, daß ich doch ›zu spät‹ käme.«

Heftig sagte Miss Lingard: »Gervase Chevenix-Gore war ein Tyrann, ein Snob und ein Windbeutel! Ich wollte verhindern, daß er Ruths Glück zerstörte.«

Behutsam sagte Poirot: »Ruth ist Ihre Tochter?«

»Ja – sie ist meine Tochter. Ich habe immer an sie denken müssen. Als ich hörte, daß Sir Gervase Chevenix-Gore jemanden suchte, der ihm bei der Abfassung einer Familiengeschichte hülfe, habe ich die Chance sofort ergriffen. Ich war so neugierig, meine – meine Tochter wiederzusehen. Ich wußte, daß Lady Chevenix-Gore mich nicht wiedererkennen würde. Alles lag schon Jahre zurück – ich war damals jung und hübsch gewesen, und außerdem hatte ich nach der Sache einen anderen Namen angenommen. Außerdem ist Lady Chevenix-Gore zu unsicher, um sich irgendeiner Geschichte genau zu entsinnen. Sie mag ich gern, aber die Familie Chevenix-Gore hasse ich. Wie Dreck hat man mich hier behandelt. Und dann wollte Gervase mit seinem Hochmut und seiner Angeberei auch noch Ruths Glück zerstören. Aber jetzt wird sie glücklich werden – wenn sie nie etwas über mich erfährt!«

Es war keine Frage, sondern eine Bitte.

Poirot nickte leicht.

»Von mir wird niemand irgend etwas erfahren.«

Ruhig sagte Miss Lingard: »Vielen Dank.«

Später, als die Polizei gekommen und wieder verschwunden war, entdeckte Poirot nicht nur Ruth, sondern auch ihren Mann im Garten.

Herausfordernd sagte sie: »Haben Sie wirklich geglaubt, ich sei es gewesen, Monsieur Poirot?«

»Ich wußte, Madame, daß Sie es gar nicht gewesen sein konnten – wegen der Herbstastern.«

»Wegen der Herbstastern? Das verstehe ich nicht.«

»Madame, auf dem Beet befanden sich vier Fußabdrücke – und zwar nur vier Fußabdrücke. Wenn Sie Blumen geschnitten hatten, mußten sich viel mehr dort befinden. Das bedeutete, daß irgend jemand zwischen Ihrem ersten und Ihrem zweiten Aufsuchen des Beetes sämtliche Fußabdrücke beseitigt hatte. Und das wiederum konnte nur die schuldige Person getan haben. Da Ihre Fußabdrücke jedoch noch vorhanden waren, konnten Sie diese schuldige Person nicht sein. Ganz automatisch waren Sie von jedem Verdacht befreit.«

Ruths Gesicht verlor seine Düsternis.

»Ach, jetzt verstehe ich. Sie wußten also – wahrscheinlich ist es entsetzlich, aber diese arme Frau tut mir doch ziemlich leid. Schließlich hat sie doch alles gestanden, damit ich nicht verhaftet würde – oder jedenfalls waren das ihre Überlegungen. Und in gewisser Weise war das von ihr sehr – sehr anständig. Ich finde es einfach fürchterlich, wenn ich mir vorstelle, daß sie jetzt wegen Mordes vor Gericht gestellt wird.«

Behutsam sagte Poirot: »Quälen Sie sich doch nicht so! Dazu wird es gar nicht kommen. Der Arzt hat mir erzählt, daß sie ein sehr ernstes Herzleiden hätte. Sie wird nur noch wenige Wochen leben.«

»Darüber bin ich sehr froh.« Ruth pflückte einen Herbstkrokus und preßte ihn gedankenlos gegen ihr Gesicht.

»Die arme Frau. Aber interessieren würde mich doch, warum sie es eigentlich getan hat ...«

Die Ankunft des Mr. Quin

Es war Silvesterabend.

Die älteren Mitglieder der Hausgesellschaft in Royston hatten sich in der großen Halle versammelt.

Mr. Satterthwaite war sehr froh, daß die jungen Leute zu Bett gegangen waren. Junge Leute in Herden mochte er nicht. Es mangelte ihnen dann an einer gewissen Feinheit, und je weiter das Leben fortschritt, desto größer wurde seine Vorliebe für gewisse Feinheiten.

Mr. Satterthwaite war zweiundsechzig: ein kleiner, etwas gebeugter und ausgedörrter Mann mit einem aufmerksamen Gesicht, das seltsam zwergenhaft war, sowie einem heftigen und ausschweifenden Interesse für das Leben anderer Leute. Sein ganzes Leben lang hatte er, wie man so sagt, in der ersten Reihe gesessen und zugesehen, wie verschiedene Dramen der menschlichen Natur vor ihm abrollten. Er selbst hatte immer nur den Zuschauer gespielt. Jetzt allerdings, da das Alter ihn in seinen Klauen hielt, merkte er, daß er dem ihm vorgeführten Drama gegenüber immer kritischer wurde. Er verlangte etwas, das ein wenig vom Üblichen abwich.

Es bestand kein Zweifel daran, daß er für diese Dinge eine Witterung, einen Spürsinn, besaß. Instinktiv wußte er, wenn die Bestandteile eines Dramas zusammengekommen waren. Wie ein Schlachtroß witterte er es. Und seit seinem Eintreffen in Royston am gleichen Nachmittag hatte sich dieser seltsame innere Sinn wieder einmal bemerkbar gemacht und ihm zu verstehen gegeben, daß er sich bereithalten solle. Irgend etwas Interessantes spielte sich ab oder bereitete sich vor.

Die Hausgesellschaft war nicht sehr groß. Da war einmal Tom Evesham, ihr großzügiger und gutgelaunter Gastgeber, sowie dessen ernste und politisch interessierte Frau, die vor ihrer Heirat eine Lady Laura Keen gewesen war. Anwesend waren ferner Sir Richard Conway, Soldat, Weltreisender und Sportsmann, zu dem noch sechs oder sieben junge Leute kamen, deren Namen Mr. Satterthwaite nicht behalten hatte, und schließlich die Portals.

Interessieren tat Mr. Satterthwaite sich für die Portals.
Alex Portal hatte er bisher zwar nicht gekannt, aber sonst wußte er über ihn Bescheid. Seinen Vater und seinen Großvater hatte er gekannt. Alex Portal verkörperte beinahe einen bestimmten Typ. Er war ein Mann von bald vierzig, blond und blauäugig wie alle Portals, sportbegeistert, ein guter Spieler und bar jeder Phantasie. Ungewöhnlich war an Alex Portal überhaupt nichts: der übliche gute und gesunde englische Schlag.
Aber seine Frau war ganz anders. Sie war, wie Mr. Satterthwaite wußte, Australierin. Vor zwei Jahren war Portal in Australien gewesen, hatte sie dort kennengelernt, hatte sie dann geheiratet und hierhergebracht. Vor ihrer Ehe war sie nie in England gewesen. Trotzdem hatte sie so gar keine Ähnlichkeit mit anderen Australierinnen, die Mr. Satterthwaite bisher kennengelernt hatte.
Er beobachtete sie aufmerksam. Eine interessante Frau – sehr sogar. So ruhig, und trotzdem so – lebendig. Lebendig! Das war es genau! Im Grunde keine Schönheit, nein – als schön konnte man sie kaum bezeichnen. Statt dessen besaß sie jedoch einen unglücklichen Zauber, den niemand an ihr hätte missen mögen – den kein Mann an ihr hätte missen mögen. Das fand zumindest Mr. Satterthwaites maskuline Seite, während seine feminine Seite – und Mr. Satterthwaites feminine Seite war keineswegs unbedeutend – sich für eine andere Frage interessierte: warum färbte Mrs. Portal sich die Haare?
Ein anderer Mann hätte vermutlich gar nicht bemerkt, daß sie sich die Haare färbte; Mr. Satterthwaite wußte es jedoch. Er kannte sich in diesen Dingen aus. Und es irritierte ihn. Viele dunkelhaarige Frauen färben ihr Haar blond; aber noch nie war ihm eine blonde Frau begegnet, die ihr Haar schwarz gefärbt hatte.
Alles an ihr erregte seine Neugierde. Auf eine merkwürdige, intuitive Art war er überzeugt, daß sie entweder sehr glücklich oder sehr unglücklich war – was von beiden sie war, wußte er allerdings nicht, und das ärgerte ihn. Hinzu kam jene seltsame Wirkung, die sie auf ihren Mann ausübte.
›Er betet sie an‹, sagte sich Mr. Satterthwaite, ›aber manchmal ist er – ja, manchmal hat er vor ihr Angst! Das ist sehr interessant. Ungewöhnlich interessant ist das!‹
Portal trank zuviel. Das war sicher. Und er hatte eine komische Art, seine Frau zu beobachten, wenn sie es nicht merkte.

›Die Nerven‹, sagte sich Mr. Satterthwaite. ›Der Mann ist ein Nervenbündel. Sie weiß es zwar auch, tut jedoch nichts dagegen.‹
Die beiden hatten ihn ausgesprochen neugierig gemacht. Irgend etwas ging hier vor, das er nicht ergründen konnte.
Aus seinen Überlegungen riß ihn das feierliche Schlagen der großen Uhr in der Ecke.
»Zwölf Uhr«, sagte Evesham. »Neujahr! Ein glückliches neues Jahr! Übrigens geht die Uhr fünf Minuten vor ... Ich weiß gar nicht, warum die Kinder nicht aufgeblieben sind und das neue Jahr abgewartet haben?«
»Ich bin fest davon überzeugt, daß sie in Wirklichkeit noch gar nicht schlafen gegangen sind«, sagte seine Frau gelassen. »Wahrscheinlich verstecken sie Haarbürsten und derartige Dinge in unseren Betten. Solche Sachen machen ihnen viel Spaß. Warum, ist mir jedoch nicht ganz verständlich. In meiner Jugend hätte man uns so etwas nicht erlaubt.«
»Autres temps, autres mœurs«, sagte Conway lächelnd.
Er war groß und soldatisch aussehend. Evesham und er waren sich im Typ überhaupt sehr ähnlich: ehrlich, aufrichtig, freundlich und ohne große geistige Ansprüche.
»In meiner Jugend stellten wir uns im Kreise auf, faßten uns an den Händen und sangen *Auld Lang Syne*«, fuhr Lady Laura fort. *»Should auld acquaintance be forgot* – ich finde diese Worte immer richtig bewegend.«
Evesham wurde unruhig.
»Laß das doch, Laura«, sagte er leise. »Nicht hier!«
Er schlenderte durch die große Halle, in der sie saßen, und schaltete eine weitere Lampe an.
»Wie dumm von mir«, sagte Lady Laura gedämpft. »Das erinnert ihn immer an den armen Mr. Capel. Meine Liebe, ist Ihnen das Feuer vielleicht zu warm?«
Eleanor Portal machte eine unwirsche Bewegung.
»Danke. Ich werde meinen Sessel etwas zurückschieben.«
Welch eine bezaubernde Stimme sie hatte – eine dieser tiefen, leisen und doch hallenden Stimmen, die man so leicht nicht vergißt, überlegte Mr. Satterthwaite. Ihr Gesicht lag jetzt im Schatten – jammerschade.
Als sie im Schatten saß, sagte sie: »Mr. – Capel?«
»Ja. Das ist der Mann, dem dieses Haus ursprünglich gehörte. Er erschoß sich – schon gut, Tom, Lieber, ich höre auch schon

auf damit. Für Tom war es nämlich ein großer Schock, weil er hier war, als es passierte. Sie doch auch, nicht wahr, Sir Richard?«
»Ja, Lady Laura.«
Eine alte Standuhr in der Ecke ächzte, stöhnte und fauchte asthmatisch, und dann schlug sie zwölf.
»Prost Neujahr, Tom«, knurrte Evesham mechanisch.
Lady Laura packte ziemlich entschlossen ihre Stricksachen zusammen.
»So, das neue Jahr hätten wir begrüßt«, bemerkte sie, und mit einem Blick auf Mrs. Portal fügte sie hinzu: »Was meinen Sie, meine Liebe?«
Eleanor Portal stand schnell auf.
»Ich finde, wir sollten zu Bett gehen«, sagte sie leichthin.
›Sie ist sehr blaß‹, dachte Mr. Satterthwaite, als er ebenfalls aufstand und begann, sich mit den Kerzenhaltern zu beschäftigen. ›So blaß ist sie sonst nicht.‹
Er zündete ihre Kerze an und überreichte sie ihr mit einer komischen altmodischen Verbeugung. Mit einem Wort des Dankes nahm sie sie ihm ab und ging langsam die Treppe hinauf.
Plötzlich überkam Mr. Satterthwaite ein sehr merkwürdiger Wunsch: am liebsten wäre er ihr gefolgt, hätte sie getröstet – denn irgendwie hatte er das höchst seltsame Gefühl, daß sie sich in irgendeiner Gefahr befand. Aber auch das ging vorüber, und er schämte sich. Jetzt fing er tatsächlich auch schon an, nervös zu werden.
Sie hatte ihren Mann nicht angesehen, als sie nach oben ging; jetzt wandte sie ihm allerdings den Kopf zu und betrachtete ihn lange und forschend, und dieser Blick hatte eine eigenartige Intensität. Mr. Satterthwaite fand es höchst sonderbar.
Und plötzlich merkte er, daß er seiner Gastgeberin auf ziemlich unaufmerksame Weise eine gute Nacht gewünscht hatte.
»Ich bin sicher, daß es ein glückliches neues Jahr sein wird«, sagte Lady Laura gerade. »Aber die politische Situation ist meiner Ansicht nach mit einer tragischen Ungewißheit belastet.«
»Das finde ich auch«, sagte Mr. Satterthwaite ernst. »Das finde ich auch.«
»Ich hoffe nur«, fuhr Lady Laura fort, ohne daß sich ihr Ausdruck auch nur im geringsten veränderte, »daß es ein schwarzhaariger Mann ist, der als erster die Schwelle überquert. Sie kennen diesen Aberglauben sicherlich, Mr. Satterthwaite? Nein?

Das überrascht mich. Wenn es dem Hause Glück bringen soll, dann muß der erste Mann, der im neuen Jahr die Schwelle überschreitet, schwarzhaarig sein. Mein Gott, hoffentlich entdecke ich in meinem Bett nicht irgend etwas Unangenehmes. Den Kindern ist alles zuzutrauen. Sie haben immer so merkwürdige Einfälle.«

Den Kopf in trüber Vorahnung schüttelnd, bewegte Lady Laura sich majestätisch die Treppe hinauf.

Nach dem Abschied der Damen wurden die Sessel näher an die lodernden Holzscheite gerückt, die in dem großen offenen Kamin brannten.

»Sagen Sie halt«, sagte der gastfreundliche Evesham, der die Whiskykaraffe in der Hand hielt.

Als alle halt gesagt hatten, kehrte die Unterhaltung zu jenem Thema zurück, das vorhin verboten gewesen war.

»Sie kannten doch Derek Capel, nicht wahr, Satterthwaite?« fragte Conway.

»Ja – flüchtig.«

»Und Sie, Portal?«

»Nein, ich habe ihn nie kennengelernt.«

Er sagte es so heftig und abwehrend, daß Mr. Satterthwaite überrascht aufblickte.

»Ich hasse es, wenn Laura dieses Thema zur Sprache bringt«, sagte Evesham langsam. »Nach der Tragödie wurde dieses Haus an einen Großindustriellen verkauft. Nach einem Jahr zog der Mann wieder aus – irgendwie war er nicht zufrieden gewesen. Eine Menge Gerüchte liefen um, daß es in dem Haus spuke, und auf diese Weise kam es in einen schlechten Ruf. Als Laura mich dazu gebracht hatte, mich als Kandidat für West Kidleby aufstellen zu lassen, bedeutete das natürlich, daß wir auch in dieser Gegend wohnen mußten, und es war gar nicht einfach, ein passendes Haus zu finden. Royston wurde billig angeboten, und – na ja, dann habe ich es eben gekauft. Gespenster sind Unsinn – aber trotzdem möchte man nicht gern daran erinnert werden, daß man in einem Haus wohnt, in dem sich ein Freund erschossen hat. Der arme Derek – wir werden wohl nie erfahren, warum er es getan hat.«

»Er wird weder der erste noch der letzte gewesen sein, der sich erschossen hat, ohne einen Grund angeben zu können«, sagte Alex Portal heftig. Er erhob sich und goß sein Glas wieder voll; dabei verschüttete er etwas Whisky.

›Irgend etwas stimmt mit ihm nicht‹, sagte sich Mr. Satterthwaite. ›Das ist einmal ganz klar. Wenn ich nur wüßte, worum es sich handelt.‹

»Menschenskind!« sagte Conway. »Hören Sie sich nur den Wind an. Das gibt eine hübsche Nacht.«

»Eine Nacht, in der Gespenster besonders gern spuken«, sagte Portal und lachte herausfordernd auf.

»Sämtliche Teufel sind jetzt unterwegs.«

»Nach Ansicht Lady Lauras würde uns selbst der schwärzeste noch Glück bringen«, bemerkte Conway lachend. »Vergessen Sie das nicht!«

Der Wind schwoll zu einem neuerlichen Aufheulen an, und als es erstarb, klopfte es dreimal laut an die große Tür. Alle fuhren zusammen.

»Wer um Himmels willen kann das sein – um diese Zeit?« rief Evesham.

Sie sahen sich an.

»Ich werde aufmachen«, sagte Evesham. »Die Dienstboten sind schon zu Bett gegangen.«

Er ging langsam durch die Halle, machte sich an den schweren Riegeln zu schaffen, und riß die Tür schließlich auf. Ein eisiger Windstoß fegte in die Halle.

Im Rahmen der Tür stand die Gestalt eines Mannes: groß und schlank. Nach Meinung des aufmerksam zusehenden Mr. Satterthwaite hatte das bunte Glas über der Tür die sonderbare Wirkung, daß es so aussah, als trüge der Mann einen Mantel, der in sämtlichen Regenbogenfarben schillerte. Als er in die Halle trat, zeigte es sich jedoch, daß es sich um einen hageren dunkelhaarigen Mann handelte, der einen Automantel trug.

»Ich muß für mein Eindringen tausendmal um Entschuldigung bitten«, sagte der Fremde mit einer angenehmen, gleichmäßigen Stimme. »Aber mein Wagen hat gestreikt. Nichts Wichtiges – mein Chauffeur bringt die Sache gerade wieder in Ordnung, aber eine halbe Stunde dürfte es ungefähr dauern, und draußen ist es verdammt kalt ...«

Er verstummte, und Evesham griff den Faden auf.

»Das kann ich mir vorstellen. Kommen Sie herein und wärmen Sie sich mit einem Schluck wieder auf. Oder können wir Ihnen bei dem Wagen irgendwie behilflich sein?«

»Nein, danke. Mein Chauffeur kommt schon zurecht. Übrigens: mein Name ist Quin – Harley Quin.«

»Nehmen Sie Platz, Mr. Quin«, sagte Evesham. »Das ist Sir Richard Conway, das dort ist Mr. Satterthwaite, und ich heiße Evesham.«
Mr. Quin verneigte sich flüchtig und ließ sich dann in den Sessel fallen, den Evesham ihm gastfreundlich hingeschoben hatte. Als er saß, warf der Schein des Kaminfeuers einen streifigen Schatten auf sein Gesicht, so daß es beinahe wie eine Maske wirkte.
Evesham legte noch ein paar Scheite nach.
»Wie wär's mit einem Glas?«
»Danke, gern.«
Evesham reichte es ihm und fragte dabei: »Sie kennen sich also in diesem Winkel der Welt gut aus, Mr. Quin?«
»Vor einigen Jahren bin ich einmal hier durchgekommen.«
»Wirklich?«
»Ja – dieses Haus gehörte damals einem Mann namens Capel.«
»Ja, das stimmt«, sagte Evesham. »Der arme Derek Capel. Sie kannten ihn?«
»Ja, ich kannte ihn.«
Eveshams Verhalten veränderte sich ein wenig – kaum wahrnehmbar für einen Menschen, der sich mit dem englischen Wesen nicht genau auskennt. Bisher hatte er eine leichte Zurückhaltung gezeigt; davon konnte jetzt jedoch keine Rede mehr sein. Mr. Quin hatte Derek Capel gekannt. Er war also der Freund eines Freundes, und als solcher wurde er nicht nur anerkannt, sondern aufgenommen.
»Eine schreckliche Angelegenheit ist das«, sagte Evesham vertraulich. »Wir sprachen darüber. Eines kann ich Ihnen sagen: es ging mir erheblich gegen den Strich, dieses Haus zu kaufen. Hätte ich etwas anderes gefunden – aber das war eben nicht möglich, verstehen Sie? Ich war an dem Abend im Hause, als er sich erschoß – Conway übrigens auch. Und ich gebe Ihnen mein Wort: ich habe immer damit gerechnet, daß sein Geist hier umgeht.«
»Eine äußerst unerklärliche Angelegenheit«, sagte Mr. Quin langsam und nachdenklich, und als er schwieg, ähnelte er einem Schauspieler, der gerade ein wichtiges Stichwort gegeben hat.
»Unerklärlich – das kann man wohl sagen!« fiel Conway ein. »Ein finsteres Geheimnis ist es – und wird es immer bleiben.«
»Vielleicht«, sagte Mr. Quin unverbindlich. »Oder was meinen Sie, Sir Richard?«
»Schrecklich – das war es, weiß Gott! Da ist ein Mann, auf der

Höhe seines Lebens stehend, vergnügt, fröhlich, ohne die geringsten Sorgen. Fünf oder sechs alte Freunde sind bei ihm zu Besuch. Bester Laune beim Abendessen, voller Pläne für die Zukunft. Und dann geht er vom Abendbrottisch weg nach oben auf sein Zimmer, holt einen Revolver aus der Schublade und erschießt sich. Warum? Das weiß kein Mensch. Und das wird auch niemand jemals erfahren!«

»Ist diese Behauptung nicht ziemlich weithergeholt, Sir Richard?« fragte Mr. Quin lächelnd.

Conway starrte ihn an.

»Was meinen Sie damit? Das verstehe ich nicht.«

»Ein Problem muß nicht unbedingt unlösbar sein, weil es bisher nicht gelöst worden ist.«

»Ach so! Aber lassen wir das: wenn damals nichts herausgekommen ist, wird es heute – zehn Jahre danach – auch nicht anders sein.«

Mr. Quin schüttelte leicht den Kopf.

»In diesem Punkt bin ich anderer Meinung. Die Geschichte beispielsweise widerlegt Ihre Behauptung. Der zeitgenössische Historiker schreibt niemals eine so wahre Geschichtsbetrachtung wie der Historiker einer späteren Generation. Es geht immer darum, die richtige Perspektive zu haben, die Dinge in ihrem Verhältnis zu sehen. Wenn Sie so wollen, handelt es sich hierbei – wie überall – um eine Frage der Relativität.«

Alex Portal beugte sich gespannt vor; sein Gesicht zuckte. »Sie haben recht, Mr. Quin«, rief er. »Sie haben vollkommen recht. Eine Frage erledigt sich nicht im Laufe der Zeit von selbst – sie wird nur in anderer Form neu gestellt.«

Evesham lächelte nachsichtig.

»Dann wollen Sie also behaupten, Mr. Quin, daß wir heute wahrscheinlich genauso wie damals zur Wahrheit gelangen könnten, wenn wir etwa eine Untersuchung über Derek Capels Tod durchführen würden?«

»Sehr viel wahrscheinlicher sogar, Mr. Evesham. Das persönliche Verhältnis ist inzwischen erheblich unwichtiger geworden, und heute werden Sie sich einer Tatsache als bloßer Tatsache erinnern, ohne zu versuchen, ihr sofort eine eigene Auslegung zu unterschieben.«

Evesham zog zweifelnd die Stirn kraus.

»Natürlich muß man einen Ausgangspunkt haben«, sagte Mr. Quin mit ruhiger, gleichmäßiger Stimme. »Der Ausgangspunkt

ist gewöhnlich eine Theorie. Einer von Ihnen besitzt bestimmt eine Theorie. Wie ist es mit Ihnen, Sir Richard?«
Conway zog nachdenklich die Stirne kraus.
»Ja – natürlich«, sagte er abwehrend, »wir nahmen an – wir alle nahmen natürlich an –, daß irgendwie eine Frau dahinter steckte. Gewöhnlich ist es doch eine Frau, oder es geht um Geld, nicht wahr? Und Geld konnte in diesem Fall keine Rolle spielen. Das schied von vornherein aus. Also – was blieb demnach übrig?«
Mr. Satterthwaite stutzte. Er hatte sich vorgebeugt, um selbst eine kleine Bemerkung beizusteuern, und dabei hatte er die Gestalt einer Frau entdeckt, die sich oben an das Geländer des Treppenabsatzes geduckt hatte. Ganz zusammengekrümmt hockte sie dort, und nur von der Stelle aus, an der er saß, war sie zu sehen. Offenbar lauschte sie mit angespannter Aufmerksamkeit allem, was sich unten abspielte. Und sie hockte dort so reglos, daß er dem Beweis seiner eigenen Augen kaum traute.
Das Stoffmuster des Kleides erkannte er jedoch mit Leichtigkeit; es war ein alter, kostbarer Brokat. Und die Frau war Eleanor Portal.
Und plötzlich schienen alle Ereignisse dieses Abends genau zusammenzupassen; auch Mr. Quins Eintreffen war kein bloßer Zufall, sondern der Auftritt eines Schauspielers, dessen Stichwort gefallen war. In der großen Halle von Royston wurde ein Drama gespielt – und es war dadurch, daß einer der Schauspieler bereits tot war, keineswegs unwirklicher. O ja – auch Derek Capel hatte eine Rolle; davon war Mr. Satterthwaite fest überzeugt.
Und, wieder ganz plötzlich, kam ihm eine neue Erleuchtung. Das alles ging auf Mr. Quin zurück. Er war es, der die Szenerie ausgesucht hatte, der den Schauspielern das Stichwort gab. Er befand sich im Mittelpunkt des Geheimnisses, zog an den Schnüren und ließ die Marionetten sich bewegen. Er wußte alles – auch, daß jene Frau sich dort oben an das Geländer drückte. Ja, er wußte es.
Nachdem Mr. Satterthwaite sich zurückgelehnt und wieder die Rolle des Zuhörers übernommen hatte, schaute er dem Drama zu, das vor seinen Augen abrollte. Ruhig und selbstverständlich zog Mr. Quin an den Schnüren und setzte seine Marionetten in Bewegung.
»Eine Frau – ja«, murmelte er nachdenklich. »Wurde während des Abendessens auch eine Frau erwähnt?«

»Natürlich wurde eine erwähnt«, rief Evesham. »Er gab doch seine Verlobung bekannt. Gerade das war doch der Grund, daß alles so vollkommen wahnsinnig zu sein schien. Ziemlich aus dem Häuschen war er darüber. Er sagte noch, es sollte nicht weiter bekanntwerden – aber er deutete doch an, daß er auf dem besten Wege wäre, Ehemann zu werden.«

»Natürlich haben wir alle geahnt, um welche Dame es sich dabei handelte«, sagte Conway. »Nämlich um Marjorie Dilke. Ein nettes Mädchen übrigens.«

Jetzt schien Mr. Quin wieder an der Reihe zu sein, etwas zu sagen; aber das tat er nicht, und irgend etwas an seinem Schweigen wirkte seltsam aufreizend. Es war, als bezweifelte er die letzte Feststellung. Und die Folge war, daß Conway das Gefühl hatte, sich verteidigen zu müssen.

»Wer hätte es denn sonst sein sollen? Was, Evesham?«

»Ich habe keine Ahnung«, sagte Tom Evesham langsam. »Was hat er damals eigentlich genau gesagt? Irgend etwas in dem Sinne, daß er auf dem besten Wege wäre, Ehemann zu werden – daß er uns den Namen der Dame erst nennen könnte, wenn sie es erlaubt hätte – und daß es auch noch nicht bekanntwerden sollte. Er sagte, wie ich mich erinnere, daß er ein verdammt glücklicher Mann wäre, daß seine beiden alten Freunde wissen sollten, daß er übers Jahr ein glücklich verheirateter Mann sei. Natürlich nahmen wir an, daß Majorie damit gemeint war. Die beiden waren eng befreundet, und er war oft mit ihr zusammengewesen.«

»Das einzige ...« fing Conway an und verstummte sofort wieder.

»Was wolltest du sagen, Dick?«

»Ich meine bloß, daß es in gewisser Weise komisch gewesen wäre, wenn es sich um Majorie gehandelt hätte – daß er die Verlobung nicht bekanntgeben wollte. Warum die Geheimnistuerei, frage ich mich? Es klingt doch mehr danach, als hätte es sich um eine verheiratete Frau gehandelt – verstehst du: um jemanden, deren Mann gerade erst gestorben war oder die sich erst scheiden lassen wollte.«

»Das stimmt«, sagte Evesham. »Wenn das der Fall gewesen wäre, hätte er die Verlobung natürlich nicht sofort bekanntgeben können. Und weißt du: wenn ich zurückdenke, glaube ich gar nicht mal, daß er mit Majorie so oft zusammen war. Das alles war ein Jahr vorher. Ich erinnere mich noch, daß ich der

Meinung war, daß das Verhältnis der beiden etwas abgekühlt war.«
»Seltsam«, sagte Mr. Quin.
»Ja – es sah fast so aus, als hätte sich irgend jemand zwischen die beiden geschoben.«
»Eine andere Frau«, bemerkte Conway nachdenklich.
»Mein Gott!« sagte Evesham. »Weißt du noch, daß der alte Derek an jenem Abend fast etwas unanständig vergnügt wirkte? Wie betrunken vor Glück sah er aus. Und trotzdem – ich kann nicht genau erklären, was ich meine –, aber sonderbar trotzig wirkte er auch.«
»Wie ein Mensch, der das Schicksal herausfordert«, sagte Alex Portal heftig.
Meinte er damit Derek Capel – oder etwa sich selbst? Mr. Satterthwaite, der ihn ansah, neigte eher zu der zweiten Ansicht; denn genau das war es, was Alex Portal darstellte – einen Menschen, der das Schicksal herausforderte.
Vom Alkohol leicht benebelt, reagierten seine Gedanken unvermittelt auf jenen Ton der Geschichte, der seine eigenen geheimen Wünsche zum Leben erweckte.
Mr. Satterthwaite blickte hoch. Sie hockte immer noch an derselben Stelle – beobachtend, lauschend, regungslos und erstarrt, wie eine Tote.
»Das stimmt völlig«, sagte Conway. »Capel war tatsächlich erregt – sonderbarerweise. Meiner Ansicht nach war er ein Mensch, der einen hohen Einsatz gewagt und trotz fast überwältigender Widerstände gewonnen hatte.«
»Vielleicht hatte er irgendeinen Entschluß gefaßt und plötzlich den nötigen Mut dazu aufgebracht?« meinte Portal.
Und als hätte eine Gedankenverbindung ihn angeregt, erhob er sich und goß sein Glas wieder voll.
»Davon kann überhaupt nicht die Rede sein«, sagte Evesham scharf. »Ich könnte fast beschwören, daß er an irgend etwas Derartiges nicht dachte. Conway hat recht. Ein erfolgreicher Spieler, der eine lange Erfolgssträhne gehabt und sein Glück einfach nicht fassen kann. Diesen Eindruck machte er.«
Conway machte eine ratlose Gebärde.
»Und trotzdem«, sagte er. »Zehn Minuten später ...«
Schweigend saßen sie da. Krachend ließ Evesham seine Hand auf die Tischplatte fallen.
»In diesen zehn Minuten muß irgend etwas passiert sein«, rief

er. »Es muß! Aber was? Gehen wir die Geschichte noch einmal ganz genau durch. Wir unterhielten uns. Mittendrin stand Capel plötzlich auf und verließ das Zimmer ...«
»Warum?« sagte Mr. Quin.
Die Unterbrechung schien Evesham aus der Fassung zu bringen.
»Was meinten Sie?«
»Ich fragte nur: warum?« sagte Mr. Quin.
Evesham runzelte die Stirn, um sich genau zu erinnern.
»Es schien nicht wichtig zu sein – damals ... Ja, natürlich, die Post. Erinnerst du dich noch an die schrille Klingel und wie aufgeregt wir waren? Wir waren nämlich drei Tage eingeschneit gewesen – weißt du noch? Seit Jahren der schwerste Schneesturm. Sämtliche Straßen waren unpassierbar. Keine Zeitungen, keine Post. Capel ging hinaus, um nachzusehen, ob irgend jemand durchgekommen war, und nahm einen ganzen Stapel in Empfang: Briefe und Zeitungen. Er blätterte die Zeitungen durch, ob irgend etwas Wichtiges drin stünde, und ging dann mit den Briefen nach oben. Drei Minuten später hörten wir einen Schuß ... Unerklärlich – vollkommen unerklärlich.«
»So unerklärlich ist es gar nicht«, sagte Portal. »Bestimmt stand in einem Brief etwas Unerfreuliches. Vielleicht hätte ich lieber sagen sollen: offenbar.«
»Ach! Glauben Sie etwa, uns wäre so etwas entgangen? Das war nämlich so ungefähr das erste, was der Untersuchungsrichter fragte. Aber Capel hat nicht einen einzigen Brief geöffnet! Der ganze Stapel lag ungeöffnet auf seiner Kommode.«
Portal machte einen niedergeschlagenen Eindruck.
»Wissen Sie ganz genau, daß er keinen einzigen Brief geöffnet hat? Vielleicht hat er ihn vernichtet, nachdem er ihn gelesen hatte.«
»Nein, das ist meiner Meinung nach ganz unmöglich. Natürlich wäre das die natürlichste Lösung gewesen. Aber kein einziger Brief war geöffnet. Keiner verbrannt – keiner zerrissen – im Kamin brannte nämlich gar kein Feuer.«
Portal schüttelte den Kopf.
»Sonderbar.«
»Alles in allem war es eine entsetzliche Geschichte«, sagte Evesham mit leiser Stimme. »Conway und ich rannten sofort nach oben, als wir den Schuß gehört hatten, und dann fanden wir ihn – ich habe einen ziemlichen Schock bekommen, das kann ich Ihnen sagen.«

»Und wahrscheinlich konnten Sie nicht mehr tun, als die Polizei anzurufen?« sagte Mr. Quin.

»In Royston gab es damals noch kein Telephon. Ich habe es erst legen lassen, als ich das Haus kaufte. Nein – glücklicherweise war der Constable aus dem Dorf durch Zufall in der Küche. Einer der Hunde – erinnerst du dich noch an den alten Rover, Conway? – hatte sich am Tag vorher verlaufen. Ein vorbeikommender Fuhrmann hatte ihn halb zugeschneit in einer Schneewehe entdeckt und zur Polizeistation gebracht. Sie sahen, daß der Hund Capel gehörte und daß es derjenige war, an dem Capel besonders hing; und deswegen brachte ihn der Constable selbst her. Unmittelbar bevor der Schuß fiel, war er gekommen. So wurde uns eine Menge Unannehmlichkeiten erspart.«

»Menschenskind, war das ein Schneesturm«, sagte Conway in der Erinnerung an jenen Tag. »Wann war das eigentlich? Auch Anfang Januar?«

»Ich glaube, es war im Februar. Warte mal – kurz darauf fuhren wir ins Ausland.«

»Ich bin mir ziemlich sicher, daß es im Januar war. Mein Jagdpferd Ned – erinnerst du dich noch an Ned? – fing nämlich Anfang Januar an zu lahmen. Das war kurz nach dieser Geschichte.«

»Es gibt wohl kaum etwas Schwierigeres«, sagte Mr. Quin beiläufig. »Es sei denn, man kann irgendeinen Anhalt finden, etwa ein wichtiges allgemeines Ereignis – die Ermordung eines gekrönten Hauptes oder einen großen Mordprozeß.«

»Aber natürlich!« rief Conway. »Es war kurz vor dem Appleton-Prozeß!«

»Kurz danach, nicht wahr?«

»Aber nein, erinnerst du dich denn nicht mehr? Capel kannte doch die Appletons – er war mit dem alten Appleton im Frühjahr noch zusammengewesen – eine Woche vor dessen Tod war das! Eines Abends erzählte er noch von ihm – was für ein komischer Geizkragen er wäre und wie schrecklich es für eine junge und schöne Frau wie Mrs. Appleton sein müßte, an ihn gefesselt zu sein. Damals stand sie noch nicht im Verdacht, ihn aus dem Wege geräumt zu haben.«

»Mein Gott, du hast recht. Ich erinnere mich noch, wie ich die Meldung in der Zeitung las, daß seine Leiche exhumiert werden sollte. Und das muß am selben Tag gewesen sein – ich weiß, daß ich die Meldung gar nicht richtig in mich aufnahm, weil ich viel zu sehr mit dem armen Derek beschäftigt war, der oben lag – tot.«

»Ein weitverbreitetes, jedoch sehr seltsames Phänomen«, bemerkte Mr. Quin. »In Augenblicken großer Beanspruchung konzentrieren sich die Gedanken auf irgendein völlig unwichtiges Ereignis, an das man sich später mit größter Genauigkeit erinnert, weil es durch die geistige Anspannung in die Erinnerung eingegraben wurde. Manchmal ist es auch eine völlig bedeutungslose Angelegenheit wie das Muster einer Tapete – aber sie ist unvergeßlich.«

»Ziemlich sonderbar, daß Sie das sagen, Mr. Quin«, meinte Conway. »Während Sie eben sprachen, hatte ich nämlich das Gefühl, mich wieder in Derek Capels Zimmer zu befinden – Capel tot auf dem Fußboden – und dabei sah ich so deutlich, wie man es sich nur vorstellen kann, den großen Baum vor dem Fenster und den Schatten, den er auf den Schnee warf. Ja, der Mond, der Schnee und der Schatten des Baumes – ganz genau sehe ich alles wieder vor mir. Mein Gott, ich glaube, ich könnte alles aufzeichnen, und trotzdem ist mir nie aufgefallen, daß ich mir das alles genau angesehen habe.«

»Sein Zimmer war doch der große Raum über der Veranda, nicht wahr?« fragte Mr. Quin.

»Ja, und der Baum – das war die große Buche, die neben der Auffahrt steht.«

Mr. Quin nickte, als wäre er zufrieden. Mr. Satterthwaite spürte eine sonderbare Erregung. Er war überzeugt, daß jedes Wort, jede Modulation der Stimme bei Mr. Quin eine besondere Bedeutung hatte. Er steuerte auf irgend etwas hin – was es war, wußte Mr. Satterthwaite zwar nicht, aber er war überzeugt, genau zu wissen, wessen Hand das Steuer führte.

Es folgte eine vorübergehende Pause, und dann kam Evesham auf das vorige Thema noch einmal zurück.

»Ja, der Appleton-Prozeß – ich erinnere mich noch gut daran. Das war eine Sensation. Wurde sie damals nicht freigesprochen? Eine hübsche Frau: sehr blond – auffallend blond.«

Beinahe gegen seinen Willen suchten Mr. Satterthwaites Augen die kniende Gestalt am Geländer des Treppenabsatzes. Bildete er es sich ein, oder hatte er wirklich gesehen, wie sie leicht zusammenzuckte, als hätte sie einen Schlag erhalten? Sah er wirklich, wie eine Hand sich zu der Tischdecke hinauf tastete – und dann innehielt?

Klirrend zersplitterte Glas. Alex Portal, der sich wieder eingießen wollte, hatte die Whiskyflasche fallen lassen.
»Ich bitte tausendmal um Entschuldigung, Sir – ich weiß gar nicht, was über mich gekommen ist.«
Evesham unterbrach Portals Entschuldigungen.
»Aber ich bitte Sie, mein lieber Freund! Seltsam – das erinnert mich an irgend etwas. Das passierte ihr doch auch, nicht wahr? Mrs. Appleton, meine ich! Sie ließ doch die Portweinkaraffe fallen, nicht?«
»Stimmt! Der alte Appleton bekam jeden Abend sein Glas Portwein – ein einziges nur. Am Tag nach seinem Tode beobachtete einer der Diener, wie sie die Karaffe herausholte und vorsätzlich fallen ließ. Das löste natürlich Gerüchte aus. Alle wußten, daß sie sich völlig mit ihm überworfen hatte. Das Gerede wurde immer lauter, und eines Tages, nach Monaten, beantragten Verwandte von ihm seine Exhumierung. Dabei stellte sich tatsächlich heraus, daß er vergiftet worden war. Mit Arsen, nicht wahr?«
»Nein – mit Strychnin, glaube ich. Aber das ist nicht so wichtig. Das heißt: damals war es natürlich wichtig. Nur eine einzige Person hatte die Möglichkeit gehabt, es zu tun. Mrs. Appleton wurde vor Gericht gestellt. Und sie wurde freigesprochen – mehr aus mangelnden Beweisen als wegen erwiesener Unschuld. Mit anderen Worten: sie hatte Glück. Ja, ich glaube nicht, daß große Zweifel an ihrer Täterschaft bestehen. Was ist eigentlich später aus ihr geworden?«
»Sie ging, glaube ich, nach Kanada. Oder war es Australien? Ein Onkel oder irgendein Verwandter bot ihr an, zu ihm zu kommen. Übrigens das beste, was sie unter diesen Umständen tun konnte.«
Fasziniert starrte Mr. Satterthwaite auf Alex Portals rechte Hand, die das Glas umklammerte. Und wie fest sie es umklammerte.
›Du zerdrückst es gleich, wenn du nicht aufpaßt‹, dachte Mr. Satterthwaite. ›Mein Gott, wie interessant ist doch das alles.‹
Evesham erhob sich und goß sein Glas wieder voll.
»Na ja, aber bis jetzt wissen wir immer noch nicht genauer, warum der arme Derek Capel sich erschoß«, bemerkte er. »Ein großer Erfolg war unsere Untersuchung wohl nicht, Mr. Quin?«
Mr. Quin lachte . . .
Es war ein sonderbares Lachen – spöttisch, aber zugleich traurig. Es ließ alle zusammenfahren.

»Verzeihung«, sagte er. »Sie leben immer noch in der Vergangenheit, Mr. Evesham. Sie werden immer noch von Ihrer vorgefaßten Meinung gehemmt. Aber ich – der Mann von draußen, der vorüberkommende Fremde, sehe nur eines: Tatsachen!«
»Tatsachen?«
»Was soll das heißen?« fragte Evesham.
»Ich sehe eine klare Folge von Tatsachen, die Sie selbst geschildert haben, deren Bedeutung Sie jedoch nicht erkannt haben. Gehen wir einmal um zehn Jahre zurück und schauen wir uns an, was wir da sehen – unbekümmert um irgendwelche Vorstellungen oder Sentiments.«
Mr. Quin war aufgestanden. Er wirkte sehr groß. Das Feuer hinter ihm loderte sehr wirkungsvoll. Er sprach mit gedämpfter, bezwingender Stimme.
»Sie sitzen beim Essen. Derek Capel gibt seine Verlobung bekannt. Sie glauben, es handele sich um Marjorie Dilke. Jetzt sind Sie sich dessen nicht mehr so sicher. Er ähnelt in seinem Verhalten einem ruhelos aufgeregten Menschen, der das Schicksal erfolgreich herausgefordert hat – der, mit Ihren eigenen Worten, trotz überwältigender Widerstände einen großen Coup gelandet hat. Dann klingelt es. Er geht hinaus, um die längst überfällige Post in Empfang zu nehmen. Er öffnet zwar keinen der Briefe; Sie erwähnten jedoch selbst, daß er die Zeitung durchblätterte, um zu sehen, was es Neues gäbe. Das alles liegt zehn Jahre zurück – wir wissen also nicht, was es an diesem Tag Neues gab: ein Erdbeben in irgendeiner entlegenen Gegend, eine politische Krise in einem nahen Land? Das einzige, was wir über den Inhalt der Zeitungen wissen, ist eine kleine Mitteilung – die Mitteilung, daß das Innenministerium vor drei Tagen die Erlaubnis erteilt hat, die Leiche Mr. Appletons zu exhumieren.«
»Wieso?«
Mr. Quin fuhr fort.
»Derek Capel geht nach oben auf sein Zimmer, und dabei sieht er durch das Fenster irgend etwas. Sir Richard Conway hat uns berichtet, daß der Vorhang nicht zugezogen war, und außerdem, daß man auf die Auffahrt hinunterblicken konnte. Was aber sah er? Was konnte er gesehen haben, das ihn zwang, sich das Leben zu nehmen?«
»Was meinen Sie? Was hat er gesehen?«
»Ich glaube«, sagte Mr. Quin, »daß er den Polizisten erblickte. Einen Polizisten, der wegen des Hundes gekommen war – was

Derek Capel nicht wußte. Er sah lediglich – einen Polizisten.«

Es folgte eine längere Stille – als dauerte es einige Zeit, die Folgerung zu begreifen.

»Mein Gott!« flüsterte Evesham schließlich. »Das kann doch nicht Ihr Ernst sein? Appleton? Aber er war doch zu der Zeit gar nicht da. Appleton starb. Der alte Mann war allein mit seiner Frau ...«

»Aber eine Woche vorher könnte er dort gewesen sein. Strychnin ist nur in Form von Hydrochlorid leicht löslich. Schüttet man es in Portwein, wird der weitaus größte Teil erst in das letzte Glas gegossen – vielleicht eine Woche, nachdem er dort war.«

Portal sprang auf. Seine Stimme klang heiser, seine Augen waren blutunterlaufen.

»Warum hat sie denn die Karaffe hingeschmissen?« schrie er. »Warum? Sagen Sie mir das!«

Zum erstenmal an diesem Abend wandte Mr. Quin sich unmittelbar an Mr. Satterthwaite.

»Sie besitzen große Lebenserfahrungen, Mr. Satterthwaite. Vielleicht können Sie es uns erklären.«

Mr. Satterthwaites Stimme zitterte ein bißchen. Endlich war sein Stichwort gefallen. Er hatte die Aufgabe, einige der entscheidenden Sätze in diesem Spiel zu sprechen. Er war also jetzt auch Schauspieler – nicht mehr Zuschauer.

»Meiner Ansicht nach aus folgenden Gründen«, sagte er leise und bescheiden. »Sie – mochte Derek Capel. Sie war, glaube ich, eine gute Frau – und hatte ihn abgewiesen. Als ihr Mann dann – starb, ahnte sie die Wahrheit. Und um den Mann, den sie liebte, zu retten, versuchte sie, alle Beweise, die für seine Täterschaft sprachen, zu beseitigen. Später gelang es ihm, wie ich annehme, sie zu überzeugen, daß ihr Verdacht unbegründet wäre, und sie erklärte sich einverstanden, ihn zu heiraten. Aber selbst dann zögerte sie noch – Frauen haben, glaube ich, sehr viel Instinkt.«

Mr. Satterthwaite hatte seine Rolle gesprochen.

Plötzlich erfüllte ein langer zitternder Seufzer die Luft.

»Mein Gott!« rief Evesham und fuhr zusammen. »Was war das?«

Mr. Satterthwaite hätte ihm sagen können, daß dieser Seufzer von Eleanor Portal käme, die oben am Geländer hockte; er war jedoch zu sehr Künstler, um einen guten Effekt zu zerstören.

Mr. Quin lächelte.

»Mein Wagen wird wieder in Ordnung gebracht sein. Ich danke Ihnen für Ihre Gastfreundschaft, Mr. Evesham. Ich habe, wie ich hoffe, für meinen Freund etwas tun können.«
In offensichtlicher Verwirrung starrten sie ihn an.
»Ist Ihnen diese Seite der Angelegenheit wirklich noch nicht klargeworden? Sie wissen, er liebte diese Frau. Er liebte sie so sehr, daß er um ihretwillen sogar Selbstmord verübte. Als die Vergeltung ihn – wie er irrtümlich annahm – erreichte, nahm er sich das Leben. Ohne es zu wollen, überließ er es damit jedoch ihr, die Folgen auf sich zu nehmen.«
»Sie wurde freigesprochen«, murmelte Evesham.
»Aber doch nur, weil man ihr nichts nachweisen konnte. Und ich kann mir vorstellen – es ist allerdings nur eine reine Überlegung –, daß sie selbst heute noch an den Folgen zu tragen hat.«
Portal war in einen Sessel gesunken; das Gesicht hatte er in den Händen verborgen.
Quin wandte sich an Mr. Satterthwaite.
»Auf Wiedersehen, Mr. Satterthwaite. Das Drama hat Sie sehr interessiert, nicht wahr?«
Mr. Satterthwaite nickte – völlig überrascht.
»Eigentlich müßte ich Ihrer Aufmerksamkeit die Posse anempfehlen. Sie stirbt heutzutage zwar langsam aus – aber wenn man sich mit ihr beschäftigt, dann lohnt es sich. Das können Sie mir glauben. Ihr Symbolismus ist manchmal etwas schwer zu begreifen – aber die Unsterblichen sind immer unsterblich, verstehen Sie? Ich wünsche Ihnen allen eine gute Nacht.«
Sie sahen, wie er in die Dunkelheit hinaustrat. Wie bei seinem Eintritt hatte das bunte Glas die Wirkung, daß er ein Narrengewand zu tragen schien ...
Mr. Satterthwaite ging nach oben. Er hatte die Absicht, sein Fenster zu schließen, denn die Luft war kalt. Die Gestalt des Mr. Quin ging gerade die Auffahrt entlang, und aus einer Nebentür erschien plötzlich die Gestalt einer Frau. Sie rannte. Für einen Augenblick sprachen sie miteinander; dann kehrte die Frau auf demselben Weg zum Haus zurück. Unmittelbar unter seinem Fenster kam sie entlang, und Mr. Satterthwaite war wiederum von der Lebendigkeit ihres Gesichts überrascht. Ihre Bewegungen glichen jetzt allerdings einer Frau, die sich in einem glücklichen Traum befindet.
»Eleanor!« Alex Portal war plötzlich bei ihr. »Eleanor – verzeih

mir – verzeih mir ... Du hast mir die Wahrheit gesagt – aber Gott vergebe mir: ich habe dir nicht ganz geglaubt ...«

Mr. Satterthwaite interessierte sich glühend für die Angelegenheit anderer Leute; daneben war er jedoch zugleich ein Gentleman. Und deshalb war es für ihn selbstverständlich, daß er das Fenster schließen müßte. Das tat er auch.

Allerdings dauerte es etwas länger, bis er es geschlossen hatte. Er hörte noch ihre feine und unbeschreibbare Stimme.

»Ich weiß – ich weiß. Für dich war es die Hölle. Das war es früher einmal auch für mich. Lieben – und daneben entweder glauben oder mißtrauen – die eigenen Zweifel beiseite schieben, während sie doch mit ihren gerissenen Gesichtern immer wieder von neuem auftauchen ... Ich weiß, Alex, ich kenne es ... Aber es gibt noch eine schlimmere Hölle – jene Hölle, in der ich mit dir gelebt habe. Ich habe deine Zweifel genau gesehen – deine Angst vor mir ... Unsere ganze Liebe wurde dadurch vergiftet. Jener Mann – jener Unbekannte, der zufällig vorbeikam, hat mich gerettet. Ich konnte es einfach nicht mehr ertragen – verstehst du? Heute abend – heute abend wollte ich mir das Leben nehmen ... Alex ... Ach, Alex ...«

Der tote Harlekin

Mr. Satterthwaite ging langsam die Bond Street entlang und genoß den Sonnenschein. Er war, wie üblich, sorgfältig und elegant gekleidet, und sein Ziel waren die Harchester Galleries, wo gerade die Bilder eines Frank Bristow ausgestellt waren – eines neuen und bislang unbekannten Künstlers, der allem Anschein nach plötzlich in Mode zu kommen schien. Mr. Satterthwaite war ein Förderer der Künste.

Als Mr. Satterthwaite die Harchester Galleries betrat, wurde er sofort mit einem Lächeln erfreuter Zufriedenheit begrüßt.

»Guten Morgen, Mr. Satterthwaite. Ich habe Sie schon vor einiger Zeit erwartet. Kennen Sie Bristows Arbeiten? Hübsch – sehr hübsch sogar. In seiner Art ganz einmalig.«

Mr. Satterthwaite erwarb einen Katalog und trat durch den Rundbogen in den langen Raum, wo die Arbeiten des Künstlers ausgestellt waren. Es waren Aquarelle von ungewöhnlicher Technik und Vollendung, so daß sie beinahe kolorierten Radierungen ähnelten. Mr. Satterthwaite wanderte langsam an den Wänden entlang, betrachtete sie prüfend und war insgesamt sehr angetan. Natürlich befanden sich auch unausgereifte Arbeiten darunter. Das war zu erwarten gewesen – aber einiges grenzte doch beinahe an Genialität. Vor einem kleinen Meisterwerk, das die Westminster Bridge mit ihrem Gewimmel von Autobussen, Straßenbahnen und eiligen Fußgängern zeigte, blieb Mr. Satterthwaite stehen: eine winzige Arbeit, und auf wunderbare Weise vollkommen. Wie er feststellte, hieß es ›Der Ameisenhaufen‹. Er ging weiter. Unvermittelt hielt er plötzlich den Atem an; sein Vorstellungsvermögen war auf einmal völlig gefangengenommen.

Das Bild hieß ›Der tote Harlekin‹. Im Vordergrund zeigte es einen Marmorfußboden, der aus eingelegten schwarzen und weißen Quadraten bestand. In der Mitte des Fußbodens lag ein Harlekin auf dem Rücken, die Arme ausgebreitet und in ein schwarz-rotes Narrengewand gehüllt. Hinter ihm befand sich ein Fenster, und durch dieses Fenster blickte jemand auf die am Boden liegende Gestalt; allem Anschein nach war es derselbe

Mann, dessen Silhouette sich vom roten Schein der untergehenden Sonne abhob.
Dieses Bild erregte Mr. Satterthwaite aus zwei Gründen: einmal erkannte er das Gesicht des Mannes, der hier abgebildet war – zumindest glaubte er es zu erkennen. Es hatte eine unverkennbare Ähnlichkeit mit einem gewissen Mr. Quin, einem Bekannten, dem Mr. Satterthwaite vielleicht zweimal unter etwas mysteriösen Umständen begegnet war.
»Ich kann mich unmöglich irren«, murmelte er. »Aber wenn es stimmt – was hat es zu bedeuten?«
Denn Mr. Satterthwaites Erfahrung hatte gezeigt, daß jedes Auftreten dieses Mr. Quin immer etwas ganz Bestimmtes zu bedeuten hatte.
Mr. Satterthwaites Interesse hatte jedoch, wie bereits erwähnt, noch einen zweiten Grund. Er erkannte den Schauplatz des Bildes wieder.
»Das Terrassenzimmer in Charnley«, sagte er. »Merkwürdig – und höchst interessant.«
Mit wachsender Aufmerksamkeit betrachtete er das Bild und überlegte, was sich der Künstler wohl dabei gedacht hatte. Der eine Harlekin tot auf dem Fußboden, ein zweiter Harlekin blickt durch das Fenster – oder war es derselbe Harlekin? Langsam ging er weiter an den Wänden entlang, schaute immer neue Bilder an, ohne sie eigentlich zu sehen, und immer kreisten seine Gedanken um dasselbe Thema. Er war erregt. Das Leben, das heute morgen noch eintönig zu sein schien, war keineswegs mehr eintönig. Ganz genau wußte er, daß er auf der Schwelle zu erregenden und interessanten Ereignissen stand. Er ging zu dem Tisch hinüber, an dem Mr. Cobb saß. Mr. Cobb gehörte zu den angesehenen Mitgliedern der Harchester Galleries, und Mr. Satterthwaite kannte ihn schon seit Jahren.
»An sich würde ich gern die Nummer 39 kaufen«, sagte er, »wenn sie nicht bereits verkauft ist.«
Mr. Cobb blätterte in einem Verzeichnis.
»Das beste von allen«, murmelte er, »eine wahre Kostbarkeit – finden Sie nicht auch? Nein, es ist noch nicht verkauft.« Er nannte einen Preis. »Eine gute Geldanlage, Mr. Satterthwaite. In einem Jahr müssen Sie bestimmt das Dreifache dafür bezahlen.«
»Das heißt es bei solchen Gelegenheiten immer«, sagte Mr. Satterthwaite lächelnd.
»Na – und habe ich nicht recht behalten?« fragte Mr. Cobb.

»Wenn Sie Ihre Sammlung verkauften, Mr. Satterthwaite, glaube ich nicht, daß auch nur eines ihrer Bilder weniger einbringen würde, als Sie seinerzeit dafür bezahlten.«
»Dann kaufe ich also dieses Bild«, sagte Mr. Satterthwaite. »Hier haben Sie einen Scheck.«
»Sie werden es sicher nicht bereuen. Wir glauben an Bristow.«
»Ist er noch jung?«
»Sieben- oder achtundzwanzig, würde ich sagen.«
»Ich würde ihn gern kennenlernen«, sagte Mr. Satterthwaite. »Vielleicht ist er bereit, einmal mit mir zu Abend zu essen?«
»Ich kann Ihnen seine Adresse geben. Und ich bin überzeugt, daß er mit Freuden zusagen wird. In der Welt der Künstler gilt Ihr Name eine ganze Menge.«
»Sie schmeicheln mir«, sagte Mr. Satterthwaite und wollte gerade weitergehen, als Mr. Cobb ihn festhielt.
»Da drüben ist er. Ich werde Sie gleich mit ihm bekannt machen.«
Er verließ seinen Platz hinter dem Tisch. Mr. Satterthwaite begleitete ihn, bis sie vor einem großen, etwas unbeholfenen jungen Mann standen, der an der Wand lehnte und, geschützt von einer Barrikade tiefgefurchter Stirnfalten, die Welt insgesamt beobachtete.
Mr. Cobb machte die erforderlichen Vorstellungen, und Mr. Satterthwaite hielt eine formelle und reizende kleine Ansprache.
»Ich hatte gerade das Vergnügen, eines Ihrer Bilder zu erwerben – den toten Harlekin.«
»Ach? Na, dann haben Sie kein schlechtes Geschäft gemacht«, sagte Mr. Bristow ungnädig. »Eine verdammt gute Arbeit – auch wenn ich selbst es behaupte.«
»Das habe ich gesehen«, sagte Mr. Satterthwaite. »Ihre Arbeit interessiert mich sehr, Mr. Bristow. Für einen so jungen Menschen finde ich sie ungewöhnlich reif. Und ich wüßte gern, ob Sie mir das Vergnügen machen würden, irgendwann mit mir zu Abend zu essen? Haben Sie heute abend schon etwas vor?«
»Genaugenommen nicht«, sagte Mr. Bristow, und immer noch war er nicht gerade von übertriebener Höflichkeit.
»Sagen wir also: um acht?« schlug Mr. Satterthwaite vor. »Hier haben Sie meine Karte mit der Adresse.«
»Gut – einverstanden«, sagte Mr. Bristow. »Danke«, fügte er noch hinzu. Offensichtlich war es ihm gerade noch rechtzeitig eingefallen.

»Ein junger Mann, der von sich selbst keine gute Meinung hat und fürchtet, die übrige Welt sei derselben Ansicht.« Das etwa war der Schluß, zu dem Mr. Satterthwaite kam, als er in den Sonnenschein auf der Bond Street hinaustrat, und Mr. Satterthwaites Urteil über seine Mitmenschen traf nur selten sehr weit neben das Ziel.

Frank Bristow erschien um fünf nach acht und stellte fest, daß er nicht nur von seinem Gastgeber, sondern auch von einem weiteren Gast erwartet wurde. Dieser Gast wurde ihm als ein Colonel Monckton vorgestellt. Fast unmittelbar danach gingen sie zum Essen. Auf dem ovalen Mahagonitisch lag noch ein viertes Gedeck, und Mr. Satterthwaite gab sofort die notwendige Erklärung dafür.

»Ich hatte eigentlich damit gerechnet, daß mein Freund, Mr. Quin, ebenfalls kommen würde«, sagte er. »Vielleicht haben Sie ihn schon irgendwo kennengelernt. Mr. Harley Quin?«

»Ich habe überhaupt keine Leute kennengelernt«, brummte Mr. Bristow.

Colonel Monckton sah den Künstler mit jenem unbeteiligten Interesse an, das er auch einer neuen Quallenart entgegengebracht hätte. Mr. Satterthwaite hingegen bemühte sich, die Kugel der Unterhaltung ständig in Bewegung zu halten.

»Ihr Bild fand mein besonderes Interesse, weil ich glaubte, in dem Schauplatz das Terrassenzimmer von Charnley wiederzuerkennen. Habe ich richtig vermutet?« Und als der Künstler nickte, fuhr er fort: »Das ist allerdings sehr interessant. In früheren Zeiten bin ich selbst mehrmals in Charnley gewesen. Vielleicht kennen Sie jemanden von der Familie?«

»Nein!« sagte Bristow. »Solche Familien legen keinen Wert darauf, mich zu kennen. Ich bin mal mit einem Bus hingefahren.«

»Ach du lieber Himmel«, sagte Colonel Monckton, um überhaupt etwas zu sagen. »Mit einem Bus! Unvorstellbar!«

Frank Bristow sah ihn mit gefurchter Stirn an.

»Warum denn nicht?« fragte er wütend.

Der arme Colonel Monckton war völlig verstört. Vorwurfsvoll blickte er Mr. Satterthwaite an, als wollte er sagen: »Für Sie als Naturalist mögen diese primitiven Lebensformen vielleicht ganz interessant sein – aber warum haben Sie ausgerechnet mich in diese Geschichte hineingezogen?«

»Ach, scheußliche Dinger, diese Busse!« sagte er. »Auf schlechten Straßen wird man immer gräßlich durchgeschüttelt.«

»Wenn man sich keinen Rolls-Royce leisten kann, muß man leider mit dem Bus fahren«, sagte Bristow erbittert.
Colonel Monckton starrte ihn an. Mr. Satterthwaite hingegen überlegte: ›Wenn es mir nicht gelingt, diesen jungen Mann zu besänftigen, dürfte es ein ziemlich anstrengender Abend werden.‹
»Charnley hat mich immer wieder fasziniert«, sagte er. »Seit jener Tragödie bin ich nur ein einziges Mal dort gewesen. Ein schreckliches Haus – und ein gespenstisches dazu.«
»Das stimmt«, sagte Bristow.
»Genaugenommen gibt es dort zwei glaubwürdige Gespenster«, sagte Monckton. »Angeblich soll Charles I. mit seinem Kopf unter dem Arm auf der Terrasse herumwandern – den Grund dafür habe ich allerdings vergessen. Und dann existiert noch die ›weinende Frau‹, die immer auftaucht, wenn einer der Charnleys stirbt.«
»Quatsch«, sagte Bristow verächtlich.
»Jedenfalls ist diese Familie vom Pech verfolgt gewesen«, sagte Mr. Satterthwaite eilig. »Vier Inhaber des Titels sind eines gewaltsamen Todes gestorben, und der letzte Lord Charnley hat Selbstmord verübt.«
»Eine gräßliche Geschichte«, sagte Monckton ernst. »Ich war damals dort, als es passierte.«
»Warten Sie, das muß vor vierzehn Jahren gewesen sein«, sagte Mr. Satterthwaite. »Seit damals ist das Haus zugesperrt.«
»Das wundert mich wirklich nicht«, sagte Monckton. »Für ein junges Mädchen muß es ein fürchterlicher Schock gewesen sein. Einen Monat waren sie gerade verheiratet und kurz vorher aus den Flitterwochen nach Hause zurückgekommen. Ein großer Kostümball, um ihre Heimkehr zu feiern. Und ausgerechnet als die ersten Gäste eintrafen, schloß Charnley sich im Eichenzimmer ein und erschoß sich. So etwas tut man nicht. Wie meinen Sie?«
Er wandte den Kopf scharf nach links und blickte dann Mr. Satterthwaite an; dabei lachte er verlegen.
»Langsam macht sich bei mir Gehirnerweichung bemerkbar, Satterthwaite. Eben habe ich doch tatsächlich für einen Moment geglaubt, irgend jemand säße auf dem leeren Stuhl und hätte etwas zu mir gesagt!«
»Ja«, fuhr er nach kurzem Schweigen fort, »für Alix Charnley war es ein ziemlich gespenstischer Schock. Sie war damals eines

der hübschesten Mädchen, die man sich vorstellen kann, und platzte förmlich vor dem, was die Leute Lebensfreude nennen. Heute dagegen soll sie eher einem Geist ähneln. Ich selbst habe sie seit Jahren nicht gesehen. Ich glaube, sie lebt meistens im Ausland.«

»Und der Junge?«

»Der Junge ist in Eton. Was er machen wird, wenn er alt genug ist, ahne ich nicht. Irgendwie kann ich mir aber nicht vorstellen, daß er wieder in das Haus zieht.«

»Immerhin könnte es einen ganz hübschen Vergnügungspark abgeben«, sagte Bristow.

Colonel Monckton blickte ihn mit kalter Verachtung an.

»Ach wo – das kann Ihr Ernst nicht sein«, sagte Mr. Satterthwaite. »Dann hätten Sie nämlich dieses Bild nicht gemalt. Tradition und Atmosphäre sind unfaßbare Dinge. Zu ihrem Entstehen braucht es Generationen, und wenn man sie zerstört, kann man sie nicht binnen vierundzwanzig Stunden wieder herbeischaffen.«

Er erhob sich. »Gehen wir ins Rauchzimmer hinüber. Ich habe dort ein paar Aufnahmen von Charnley aufgehoben, die ich Ihnen gern zeigen möchte.«

Zu Mr. Satterthwaites Steckenpferden gehörte die Amateurphotographie. Außerdem war er der stolze Verfasser eines einzigen Buches: ›Die Heime meiner Freunde‹. Die in Frage kommenden Freunde waren ausnahmslos ziemlich exaltiert, und das Buch zeigte Mr. Satterthwaite in einem snobistischen Licht, das ihm nicht ganz gerecht wurde.

»Das hier ist eine Aufnahme vom Terrassenzimmer, die ich letztes Jahr machte«, sagte er. Er reichte sie Bristow. »Sie sehen, daß die Aufnahme fast denselben Bildausschnitt zeigt wie Ihr Aquarell. Der Teppich ist ein wunderbares Stück – ein Jammer, daß die Farben nicht so herauskommen.«

»Ich kann mich noch daran erinnern«, sagte Bristow.» Hinreißende Farben. Wie Feuer glühten sie. Trotzdem wirkte er ein bißchen unpassend. Schon die Größe paßte nicht zu dem Raum mit den schwarzen und weißen Quadraten. Sonst liegt kein Teppich in diesem Raum. Er zerstört die ganze Wirkung – wie ein riesiger Blutfleck sah er aus.«

»Sind Sie vielleicht dadurch auf den Einfall gebracht worden, das Bild zu malen?« fragte Mr. Satterthwaite.

»Vielleicht«, sagte Bristow nachdenklich. »Wenn man diesen Teppich sieht, kommt man ganz von selbst auf die Idee, daß sich in dem kleinen getäfelten Zimmer, das nebenan liegt, eine Tragödie abgespielt hat.«

»Das Eichenzimmer«, sagte Monckton. »Ja, das ist allerdings das gespenstische Zimmer. Übrigens existiert dort auch so eine Art Beichtstuhl – eine verschiebbare Täfelung neben dem Kamin. Die Überlieferung behauptet, Charles I. hätte sich dort einmal versteckt. Außerdem hat es in diesem Zimmer bei Duellen zwei Tote gegeben. Und schließlich hat sich, wie ich schon sagte, Reggie Charnley dort erschossen.«

Er nahm Bristow die Aufnahme aus der Hand.

»Das ist übrigens der Buchara«, sagte er, »ein Teppich, der meiner Ansicht nach ein paar tausend Pfund wert ist. Als ich damals dort war, lag er jedoch im Eichenzimmer – wo er auch hinpaßte. Auf dieser großen Marmorfläche wirkt er fast lächerlich.«

Mr. Satterthwaite betrachtete den leeren Sessel, den er neben den seinen gezogen hatte. Dann sagte er nachdenklich: »Ich möchte nur wissen, wann er dort hingelegt worden ist.«

»Das muß erst später geschehen sein. Richtig – ich erinnere mich an eine Unterhaltung mit Charnley, und zwar genau am Tag der Tragödie. Charnley meinte damals, an sich gehöre der Teppich hinter Glas.«

Mr. Satterthwaite schüttelte den Kopf: »Das Haus wurde unmittelbar nach der Tragödie zugesperrt, und alles wurde genauso belassen, wie es damals war.«

Hier fiel Bristow mit einer Frage ein. Seine aggressive Art hatte er übrigens völlig abgelegt.

»Warum hat Lord Charnley sich eigentlich erschossen?« fragte er.

Colonel Monckton bewegte sich unbehaglich in seinem Sessel.

»Das weiß kein Mensch«, sagte er unsicher.

»Ich nehme an«, sagte Mr. Satterthwaite langsam, »daß es tatsächlich Selbstmord war.«

Der Colonel blickte ihn völlig verblüfft an.

»Selbstmord«, sagte er, »selbstverständlich war es Selbstmord! Mein lieber Freund, ich hielt mich damals selbst im Hause auf.«

Mr. Satterthwaite blickte den leeren Sessel an, der neben ihm stand, und lächelte dann vor sich hin, als hätte ein Unsichtbarer einen Witz gemacht. Dann sagte er: »Manchmal erkennt man gewisse Dinge später sehr viel deutlicher als im Augenblick ihres Geschehens.«

»Unsinn«, polterte Monckton. »Reiner Unsinn! Wie können Sie etwas klarer erkennen, wenn es nicht mehr deutlich und scharf, sondern in der Erinnerung leicht verschwommen geworden ist?«
Mr. Satterthwaite erhielt jedoch von unerwarteter Seite Unterstützung.
»Ich weiß, was Sie meinen«, sagte der Künstler. »Und ich finde, daß Sie wahrscheinlich recht haben. Es ist eine Frage der Proportion, nicht? Und wahrscheinlich sogar mehr als nur der Proportion. Der Relativität und wie man es sonst noch nennt.«
»Also wenn Sie mich fragen«, sagte der Colonel, »ich halte diese ganzen Einstein'schen Sachen für Bockmist! Genauso wie die Spiritisten und spukende eigene Großmütter!« Wütend blickte er sich um.
»Natürlich war es Selbstmord!« fuhr er fort. »Habe ich denn nicht praktisch mit eigenen Augen gesehen, wie es passierte?«
»Erzählen Sie doch mal«, sagte Mr. Satterthwaite, »damit wir es ebenfalls mit eigenen Augen sehen.«
Mit einem leicht besänftigten Knurren machte es sich der Colonel in seinem Sessel noch bequemer.
»Das Ganze kam vollkommen unerwartet«, begann er. »Charnley war den ganzen Tag über ganz normal gewesen. Wegen des Balls waren eine Menge Gäste im Haus. Kein Mensch wäre auf die Idee gekommen, daß er sich in dem Augenblick erschießt, in dem die ersten Gäste erscheinen.«
»Geschmackvoller wäre es gewesen, wenn er damit gewartet hätte, bis sie wieder gegangen waren«, sagte Mr. Satterthwaite.
»Natürlich wäre es das gewesen! Verdammt geschmacklos – so etwas überhaupt zu tun.«
»Und ganz uncharakteristisch«, sagte Mr. Satterthwaite.
»Ja«, gab Monckton zu. »So etwas sah Charnley gar nicht ähnlich.«
»Und trotzdem war es Selbstmord?«
»Natürlich war es Selbstmord. Wir standen nämlich gerade zu dritt oder viert oben auf der Treppe: ich selbst, dann die kleine Ostrander, Algie Darcy – na ja, und vielleicht noch zwei andere. Charnley ging unten durch die Diele und verschwand im Eichenzimmer. Die kleine Ostrander hat später gesagt, sein Gesicht hätte einen gespenstischen Ausdruck gehabt und seine Augen wären ganz starr gewesen – aber das ist natürlich Unsinn,

denn von unserem Platz aus konnte sie das Gesicht gar nicht sehen. Aber irgendwie ging er in einer etwas gebückten Haltung, als lastete das Gewicht der ganzen Welt auf seinen Schultern. Eines der Mädels rief ihm etwas nach – ich glaube, es war die Gouvernante irgendwelcher Leute, die Lady Charnley aus purer Freundlichkeit ebenfalls eingeladen hatte. Sie suchte ihn, um ihm irgend etwas auszurichten. Sie rief: ›Lord Charnley, Lady Charnley möchte wissen . . .‹ Er kümmerte sich jedoch gar nicht darum, sondern verschwand im Eichenzimmer, schlug die Tür hinter sich zu, und dann hörten wir, wie er von drinnen abschloß. Und dann, eine Minute danach, hörten wir den Schuß.

Wir rannten in die Diele hinunter. Das Eichenzimmer hat noch eine zweite Tür, die in das Terrassenzimmer führt. Wir versuchten, durch diese Tür hineinzukommen, aber sie war ebenfalls abgeschlossen. Schließlich mußten wir die Tür aufbrechen. Charnley lag auf dem Boden – tot, eine Pistole dicht neben seiner rechten Hand. Was konnte es schon anderes sein als Selbstmord? Ein Unfall? Das war ausgeschlossen. Es gab nur eine andere Möglichkeit: Mord. Aber Mord ohne Mörder gibt es nicht. Das werden Sie vermutlich zugeben.«

»Der Mörder könnte immerhin geflohen sein«, meinte Mr. Satterthwaite.

»Das ist unmöglich. Wenn Sie ein Stück Papier und einen Bleistift haben, will ich Ihnen gern den Grundriß des Zimmers aufzeichnen. Zwei Türen führten in das Eichenzimmer – die eine von der Diele, die zweite vom Terrassenzimmer aus. Aber beide Türen waren von innen abgeschlossen, und die Schlüssel steckten.«

»Und das Fenster?«

»War geschlossen, und die Läden waren zugezogen.«

Es folgte eine Pause.

»So sieht es also aus«, sagte Colonel Monckton triumphierend.

»Es scheint tatsächlich zu stimmen«, sagte Mr. Satterthwaite dunkel.

»Und noch etwas«, sagte der Colonel. »Auch wenn ich mich gerade eben über die Spiritisten lustig gemacht habe, gebe ich doch zu, daß eine verteufelt komische Stimmung über dem ganzen Haus und besonders über diesem einen Zimmer lag. In der Wandtäfelung sind verschiedene Löcher – Andenken an die Duelle, die in dem Zimmer stattfanden, und auf dem Fußboden befindet sich ein merkwürdiger Fleck, der immer wieder erscheint, obgleich das Holz schon mehrfach erneuert worden ist. Wahrscheinlich hat der Boden jetzt einen zweiten Blutfleck – vom Blut des armen Charnley.«

»Hatte er sehr viel Blut verloren?« fragte Mr. Satterthwaite.

»Nur sehr wenig – auffallend wenig – wenigstens meinte das der Arzt.«

»Auf welche Weise hat er sich erschossen? Durch Kopfschuß?«

»Nein, ins Herz hatte er sich geschossen.«

»Das ist aber nicht ganz einfach«, sagte Bristow. »Verdammt schwierig, genau zu wissen, wo das Herz bei einem sitzt. Also ich würde so etwas nie machen.«

Mr. Satterthwaite schüttelte den Kopf. Er war enttäuscht. Er hatte gehofft, irgend etwas herauszufinden – was es war, wußte er allerdings nicht. Colonel Monckton erzählte weiter.

»Dieses Charnley ist tatsächlich ein Haus, in dem es spukt. Persönlich habe ich es natürlich nicht erlebt.«

»Sie haben also die weinende Frau mit dem silbernen Krug nicht gesehen?«

»Nein, das habe ich weiß Gott nicht, Sir«, sagte der Colonel nachdrücklich. »Aber das Personal wird wahrscheinlich beschwören, sie gesehen zu haben.«

»Aberglaube«, grübelte Mr. Satterthwaite, und sein Blick wanderte zu dem leeren Sessel. »Aber manchmal, finden Sie nicht auch – manchmal kann so etwas ganz nützlich sein?«

Bristow starrte ihn an.

»Nützlich ist ein merkwürdiges Wort.«

»Hoffentlich sind Sie jetzt überzeugt, Satterthwaite«, sagte der Colonel.

»Vollständig«, sagte Mr. Satterthwaite. »Nach allem ist es zwar immer noch merkwürdig – besonders bei einem jungverheirateten Mann, jung, reich, glücklich, der gerade seine Heimkehr feiert – merkwürdig –, aber ich gebe zu, daß sich gegen die Tatsachen nichts einwenden läßt.« Leise wiederholte er: »Die Tatsachen!« Und dabei furchte er die Stirn.

»Interessant bei der ganzen Sache ist meiner Meinung nach das, was keiner von uns jemals erfahren wird«, sagte Monckton. »Nämlich der Grund, der dahintersteckt. Natürlich gab es Gerüchte – alle möglichen Gerüchte. Sie wissen wohl selbst, was die Leute in solchen Fällen alles erzählen.«

»Aber tatsächlich wissen tut niemand etwas«, sagte Mr. Satterthwaite nachdenklich.

»Als Roman würde die Sache bestimmt keine Leser finden«, bemerkte Bristow. »Hat der Tod dieses Mannes irgend jemandem Vorteile gebracht?«
»Nur einem noch ungeborenen Kind«, sagte Mr. Satterthwaite.
Monckton lachte leise und schadenfroh. »Für den armen Hugo Charnley war das ein schwerer Schlag«, sagte er. »Kaum wurde bekannt, daß ein Kind unterwegs sei, hatte er die angenehme Aufgabe, Tag und Nacht gespannt abzuwarten, ob es nun ein Junge oder ein Mädchen sein würde. Und für seine Gläubiger war es auch eine aufregende Warterei. Schließlich kam ein Junge zur Welt, und das war für die Leute natürlich eine große Enttäuschung.«
»War die Witwe sehr untröstlich?« fragte Bristow.
»Das arme Kind«, sagte Monckton. »Ich werde sie nie vergessen. Sie hat weder geweint, noch ist sie zusammengebrochen oder was weiß ich. Sie war wie – erstarrt. Und wie ich schon erzählte, sperrte sie das Haus gleich danach zu, und soweit ich orientiert bin, ist sie seitdem nie mehr dort gewesen.«
»Hinsichtlich des Motivs tappen wir also weiterhin im dunkeln«, sagte Bristow mit einem flüchtigen Lachen. »Ein anderer Mann oder eine andere Frau – eins von beiden wird es doch wohl gewesen sein, was?«
»Anscheinend«, sagte Mr. Satterthwaite.
»Und alles spricht für eine andere Frau«, fuhr Bristow fort, »da die schöne Witwe nicht wieder geheiratet hat. Ich hasse Frauen«, fügte er gleichgültig hinzu.
Mr. Satterthwaite lächelte ein wenig; Frank Bristow sah es jedoch und stürzte sofort darüber her.
»Meinetwegen können Sie ruhig lächeln«, sagte er. »Aber es stimmt. Sie bringen alles durcheinander. Sie mischen sich ständig ein. Sie schieben sich zwischen den Mann und seine Arbeit. Sie . . Ein einziges Mal bin ich einer Frau begegnet, die – na ja, interessant war sie.«
»Das habe ich mir gedacht«, sagte Mr. Satterthwaite.
»Aber nicht so, wie Sie meinen. Ich – ich lernte sie zufällig kennen. Wenn Sie es genau wissen wollen – in der Bahn.« Und trotzig fügte er hinzu: »Warum soll man nicht auch in der Bahn Leute kennenlernen?«
»Sicher«, sagte Mr. Satterthwaite besänftigend. »Es ist völlig egal, ob in der Bahn oder sonstwo.«
»Ich kam damals aus dem Norden zurück. Wir hatten das Abteil

für uns allein. Wieso, weiß ich nicht mehr, aber wir fingen an zu erzählen. Ihren Namen kenne ich nicht, und wahrscheinlich werde ich sie wohl auch nie wiedersehen. Ich bin mir, nebenbei gesagt, gar nicht klar, ob ich es überhaupt will. Vielleicht ist es – schade.« Er schwieg und versuchte die richtigen Worte zu finden. »Sie war nicht ganz real, verstehen Sie. Schattenhaft. Wie diese Leute, die in den gälischen Märchen aus den Hügeln herauskommen.«
Mr. Satterthwaite nickte freundlich. Seine Phantasie konnte sich das Bild sehr gut vorstellen. Der sehr positive und realistische Bristow und eine Gestalt, die silbrig und gespenstisch war – schattenhaft, wie Bristow es genannt hatte.
»Ich glaube, daß man so nur werden kann, wenn irgend etwas Entsetzliches passiert ist – etwas so Entsetzliches, daß es fast unerträglich ist. Vielleicht flieht man aus der Realität in eine halbwirkliche Welt, die man sich selbst gezimmert hat, und nach einiger Zeit kann man dann natürlich nicht wieder zurück.«
»Was hatte sie denn erlebt?« fragte Mr. Satterthwaite neugierig.
»Das weiß ich nicht«, sagte Bristow. »Erzählt hat sie mir nichts. Ich vermute nur. Wenn man irgend etwas verstehen will, ist man immer nur auf Vermutungen angewiesen.«
»Ja«, sagte Mr. Satterthwaite. »Man ist auf Vermutungen angewiesen.«
Er blickte auf, als sich die Tür öffnete. Schnell und voller Erwartung blickte er auf, aber die Worte des Butlers enttäuschten ihn.
»Eine Dame, Sir, möchte Sie in einer sehr dringenden Angelegenheit sprechen. Miss Aspasia Glen.«
Leicht erstaunt erhob Mr. Satterthwaite sich. Der Name Aspasia Glen war ihm bekannt. Wer in London kannte ihn nicht? Als ›Frau mit der Schärpe‹ war sie in einer Reihe von Matineen aufgetreten, die sie allein bestritt und mit denen sie London im Sturm erobert hatte. Mit Hilfe ihrer Schärpe hatte sie in schneller Folge verschiedene Charaktere dargestellt. Nacheinander hatte die Schärpe den Schleier einer Nonne, den Schal eines Stahlarbeiters, den Kopfputz einer Bäuerin und hundert andere Dinge verkörpert, und bei jeder Darstellung war Aspasia Glen ein vollkommen und restlos anderes Geschöpf gewesen. Als Künstlerin zollte Mr. Satterthwaite ihr großen Beifall. Zufälligerweise hatte er nie ihre Bekanntschaft gemacht. Ein Besuch

zu dieser ungewöhnlichen Stunde erregte also seine größte Neugierde. Mit einigen Worten der Entschuldigung verließ er das Zimmer und ging durch die Diele in das Wohnzimmer.
Miss Glen saß genau in der Mitte eines Sofas, das mit Goldbrokat bezogen war. Auf diese Weise beherrschte sie den ganzen Raum. Mr. Satterthwaite merkte sofort, daß sie die Absicht hatte, sich die Situation nicht aus der Hand nehmen zu lassen. Seltsamerweise verspürte er im ersten Moment nur Abneigung. Er war ein ernsthafter Bewunderer von Aspasia Glens Kunst gewesen. Soweit ihre Persönlichkeit über die Rampe hinaus gedrungen war, hatte er sie für reizend und sympathisch gehalten. Sehnsüchtig und reizvoll, aber nicht herrisch hatte sie gewirkt. Jetzt, von Angesicht zu Angesicht dieser Frau gegenüberstehend, bekam er jedoch einen völlig anderen Eindruck. Sie hatte etwas Hartes, Freches und Gezwungenes an sich. Groß und dunkel war sie, und ihr Alter schätzte er auf fünfunddreißig. Sie war zweifellos sehr gutaussehend, und diese Tatsache nutzte sie deutlich aus.
»Sie müssen meinen Besuch zu dieser unpassenden Zeit verzeihen, Mr. Satterthwaite«, sagte sie. Ihre Stimme war voll, farbig und verführerisch. »Ich will nicht sagen, daß ich mich schon seit langem danach gesehnt hätte, Sie kennenzulernen, aber trotzdem freue ich mich über den Anlaß, der mich hierher führte. Und daß es gerade heute abend ist ...« Sie lachte. »Mein Gott, wenn ich etwas haben will, kann ich einfach nicht warten. Wenn ich etwas haben will, muß ich es unbedingt sofort haben.«
»Jeder Anlaß, der eine so charmante Dame in mein Haus führt, ist mir willkommen«, sagte Mr. Satterthwaite auf altmodisch galante Weise.
»Wie reizend Sie zu mir sind«, sagte Aspasia Glen.
»Meine liebe Dame«, sagte Mr. Satterthwaite, »darf ich Ihnen hier und jetzt für das Vergnügen danken, das Sie mir oft geschenkt haben – auf meinem Platz im Parkett.«
Sie lächelte ihn entzückt an.
»Ich will auch gleich zum Thema kommen. Ich war heute in den Harchester Galleries. Und dort sah ich ein Bild, ohne das ich einfach nicht mehr sein kann. Ich wollte es kaufen, aber das ging nicht, weil Sie es bereits gekauft haben. Deshalb ...« Sie machte eine Pause. »Lieber Mr. Satterthwaite, ich muß es einfach haben. Mein Scheckheft habe ich mitgebracht.« Hoffnungsvoll sah sie ihn an. »Jeder hat mir gesagt, wie fürchterlich nett Sie sind. Und zu

mir ist jeder sowieso nett, verstehen Sie! Für mich selbst ist es zwar sehr schlimm – aber so ist es nun einmal.«
Das also waren Aspasia Glens Methoden. Innerlich blieb Mr. Satterthwaite dieser so überbetont weiblichen Art gegenüber kalt und kritisch; dasselbe galt für ihre Art, das verwöhnte Kind zu spielen. Wahrscheinlich sollte es ihn reizen, aber das tat es nicht. Aspasia Glen hatte einen Fehler begangen. Sie hatte ihn als älteren Dilettanten behandelt, der von einer hübschen Frau leicht zu umschmeicheln ist. Hinter Mr. Satterthwaites galanter Art verbarg sich jedoch ein gescheiter und kritischer Verstand. Er sah die Menschen ziemlich genauso, wie sie in Wirklichkeit waren, und nicht, wie sie sein wollten. Und so sah er nicht eine charmante Frau vor sich, die ihn um die Erfüllung einer Laune bat, sondern eine rücksichtslose Egoistin, die entschlossen war, ihren Willen aus irgendeinem Grunde, der ihm verborgen blieb, durchzusetzen. Aber er wußte sehr genau, daß Aspasia Glen ihren Willen diesmal nicht durchsetzen würde. Er würde das Bild des toten Harlekin nicht an sie ausliefern. Fieberhaft suchte er in seinen Gedanken nach der besten Möglichkeit, ihr auszuweichen, ohne sie allzusehr zu verletzen.
»Ich bin überzeugt«, sagte er, »daß jeder Ihnen entgegenkommt, so oft er kann, und das mit größtem Vergnügen.«
»Dann wollen Sie mir also das Bild wirklich überlassen?«
Langsam und bedauernd schüttelte Mr. Satterthwaite den Kopf.
»Das ist, fürchte ich, leider unmöglich. Sehen Sie . . .« Er schwieg einen Augenblick. »Ich habe das Bild für eine Dame gekauft. Es soll ein Geschenk sein.«
»Ach! Aber sicherlich . . .«
Das Telefon auf dem Tisch läutete schrill. Mit einer gemurmelten Entschuldigung nahm Mr. Satterthwaite den Hörer ab. Eine Stimme meldete sich – eine kalte kleine Stimme, die sehr entfernt zu sein schien.
»Kann ich bitte Mr. Satterthwaite sprechen?«
»Am Apparat.«
»Hier ist Lady Charnley, Alix Charnley. Wahrscheinlich erinnern Sie sich nicht mehr an mich, Mr. Satterthwaite, da wir uns vor vielen Jahren zum letztenmal gesehen haben.«
»Meine liebe Alix – natürlich erinnere ich mich an Sie!«
»Ich möchte Sie nämlich um etwas bitten. Ich war heute in den Harchester Galleries auf einer Gemäldeausstellung, und da hing ein Bild mit dem Titel ›Der tote Harlekin‹. Vielleicht haben Sie

es wiedererkannt – es war das Terrassenzimmer von Charnley. Ich – ich würde das Bild gern haben. Es ist an Sie verkauft worden.« Sie verstummte. »Mr. Satterthwaite, ich möchte dieses Bild aus ganz bestimmten Gründen besitzen. Wollen Sie es mir verkaufen?«
Mr. Satterthwaite dachte: ›Das ist wirklich ein Wunder.‹ Und als er antwortete, war er dankbar, daß Aspasia Glen nur die eine Seite der Unterhaltung hören konnte. »Wenn Sie mein Geschenk annehmen, liebe Alix, würde es mich sehr glücklich machen.« Hinter sich hörte er einen Aufschrei und fuhr herum. »Ich habe es für Sie gekauft – wirklich. Aber hören Sie zu, meine liebe Alix, ich hätte Sie gern um einen sehr großen Gefallen gebeten. Wenn Sie mir den erfüllen könnten?«
»Aber natürlich, Mr. Satterthwaite. Ich bin Ihnen so sehr dankbar.«
»Ich möchte, daß Sie zu mir kommen, möglichst sofort.«
Es folgte eine kurze Pause, und dann antwortete sie ruhig: »Ich komme sofort.«
Mr. Satterthwaite legte den Hörer auf und wandte sich zu Miss Glen um.
Schnell und ärgerlich sagte Miss Glen: »Ging es um das Bild, über das wir sprachen?«
»Ja«, sagte Mr. Satterthwaite, »und die Dame, der ich es schenke, wird in wenigen Minuten hierher kommen.«
Plötzlich erstrahlte Aspasia Glens Gesicht in einem neuen Lächeln. »Geben Sie mir die Chance, daß ich sie zu überreden versuche, mir das Bild zu überlassen?«
»Ich gebe Ihnen die Chance, sie zu überreden.«
Innerlich war er seltsam erregt. Er befand sich im Mittelpunkt eines Dramas, das von allein einem vorbestimmten Ende zustrebte. Er, der Zuschauer, spielte eine Hauptrolle. Er wandte sich an Miss Glen. »Wollen Sie mich bitte hinüber begleiten? Ich würde Sie gern mit einigen meiner Freunde bekannt machen.«
Er hielt ihr die Tür auf, und nachdem sie die Diele durchquert hatte, öffnete er die Tür des Rauchzimmers.
»Miss Glen«, sagte er, »darf ich Ihnen einen alten Freund, Colonel Monckton, vorstellen. Und das ist Mr. Bristow, der Maler des Bildes, das Sie so bewundern.« Dann stutzte er, als sich eine dritte Gestalt aus dem Sessel erhob, der bisher unbesetzt neben seinem eigenen gestanden hatte.
»Ich glaube, Sie haben mich heute abend erwartet«, sagte Mr.

Quin. »Während Ihrer Abwesenheit habe ich mich Ihren Freunden selbst vorgestellt. Ich bin so froh, daß es mir möglich war, doch noch vorbeizukommen.«
»Mein lieber Freund«, sagte Mr. Satterthwaite, »ich – ich habe getan, was mir möglich war, aber ...« Er verstummte angesichts des spöttischen Ausdrucks in Mr. Quins Augen. »Wenn ich bekannt machen darf: Mr. Harley Quin – Miss Aspasia Glen.«
War es Einbildung – oder war sie wirklich ein wenig zusammengefahren? Ein neugieriger Ausdruck huschte über ihr Gesicht. Plötzlich machte Bristow sich lauthals bemerkbar. »Jetzt habe ich es!«
»Was haben Sie?«
»Jetzt weiß ich, was mich irritierte. Es ist die Ähnlichkeit – eine deutliche Ähnlichkeit.« Gebannt starrte er Mr. Quin an. »Sehen Sie es auch?« Er hatte sich an Mr. Satterthwaite gewandt. »Sehen Sie nicht die Ähnlichkeit mit dem Harlekin meines Bildes – mit dem Mann, der durch das Fenster schaut?«
Dieses Mal war es keine Einbildung. Deutlich hörte er, daß Miss Glen tief einatmete, und er sah sogar, daß sie einen Schritt zurückwich.
»Ich erwähnte bereits, daß ich noch jemanden erwartete«, sagte Mr. Satterthwaite. Er sprach mit einer Art von Triumph. »Allerdings muß ich dabei sagen, daß mein Freund Quin ein höchst ungewöhnlicher Mensch ist. Er kann Geheimnisse entwirren. Er bringt es fertig, gewisse Dinge sichtbar werden zu lassen.«
»Sind Sie ein Medium, Sir?« fragte Colonel Monckton, der Mr. Quin zweifelnd betrachtete.
Der Letztgenannte lächelte und schüttelte langsam den Kopf.
»Mr. Satterthwaite übertreibt«, sagte er ruhig. »Einmal oder auch zweimal hat er, als ich mit ihm zusammen war, auf wirklich ungewöhnliche Art bestimmte Folgerungen gezogen. Warum er diese Erfolge ausgerechnet mir in die Schuhe schieben will, ahne ich nicht. Wahrscheinlich aus Bescheidenheit.«
»Nein, nein«, sagte Mr. Satterthwaite erregt. »Das stimmt nicht. Sie sorgten dafür, daß ich plötzlich Dinge sah – Dinge, die ich schon längst gesehen haben sollte, die ich tatsächlich auch gesehen hatte – ohne jedoch zu wissen, daß ich sie sah.«
»Das klingt für mich verteufelt kompliziert«, sagte Colonel Monckton.
»Aber überhaupt nicht«, sagte Mr. Quin. »Die einzige Schwierigkeit liegt darin, daß wir nicht zufrieden sind, irgend etwas zu

sehen – wir wollen vielmehr den Dingen, die wir sehen, eine falsche Auslegung unterschieben.«
Aspasia Glen wandte sich an Bristow.
»Ich möchte gern wissen«, sagte sie nervös, »wie Sie auf die Idee gekommen sind, das Bild zu malen.«
Bristow zuckte die Schultern. »Das weiß ich nicht genau«, gestand er. »Irgend etwas am Haus – an Charnley, meine ich – fesselte meine Phantasie. Der große leere Raum. Draußen die Terrasse, die Vorstellung von Gespenstern und ähnlichen Dingen, nehme ich an. Gerade eben habe ich die Geschichte des letzten Lord Charnley gehört, der sich erschoß. Angenommen, man ist tot und der Geist lebte weiter? Merkwürdig muß das sein, verstehen Sie. Man kann auf der Terrasse stehen und durch das Fenster seinen eigenen Leichnam sehen, und man würde alles sehen.«
»Was meinen Sie damit?« sagte Aspasia Glen. »Wieso sehen?«
»Ach Gott, man würde sehen, was geschieht. Man würde sehen ...«
Die Tür öffnete sich, und der Butler meldete Lady Charnley.
Mr. Satterthwaite ging ihr entgegen. Seit nahezu neunzehn Jahren hatte er sie nicht gesehen. Er erinnerte sich nur an sie, wie sie damals gewesen war: ein lebhaftes, strahlendes Mädchen. Und jetzt sah er – eine erstarrte Frau. Sehr blond, sehr blaß und mit einem Gang, als schwebte sie – ähnlich einer Schneeflocke, die von einem eisigen Wind irgendwohin getrieben wird. Etwas Unwirkliches lag über ihr – so kühl, so fern.
»Es ist sehr reizend von Ihnen, daß Sie gekommen sind«, sagte Mr. Satterthwaite.
Er führte sie zu den anderen. Mit einer flüchtigen Bewegung deutete sie an, daß sie Miss Glen kenne, blieb jedoch stumm, als Aspasia Glen nicht reagierte.
»Es tut mir leid«, murmelte sie, »aber irgendwo muß ich Ihnen schon einmal begegnet sein, nicht wahr?«
»Vielleicht im Theater«, sagte Mr. Satterthwaite. »Das ist Miss Aspasia Glen, Lady Charnley.«
»Ich freue mich sehr, Sie kennenzulernen, Lady Charnley«, sagte Aspasia Glen. Ihre Stimme hatte plötzlich einen leichten amerikanischen Klang. Mr. Satterthwaite wurde an einen ihrer Bühnenauftritte erinnert.
»Colonel Monckton kennen Sie«, fuhr Mr. Satterthwaite fort. »Das hier ist Mr. Bristow.«
Er merkte plötzlich, daß ihre Wangen sich leicht röteten.

»Mr. Bristow und ich kennen uns ebenfalls«, sagte sie und lächelte leise. »Von einer Bahnfahrt.«
»Und Mr. Harley Quin.«
Er beobachtete sie gespannt, aber diesmal deutete nichts daraufhin, daß sie ihr Gegenüber erkannte. Er schob ihr einen Sessel zurecht, und nachdem er sich ebenfalls gesetzt hatte, räusperte er sich und war ein wenig aufgeregt. »Ich – das hier ist wirklich eine ungewöhnliche kleine Versammlung. Ihr Mittelpunkt ist das Bild. Ich – ich glaube, wenn wir wollten, könnten wir jetzt die – die Dinge aufklären.«
»Wollen Sie jetzt etwa eine Séance abhalten, Satterthwaite?« fragte Colonel Monckton. »Sie sind heute abend wirklich etwas merkwürdig.«
»Nein«, sagte Mr. Satterthwaite, »eine Séance eigentlich nicht. »Aber mein Freund Quin glaubt – und ich stimme darin überein –, daß man durch einen Rückblick in die Vergangenheit die Dinge so sehen kann, wie sie waren, und nicht so, wie sie schienen.«
»In die Vergangenheit?« sagte Lady Charnley.
»Ich spreche vom Selbstmord Ihres Mannes, Alix. Ich weiß, daß es Sie schmerzt . . .«
»Nein«, sagte Alix Charnley, »es schmerzt nicht mehr. Nichts schmerzt mich mehr.«
Mr. Satterthwaite mußte an Bristows Worte denken: »*Sie war nicht ganz real, verstehen Sie. Schattenhaft. Wie diese Leute, die in den gälischen Märchen aus den Hügeln herauskommen.«*
›Schattenhaft‹ hatte er sie genannt. Das paßte ganz genau. Ein Schatten, das Abbild einer anderen. Wo aber war dann die reale Alix? Und sein Verstand antwortete sofort: ›In der Vergangenheit. Durch vierzehn Jahre von uns getrennt.‹
»Meine Liebe«, sagte er, »Sie erschrecken mich. Sie ähneln der weinenden Frau mit dem silbernen Krug.«
Irgend etwas zersplitterte. Die Kaffeetasse, die auf dem Tisch neben Aspasia Glen gestanden hatte, lag in Scherben auf dem Fußboden. Mit einer Handbewegung schnitt Mr. Satterthwaite ihre Entschuldigungen ab. Er überlegte: ›Wir kommen näher, wir kommen mit jeder Minute näher – aber wem näher?‹
»Wandern wir mit unseren Gedanken zu jenem Abend vor vierzehn Jahren zurück«, sagte er. »Lord Charnley verübte Selbstmord. Aus welchem Grund? Niemand weiß es.«
Lady Charnley wurde unruhig.

»Lady Charnley weiß es«, sagte Frank Bristow unvermittelt.

»Unsinn«, sagte Colonel Monckton, verstummte dann jedoch und sah sie mit gerunzelter Stirn neugierig an.

Sie blickte zu dem Künstler hinüber. Es war, als hätte er die Worte aus ihr herausgelockt. Sie sprach, nickte langsam dabei, und ihre Stimme war wie eine Schneeflocke: kalt und weich.

»Ja, Sie haben recht. Ich weiß es wirklich. Deswegen kann ich auch, solange ich lebe, nie mehr nach Charnley zurück. Deswegen erklärte ich auch, daß es unmöglich sei, als Dick, mein Sohn, wollte, daß wir wieder dort wohnen sollten.«

»Wollen Sie uns den Grund verraten, Lady Charnley?« sagte Mr. Quin.

Sie blickte ihn an. Dann sprach sie, als wäre sie hypnotisiert, so ruhig und natürlich wie ein Kind.

»Wenn Sie wollen, will ich es Ihnen erzählen. Heute scheint alles nicht mehr so wichtig zu sein. Ich fand unter seinen Papieren einen Brief, den ich dann vernichtete.«

»Welchen Brief?« sagte Mr. Quin.

»Den Brief des Mädchens – dieses armen Kindes. Sie war als Gouvernante bei den Merriams. Er hatte – er hatte mit ihr ein Verhältnis – ja, vor unserer Hochzeit, als wir bereits verlobt waren. Und sie – sie war schwanger geworden. Das hatte sie ihm geschrieben, und daß sie mir alles erzählen wollte. Und da hat er sich erschossen.« Müde sah sie die anderen an, und sie wirkte verträumt wie ein Kind, das eben eine Lektion aufgesagt hat, die es nur allzugut kennt.

Colonel Monckton schnaubte sich die Nase.

»Mein Gott«, sagte er, »so also war es. Na ja, das erklärt allerdings alles.«

»Wirklich?« sagte Mr. Satterthwaite. »Eines erklärt es immerhin nicht. Es erklärt nicht, warum Mr. Bristow dieses Bild gemalt hat.«

»Was soll das heißen?«

Mr. Satterthwaite blickte Mr. Quin an, als suchte er bei ihm Unterstützung, und offenbar erhielt er sie, denn er fuhr fort: »Ja, ich weiß selbst, daß es in Ihren Ohren verrückt klingt, aber das Bild ist der Brennpunkt der ganzen Sache. Wegen dieses Bildes sind wir alle heute abend hierhergekommen. Das Bild mußte geradezu gemalt werden – das ist es, was ich sagen will.«

»Sie meinen damit den unheimlichen Einfluß des Eichenzimmers«, begann Colonel Monckton.

»Nein«, sagte Mr. Satterthwaite. »Nicht den des Eichenzimmers, sondern den des Terrassenzimmers. Darum geht es doch! Der Geist des Toten stand draußen vor dem Fenster, blickte hinein und sah seinen eigenen Leichnam auf dem Boden liegen.«

»Was ihm gar nicht möglich war«, sagte der Colonel, »weil die Leiche im Eichenzimmer lag.«

»Angenommen, sie lag nicht dort«, sagte Mr. Satterthwaite. »Angenommen, sie lag genau dort, wo Mr. Bristow sie sah – wo er sie in seiner Vorstellung sah, meine ich: auf den schwarz-weißen Marmorfliesen vor dem Fenster.«

»Jetzt reden Sie Unsinn«, sagte Colonel Monckton. »Wenn es wirklich so gewesen ist, hätten wir sie doch nicht im Eichenzimmer gefunden.«

»Es sei denn, irgend jemand hat sie dorthin gebracht«, sagte Mr. Satterthwaite.

»Aber wie hätten wir denn in diesem Fall sehen können, wie Charnley in das Eichenzimmer ging?« fragte Colonel Monckton.

»Sein Gesicht haben Sie doch nicht gesehen, nicht wahr?« erkundigte Satterthwaite sich. »Damit will ich folgendes sagen: sie sahen vermutlich, daß ein Mann, der ein Kostüm trug, in das Eichenzimmer ging.«

»Ein Kostüm aus Brokat und eine Perücke«, sagte Monckton.

»Sehr richtig. Und Sie glaubten, es wäre Lord Charnley, weil das Mädchen ihn mit Lord Charnleys Namen rief.«

»Und weil, als wir wenige Minuten später die Tür aufbrachen, nur der tote Lord Charnley im Eichenzimmer war. Darum kommen Sie nicht herum, Satterthwaite.«

»Nein«, sagte Mr. Satterthwaite niedergeschlagen. »Nein – es sei denn, daß sich irgendwo ein Versteck befand.«

»Haben Sie nicht vorhin etwas von einem Beichtstuhl erzählt, der sich in diesem Zimmer befindet?« unterbrach Frank Bristow ihn.

»Aha!« rief Mr. Satterthwaite. »Angenommen ...« Mit einer Handbewegung bat er um Ruhe, stützte seine Stirn in die andere Hand und fing an, langsam und zögernd zu sprechen.

»Ich habe eine bestimmte Vorstellung – vielleicht ist es nur Phantasie, aber ich glaube, es hängt damit zusammen. Angenommen, irgend jemand hätte Lord Charnley erschossen. Im Terrassenzimmer erschossen. Dann schleift er – oder eine andere Person – die Leiche in das Eichenzimmer. Sie legen den Toten hin, die Pistole dicht neben seine rechte Hand. Jetzt kommen wir zum nächsten Schritt. Es darf nicht der geringste Zweifel daran aufkommen, daß Lord Charnley Selbstmord verübt hat. Ich glaube, das konnte ziemlich einfach bewerkstelligt werden. Der Mann geht in Charnleys Kostüm und Perücke durch die Diele zur Tür des Eichenzimmers, und um ganz sicher zu sein, ruft jemand vom oberen Ende der Treppe ihn an, und zwar mit Lord Charnleys Namen. Er verschwindet im Zimmer, schließt beide Türen ab und feuert dann einen Schuß in die Täfelung. Wenn Sie sich erinnern, befanden sich in der Täfelung verschiedene Einschüsse, so daß ein weiterer nicht auffiel. Dann versteckt der Mann sich in aller Ruhe in der Geheimkammer. Die Türen werden aufgebrochen und die Leute stürzen herein. Es scheint sicher zu sein, daß Lord Charnley Selbstmord verübt hat. Eine andere Hypothese wird nicht einmal in Betracht gezogen.«

»Das ist doch alles nur Geschwätz«, sagte Colonel Monckton. »Sie vergessen, daß Charnley ein ausreichendes Motiv hatte, um Selbstmord zu begehen.«

»Ja – einen Brief, der später gefunden wurde«, sagte Mr. Satterthwaite. »Ein erlogener, grausamer Brief, geschrieben von einer sehr gescheiten und skrupellosen kleinen Schauspielerin, die die feste Absicht hatte, selbst Lady Charnley zu werden.«

»Was meinen Sie damit?«

»Ich meine das Mädchen, das sich mit Hugo Charnley zusammengetan hatte«, sagte Mr. Satterthwaite. »Sie wissen doch, Monckton, und jeder weiß es, daß Hugo Charnley ein Lump war. Er glaubte, auf diese Weise würde er den Titel erben.« Unvermittelt wandte er sich an Lady Charnley. »Wie hieß das Mädchen, das den Brief geschrieben hatte?«

»Monica Ford«, sagte Lady Charnley.

»War es vielleicht Monica Ford, Monckton, die damals von der Treppe aus Lord Charnleys Namen rief?«

»Ja, richtig – jetzt, wo Sie davon sprechen, glaube ich fast, daß sie es war.«

»Nein, das ist unmöglich«, sagte Lady Charnley. »Ich – ich bin wegen der Geschichte bei ihr gewesen. Sie sagte, es stimmte wirklich. Ich habe sie nachher zwar nur ein einziges Mal gesehen, aber ich bin überzeugt, daß sie das alles nicht gespielt hat.«

Mr. Satterthwaite blickte zu Aspasia Glen hinüber.

»Ich persönlich halte es sehr wohl für möglich«, sagte er ruhig. »Ich glaube, daß sie die Anlagen zu einer großartigen Schauspielerin hatte.«

»Es gibt aber einen Punkt, den Sie noch nicht geklärt haben«, sagte Frank Bristow. »Auf dem Boden des Terrassenzimmers hätten Blutspuren sein müssen. So schnell hätte man sie wohl kaum beseitigen können.«
»Nein«, gab Mr. Satterthwaite zu, »aber etwas anderes konnten sie tun – eine Sache, die nur wenige Sekunden Zeit beanspruchte: Sie konnten den Buchara über die Blutspuren legen. Kein Mensch hat gesehen, daß der Buchara schon vorher im Terrassenzimmer gelegen hatte.«
»Ich glaube, Sie haben recht«, sagte Monckton. »Aber irgendwann mußten die Blutflecken trotzdem beseitigt werden.«
»Ja«, sagte Mr. Satterthwaite, »mitten in der Nacht. Eine Frau ging um diese Zeit mit einem Krug und einer Schüssel hinunter und wischte die Blutspuren auf, ohne daß es auffiel.«
»Und wenn sie dabei gesehen worden wäre?«
»Das wäre bedeutungslos gewesen«, sagte Mr. Satterthwaite. »Außerdem spreche ich jetzt von dem, was tatsächlich geschah. Ich sagte ausdrücklich: eine Frau mit einem Krug und einer Schüssel. Wenn ich jedoch von einer weinenden Frau mit einem silbernen Krug gesprochen hätte, wäre das der Eindruck gewesen, den irgendein Beobachter gehabt hätte.« Er erhob sich und ging zu Aspasia Glen hinüber. »So war es doch, nicht wahr?« sagte er. »Man nennt Sie heute die Frau mit der Schärpe, aber damals spielten Sie Ihre erste Rolle: die weinende Frau mit dem silbernen Krug. Deswegen haben Sie gerade eben auch die Kaffeetasse vom Tisch gestoßen. Sie bekamen es mit der Angst, als Sie das Bild sahen. Sie glaubten, irgend jemand wüßte Bescheid.«
Anklagend streckte Lady Charnley ihre Hand aus.
»Monica Ford«, keuchte sie. »Jetzt erkenne ich Sie wieder!«
Aspasia Glen sprang auf. Mit einer Handbewegung schob sie den kleinen Mr. Satterthwaite beiseite und blieb bebend vor Mr. Quin stehen.
»Also habe ich doch recht gehabt. Einer hat es tatsächlich gewußt! Oh, dieses dumme Getue hat mich nicht täuschen können. Diese angeblichen Überlegungen und Folgerungen.« Sie zeigte auf Mr. Quin. »Sie sind damals da gewesen. Sie waren es, der draußen vor dem Fenster stand und hereinsah. Sie haben gesehen, was wir machten – wir, Hugo und ich. Ich habe genau gewußt, daß jemand hereinsah. Die ganze Zeit hatte ich es gespürt. Aber als ich den Kopf hob, war niemand zu sehen. Ich

wußte, daß wir beobachtet wurden. Einmal dachte ich, ich hätte gesehen, wie am Fenster ein Gesicht auftauchte. Die ganzen Jahre hat es mich gequält. Und dann sah ich das Bild, auf dem Sie am Fenster stehen, und ich erkannte Ihr Gesicht wieder. Sie haben es also die ganzen Jahre gewußt. Warum brechen Sie jetzt das Schweigen? Das möchte ich gern noch wissen!«

»Vielleicht, damit der Tote in Frieden ruhen kann«, sagte Mr. Quin.

Plötzlich drehte Aspasia Glen sich um und rannte zur Tür; dort blieb sie einen Augenblick stehen und rief herausfordernd: »Macht meinetwegen, was ihr wollt! Für das, was ich eben gesagt habe, gibt es jetzt weiß Gott genügend Zeugen. Aber mir ist alles egal – alles. Ich habe Hugo geliebt und ihm bei dieser widerlichen Sache geholfen; später hat er mich dafür hinausgeworfen. Letztes Jahr ist er gestorben. Ihr könnt die Polizei ruhig auf meine Spur setzen, wenn ihr wollt – aber denkt daran, was dieser kleine verhutzelte Mensch gesagt hat: ich bin eine ziemlich gute Schauspielerin. Sie werden es nicht leicht haben, mich zu finden!« Krachend schlug die Tür hinter ihr zu, und einen Augenblick später hörten sie auch, daß die Haustür zugeschlagen wurde.

»Reggie«, rief Lady Charnley. »Reggie!« Die Tränen liefen ihr über das Gesicht. »Oh, mein Lieber, mein Lieber – jetzt kann ich nach Charnley zurück. Jetzt kann ich mit Dick dort wohnen. Ich kann ihm erzählen, was sein Vater war: der feinste, der großartigste Mann der Welt!«

»Wir müssen nun ernsthaft beraten, was in dieser Angelegenheit unternommen werden muß«, sagte Colonel Monckton. »Alix, meine Liebe, wenn du erlaubst, daß ich dich jetzt nach Hause bringe, würde ich wegen dieser Sache gern noch ein paar Worte mit dir wechseln.«

Lady Charnley erhob sich. Sie kam zu Mr. Satterthwaite, legte beide Hände auf seine Schultern und küßte ihn flüchtig.

»Wenn man so lange tot war, ist es wunderbar, wieder zu leben«, sagte sie. »Es war, als wäre ich tot, verstehen Sie? Ich danke Ihnen, lieber Mr. Satterthwaite.« Sie verließ das Zimmer zusammen mit Colonel Monckton. Mr. Satterthwaite sah ihnen nach. Ein Knurren von Frank Bristow, der völlig in Vergessenheit geraten war, ließ ihn herumfahren.

»Sie ist ein hinreißendes Geschöpf«, sagte Bristow schwermütig. »Aber sie ist nicht annähernd so interessant wie früher«, sagte er mürrisch.

»Jetzt spricht der Künstler«, sagte Mr. Satterthwaite.
»Stimmt es etwa nicht?« sagte Mr. Bristow. »Wahrscheinlich zeigt sie mir doch nur die kalte Schulter, wenn ich mich jemals in Charnley sehen lassen würde. Ich gehe nicht gern dahin, wo ich unerwünscht bin.«
»Mein lieber junger Freund«, sagte Mr. Satterthwaite, »wenn Sie etwas weniger an den Eindruck denken würden, den Sie auf andere Leute machen, wären Sie meiner Ansicht nach weiser und glücklicher. Außerdem würde es Ihnen guttun, wenn Sie einige Ihrer überholten Vorstellungen aufgeben würden – etwa die, daß die Herkunft unter den heutigen Bedingungen noch etwas bedeutet. Sie gehören zu diesen großen und breitschultrigen jungen Männern, die in den Augen der Frauen immer gutaussehend sind, und möglicherweise, wenn nicht sogar bestimmt, sind Sie ungeheuer begabt. Das alles brauchen Sie sich nur jeden Abend, vor dem Schlafengehen, zehnmal vorzusagen, damit Sie Lady Charnley in drei Monaten besuchen können. Das ist es, was ich Ihnen rate, und ich bin immerhin ein alter Mann, der beträchtliche Erfahrungen gesammelt hat.«
Ein reizendes Lächeln erschien auf dem Gesicht des Künstlers.
»Sie sind verdammt nett zu mir gewesen«, sagte er plötzlich. Er ergriff Mr. Satterthwaites Hand und umklammerte sie mit kräftigem Griff. »Ich bin Ihnen unendlich dankbar. Aber jetzt muß ich verschwinden. Sehr herzlichen Dank für einen der ungewöhnlichsten Abende, die ich jemals erlebt habe.«
Er schaute sich um, als wollte er sich noch von irgend jemandem verabschieden, und stutzte dann.
»Nanu, Sir – Ihr Freund ist nicht mehr da. Ich habe gar nicht gemerkt, daß er gegangen ist. Er ist wohl ein ziemlich komischer Vogel, nicht?«
»Er geht und kommt sehr plötzlich«, sagte Mr. Satterthwaite. »Das gehört nun einmal zu seinen Eigenarten. Und man merkt nicht immer, wenn er kommt oder geht.«
»Wie der Harlekin«, sagte Frank Bristow. »Er ist auch unsichtbar.« Und dann lachte er schallend über seinen Witz.

Die Seele des Croupiers

Mr. Satterthwaite genoß in Monte Carlo den Sonnenschein auf der Terrasse. Alljährlich verließ er regelmäßig am zweiten Sonntag des Januar England und fuhr an die Riviera. Er war sehr viel pünktlicher als jede Schwalbe. Im April kehrte er nach England zurück, verbrachte die Monate Mai und Juni in London, und noch nicht ein einziges Mal hatte er Ascot verpaßt. Nach dem Spiel zwischen Eton und Harrow verließ er London wieder und machte auf dem Lande ein paar Besuche, ehe er nach Deauville oder Le Touquet abreiste. Jagdeinladungen füllten den größten Teil der Monate September und Oktober aus, und gewöhnlich verbrachte er dann einige Monate in London, um das Jahr auszufüllen. Er kannte jeden, und man kann mit Bestimmtheit sagen, daß jeder ihn kannte.
An diesem Vormittag hatte er die Stirn gefurcht. Das Blau des Meeres war bewundernswert, die Gärten waren, wie immer, eine Lust, aber die Menschen enttäuschten ihn – in seinen Augen waren sie eine schlechtgekleidete, protzige Menge. Natürlich befanden sich ein paar Spieler darunter, verdammte Seelen, die es unabwendbar hierher zog. Sie duldete Mr. Satterthwaite. Sie waren eine notwendige Kulisse. Vermissen tat er jedoch den üblichen Sauerteig der Elite – seine eigenen Leute.
»Das kommt von der Veränderung«, sagte Mr. Satterthwaite düster. »Heutzutage kommen alle möglichen Leute hierher, die sich früher so etwas nicht leisten konnten. Und außerdem werde ich natürlich langsam alt ... Die vielen jungen Leute – die kommenden Leute – fahren neuerdings in diese Schweizer Orte.«
Es gab jedoch noch andere, die er vermißte: die gutgekleideten Barone und Grafen aus der Diplomatie, die Großherzöge und die königlichen Prinzen. Der einzige königliche Prinz, den er bisher entdeckt hatte, bediente in einem weniger bekannten Hotel den Aufzug. Ferner vermißte er die bezaubernden und kostspieligen Damen. Ein paar gab es zwar immer noch, aber doch nicht annähernd so viele wie einstmals.
Mr. Satterthwaite war ein ernsthafter Beobachter jenes Dramas,

das ›Leben‹ genannt wird; am liebsten war es ihm jedoch, wenn es wirklich farbenprächtig war. Er spürte, wie Entmutigung ihn überkam. Die Werte änderten sich – und er, er war zu alt, um sich noch zu ändern.

In diesem Augenblick bemerkte er, daß die Gräfin Zarnowa sich ihm näherte.

Seit Jahren hatte Mr. Satterthwaite die Gräfin während der Saison in Monte Carlo angetroffen. Zum erstenmal hatte er sie gesehen, als sie sich in der Begleitung eines Großherzogs befand. Das nächste Mal war sie mit einem österreichischen Baron zusammen gewesen. In den folgenden Jahren waren ihre Freunde hebräischer Herkunft gewesen: blasse Männer mit Hakennasen, die ziemlich auffällig funkelnde Juwelen trugen. Und in den beiden letzten Jahren war sie viel mit sehr jungen Männern, fast Knaben, zusammen gesehen worden.

Auch jetzt war sie von einem sehr jungen Mann begleitet. Zufällig kannte Mr. Satterthwaite ihn, und das bedauerte er. Franklin Rudge war ein junger Amerikaner, das typische Produkt eines mittelwestlichen Staates, sehr darauf bedacht, Eindruck zu machen, ungehobelt, jedoch liebenswert, und überhaupt eine seltsame Mischung aus angeborener Gerissenheit und Idealismus. Er war mit einer Gruppe von Amerikanern beiderlei Geschlechts nach Monte Carlo gekommen, die alle demselben Typ angehörten. Es war ihre erste flüchtige Bekanntschaft mit der Alten Welt, und sowohl mit Kritik als auch mit Anerkennung waren sie sehr freimütig.

Alles in allem hatten sie eine Abneigung gegen die Engländer in den Hotels, und die Engländer hatten eine Abneigung gegen sie. Mr. Satterthwaite, der sich zugute hielt, ein Kosmopolit zu sein, mochte sie allerdings. Ihre Direktheit und ihre Energie sagten ihm zu, obgleich ihre gelegentlichen sprachlichen Schnitzer ihm einen Schauer über den Rücken jagten.

Jedenfalls war er der Meinung, daß die Gräfin Zarnowa für den jungen Franklin Rudge eine höchst ungeeignete Freundin sei. Höflich nahm er den Hut ab, als sie vor ihm vorbeigingen, und die Gräfin schenkte ihm ein charmantes Kopfnicken und ein Lächeln.

Sie war eine sehr hochgewachsene Frau und großartig zurechtgemacht. Ihr Haar war tiefschwarz, wie übrigens auch ihre Augen, und Augenwimpern wie Augenbrauen waren noch schwärzer, als die Natur es jemals zustande gebracht hätte.

Mr. Satterthwaite, der sich in den weiblichen Geheimnissen genauer auskannte, als es für einen Mann gut war, konnte nicht umhin, jene Kunst zu bewundern, mit der sie zurechtgemacht war. Ihr Teint wirkte makellos und war von einem crèmefarbenen Weiß. Die leicht angedeuteten Schatten unter den Augen waren sehr wirkungsvoll. Ihre Lippen waren weder karmesinrot noch purpurrot, sondern von einem gedämpften Weinrot. Gekleidet war sie in eine sehr gewagte Création aus Schwarz und Weiß, und ihr Sonnenschirm hatte einen rötlichen Ton, der für ihr Gesicht ausgesprochen vorteilhaft war.

Franklin Rudge machte einen glücklichen und gewichtigen Eindruck.

›Da geht ein junger Tölpel‹, überlegte Mr. Satterthwaite. ›Aber wahrscheinlich geht es mich nichts an, und außerdem würde er doch nicht auf mich hören. Na ja, ich habe meine Erfahrungen seinerzeit auch selbst sammeln müssen.‹

Aber trotzdem machte er sich nicht geringe Gedanken, weil zu der Gruppe auch eine sehr attraktive kleine Amerikanerin gehörte, und er war überzeugt, daß sie Franklin Rudges Freundschaft mit der Gräfin nicht gern sah.

Er war gerade im Begriff, seine Schritte in die entgegengesetzte Richtung zu lenken, als er sah, daß das eben erwähnte Mädchen ihm auf einem der Wege entgegenkam. Sie trug ein gutgeschnittenes Schneiderkostüm mit einer weißen Musselinbluse, vernünftige und ordentliche Straßenschuhe, und in der Hand hielt sie einen Reiseführer. Es gibt Amerikanerinnen, die durch Paris kommen und sich anziehen, als wären sie die Königin von Saba, aber zu ihnen gehörte Elizabeth Martin nicht. Sie ›absolvierte‹ Europa mit ernster und bewußter Entschlossenheit, besaß hohe Vorstellungen von Kultur und Kunst, und sie war sehr darauf bedacht, für ihren begrenzten Geldvorrat möglichst viel zu erleben.

Es ist zweifelhaft, ob Mr. Satterthwaite den kulturellen oder den künstlerischen Aspekt bei ihr sah, wenn er an sie dachte. Ihm kam sie lediglich sehr jung vor.

»Guten Morgen, Mr. Satterthwaite«, sagte Elizabeth. »Haben Sie vielleicht Franklin – Mr. Rudge – irgendwo gesehen?«

»Vor wenigen Minuten habe ich ihn gerade gesehen.«

»Wahrscheinlich schon wieder mit seiner Freundin, der Gräfin«, sagte das Mädchen hitzig.

»Äh – mit der Gräfin, ja«, gab Mr. Satterthwaite zu.

»Seine Gräfin kann mir gestohlen bleiben«, sagte das Mädchen mit ziemlich heller, schriller Stimme. »Franklin ist richtig verrückt nach ihr. Warum? Das weiß ich auch nicht.«
»Sie hat eine sehr charmante Art, glaube ich«, sagte Mr. Satterthwaite vorsichtig.
»Kennen Sie sie?«
»Flüchtig.«
»Über Franklin mache ich mir richtige Sorgen«, sagte Miss Martin. »Im allgemeinen ist der Junge sonst so vernünftig. Man kann sich gar nicht vorstellen, daß er auf dieses Sirenenzeug hereinfällt. Und er läßt sich auch gar nichts sagen. Wenn man mit ihm reden will, wird er wild wie eine Hornisse. Sagen Sie bitte – ist sie wirklich eine Gräfin?«
»Darüber kann ich nichts sagen«, meinte Mr. Satterthwaite. »Möglich ist es.«
»Das ist wieder diese typisch englische Art«, sagte Elizabeth mit allen Anzeichen des Mißvergnügens. »Aber eines weiß ich genau: In Sargon Springs – das ist unsere Heimatstadt, Mr. Satterthwaite – würde diese Gräfin wie ein verdammt komischer Vogel aussehen.«
Das hielt Mr. Satterthwaite für möglich. Er bedachte dabei jedoch, daß sie sich nicht in Sargon Springs, sondern im Fürstentum Monaco befanden, wo die Gräfin zufälligerweise sehr viel besser mit ihrer Umgebung harmonisierte als Miss Martin.
Er erwiderte trotzdem nichts, und Elizabeth ging weiter in Richtung Casino. Mr. Satterthwaite setzte sich in der Sonne auf einen Stuhl, und wenig später gesellte Franklin Rudge sich zu ihm.
Rudge war voller Begeisterung.
»Ich finde es großartig«, verkündete er mit kindlicher Begeisterung. »Jawohl, Sir! Das nenne ich das Leben kennenlernen – ein ganz anderes Leben als das, was wir bei uns in den Staaten kennen!«
Der Ältere wandte ihm ein nachdenkliches Gesicht zu. »Das Leben wird überall fast genau gleich gelebt«, sagte er ziemlich unbeteiligt. »Es ist nur anders verkleidet – das ist alles.«
Franklin Rudge starrte ihn an.
»Das verstehe ich nicht.«
»Nein«, sagte Mr. Satterthwaite, »weil Sie bis dahin noch ein ganzes Stück vor sich haben. Aber entschuldigen Sie bitte. Wenn man älter ist, soll man es sich nicht angewöhnen, lange Predigten zu halten.«

»Aber das macht doch nichts!« Rudge lachte und entblößte dabei das prachtvolle Gebiß, das für seine Landsleute typisch ist. »Wissen Sie – eines muß ich sagen: das Casino hat mich doch ziemlich enttäuscht. Ich dachte immer, wenn man spielt – das wäre ganz anders, wäre viel hektischer. Ich finde es jedoch ziemlich langweilig und vulgär.«
»Für den Spieler bedeutet es Leben und Tod, wenn es auch sonst keinen auffällig großen Wert besitzt«, sagte Mr. Satterthwaite. »Darüber zu lesen ist viel aufregender, als ihm zuzusehen.«
Der junge Mann nickte zustimmend.
»Sie sind übrigens gesellschaftlich ein ziemlich großes Tier, nicht?« fragte er, und seine schüchterne Aufrichtigkeit war schuld, daß man diese Frage nicht übelnehmen konnte. »Ich meine, Sie kennen die ganzen Herzoginnen und Gräfinnen und so weiter.«
»Eine ganze Menge kenne ich«, sagte Mr. Satterthwaite. »Und außerdem noch viele Juden und Portugiesen und Griechen und Argentinier.«
»Wieso?« sagte Mr. Rudge.
»Ich wollte damit nur sagen«, erklärte Mr. Satterthwaite, »daß ich in der englischen Gesellschaft zu Hause bin.«
Franklin Rudge überlegte einen Augenblick.
»Sie kennen doch die Gräfin Zarnowa, nicht?« sagte er schließlich.
»Flüchtig«, sagte Mr. Satterthwaite und gab ihm dieselbe Antwort, die er schon Elizabeth gegeben hatte.
»Also das ist nun wirklich eine Frau, die zu kennen wahnsinnig interessant ist. Meistens glaubt man, die ganze Aristokratie Europas hat abgewirtschaftet und ist am Ende. Für die Männer mag das stimmen – aber für die Frauen gilt es bestimmt nicht. Ist es nicht großartig, ein so hinreißendes Wesen wie die Gräfin kennenzulernen? Witzig, charmant, intelligent, dazu eine Kultur hinter sich, die Generationen vor ihr aufgebaut haben, und außerdem eine Aristokratin bis in die Fingerspitzen?«
»Ist sie das?« fragte Mr. Satterthwaite.
»Ja – ist sie das denn nicht? Kennen Sie ihre Familie?«
»Nein«, sagte Mr. Satterthwaite. »Ich fürchte, ich weiß von ihr nur sehr wenig.«
»Sie ist eine geborene Radcynski«, erklärte Franklin Rudge. »Das ist eine der ältesten ungarischen Familien. Und sie hat ein ungewöhnliches Leben geführt. Haben Sie ihre lange Perlenkette gesehen?«

Mr. Satterthwaite nickte.
»Die hat ihr der König von Bosnien geschenkt. Sie hat für ihn ein paar geheime Papiere aus dem Königreich hinausgeschmuggelt.«
»Ich habe schon gehört«, sagte Mr. Satterthwaite, »daß der König von Bosnien ihr diese Perlenkette geschenkt hätte.«
Diese Tatsache war tatsächlich das Thema, über das viel gesprochen wurde, zumal es hieß, die Dame wäre seinerzeit eine *chère amie* Seiner Majestät gewesen.
»Ich will Ihnen noch mehr erzählen.«
Mr. Satterthwaite lauschte, und je länger er lauschte, desto mehr bewunderte er die blühende Phantasie der Gräfin Zarnowa. Nichts von vulgärem ›Sirenenzeug‹ – wie Elizabeth Martin sich ausgedrückt hatte. Dazu war der junge Mann viel zu schlau, sauber und idealistisch. Nein: die Gräfin bewegte sich vielmehr in einem Labyrinth diplomatischer Intrigen. Sie hatte Feinde, Verleumder – natürlich! Der junge Amerikaner bekam das Gefühl, daß er einen flüchtigen Blick in das Leben des alten Regime werfen durfte, dessen Mittelpunkt die Gräfin bildete: einsam, aristokratisch, Freundin der Berater und Fürsten – eine Gestalt, die romantische Verehrung auslösen konnte.
»Und nach allen Seiten hat sie sich verteidigen müssen«, schloß der junge Mann voller Wärme. »Es ist schon sehr ungewöhnlich, aber in ihrem ganzen Leben hat sie nicht eine einzige Frau gefunden, mit der sie sich richtig hätte befreunden können. Immer haben die anderen Frauen etwas gegen sie gehabt.«
»Wahrscheinlich«, sagte Mr. Satterthwaite.
»Finden Sie das nicht auch skandalös?« fragte Rudge hitzig.
»N-nein«, sagte Mr. Satterthwaite nachdenklich. »Das kann ich wirklich nicht behaupten. Frauen haben nun einmal eigene Ansichten – verstehen Sie? Und es hat keinen Sinn, sich in ihre Angelegenheiten einmischen zu wollen. Jede einzelne ist eine Hauptdarstellerin.«
»Hier stimme ich mit Ihnen nicht überein«, sagte Rudge ernst. »Gerade das gehört heutzutage zum Schlimmsten, was man sich denken kann: die Unfreundlichkeit zwischen Frau und Frau. Kennen Sie Elizabeth Martin? Theoretisch stimmt sie mit mir vollkommen überein. Wir haben oft darüber gesprochen. Sie ist zwar noch ein Kind, aber das, was sie so denkt, ist völlig in Ordnung. In dem Moment aber, wo es zum praktischen Versuch kommt – na ja, da unterscheidet sie sich eben von den anderen

um keinen Deut. Sie kann die Gräfin nicht ausstehen, obwohl sie überhaupt nichts von ihr weiß, und sie will auch nicht hinhören, wenn ich ihr etwas zu erzählen versuche. Da stimmt doch etwas nicht, Mr. Satterthwaite. Ich glaube an die Demokratie – und – was ist sie anderes als eine Bruderschaft unter Männern und Schwesternschaft unter Frauen?«
Er schwieg voller Ernst; Mr. Satterthwaite hingegen versuchte, sich eine Situation vorzustellen, in der zwischen der Gräfin und Elizabeth Martin ein schwesterliches Gefühl entstehen könne. Aber es gelang ihm nicht.
»Andererseits ist es aber so«, fuhr Rudge fort, »daß die Gräfin Elizabeth unendlich bewundert und sie wirklich bezaubernd findet. Und was beweist das?«
»Das beweist«, sagte Mr. Satterthwaite trocken, »daß die Gräfin schon beträchtlich länger lebt als Miss Martin.«
Völlig unerwartet sprang Franklin Rudge auf ein anderes Thema über.
»Wissen Sie, wie alt sie ist? Sie hat es mir gesagt. Verdammt anständig von ihr. Ich hätte sie auf neunundzwanzig geschätzt, aber sie hat mir selbst gesagt, ganz von sich aus, daß sie fünfunddreißig sei. So sieht sie wirklich nicht aus, nicht?«
Mr. Satterthwaite, dessen private Vermutungen über das Alter der Dame zwischen fünfundvierzig und neunundvierzig schwankten, zog lediglich die Augenbrauen hoch.
»Ich sollte Sie davor warnen, alles zu glauben, was man Ihnen in Monte Carlo erzählt.«
Er hatte genügend Erfahrung, um die Fruchtlosigkeit einer Auseinandersetzung mit dem jungen Mann einzusehen. Franklin Rudge befand sich in einem Zustand weißglühender Ritterlichkeit, so daß er eine Behauptung, die nicht von stichhaltigen Beweisen gestützt war, einfach nicht geglaubt haben würde.
»Da kommt die Gräfin«, sagte der Junge.
Sie näherte sich den beiden mit jener lässigen Anmut, die ihr so gut stand. Wenig später saßen sie zu dritt beisammen. Sie war zu Mr. Satterthwaite zwar ausgesprochen charmant, jedoch in einer abwesenden Art. Immer wieder wandte sie sich an ihn, fragte ihn nach seiner Meinung und behandelte ihn wie eine Autorität an der Riviera.
Die ganze Geschichte war sehr klug eingefädelt. Nur wenige Minuten waren verstrichen, als Franklin Rudge feststellte, daß er auf sehr reizende, wenn auch unmißverständliche Weise allein

fortgeschickt worden war, während die Gräfin und Mr. Satterthwaite *tête-à-tête* zurückblieben.
Sie klappte ihren Sonnenschirm zusammen und begann, mit seiner Spitze Figuren in den Staub zu zeichnen.
»Sie interessieren sich für diesen netten amerikanischen Jungen, Mr. Satterthwaite, nicht wahr?«
»Er ist ein netter junger Bursche«, sagte Mr. Satterthwaite unverbindlich.
»Ja, ich finde ihn auch sympathisch«, sagte die Gräfin nachdenklich. »Ich habe ihm einiges aus meinem Leben erzählt.«
»So?« sagte Mr. Satterthwaite.
»Einzelheiten, die ich bisher nur ganz wenigen anvertraut habe«, fuhr die Gräfin verträumt fort. »Ich habe ein ungewöhnliches Leben geführt, Mr. Satterthwaite. Nur wenige Menschen würden mir jene erstaunlichen Dinge glauben, die ich erlebt habe.«
Mr. Satterthwaite war gescheit genug, ihre Absicht zu erkennen. Immerhin bestand die Möglichkeit, daß die Geschichten, die sie Franklin Rudge erzählt hatte, tatsächlich wahr waren. Es war zwar äußerst unwahrscheinlich und im höchsten Grade unbeweisbar, aber möglich war es doch ... Kein Mensch konnte mit Entschiedenheit behaupten: ›Das stimmt nicht!‹
Er erwiderte nichts, und die Gräfin blickte weiterhin verträumt über die Bucht.
Und plötzlich hatte Mr. Satterthwaite einen seltsamen und ganz neuen Eindruck von ihr. Er sah in ihr nicht mehr ein habgieriges Wesen, sondern ein verzweifeltes, in die Enge getriebenes Geschöpf, das sich mit Klauen und Zähnen wehrte. Verstohlen blickte er sie von der Seite an. Der Sonnenschirm war zusammengeklappt, und so konnte er die kleinen verhärmten Falten an den Augenwinkeln deutlich erkennen. An der Schläfe pulste das Blut durch eine Ader.
Immer wieder überkam sie ihn – diese wachsende Gewißheit. Sie war ein verzweifeltes und getriebenes Geschöpf. Erbarmungslos würde sie gegen ihn oder jeden anderen vorgehen, der sich zwischen sie und Franklin Rudge stellte. Aber immer noch hatte er das Gefühl, die Bedeutung der Situation nicht ganz zu begreifen. Fest stand, daß sie genügend Geld hatte. Sie war immer bildschön angezogen, und ihr Schmuck war wunderbar. In diesem Punkt war sie wirklich nicht auf andere angewiesen. War es vielleicht Liebe? Frauen ihres Alters verliebten sich oft, wie er wußte, in Knaben. Das wäre also möglich. Und

er war überzeugt, daß es für diese Situation eine nicht alltägliche Erklärung gab.
Ihr *Tête-à-tête* mit ihm war, wie er merkte, nichts anderes, als daß sie ihm den Fehdehandschuh hinwarf. Sie hatte in ihm ihren Hauptfeind erkannt. Bestimmt hoffte sie, sie könne ihn dazu bringen, abfällig über Franklin Rudge zu sprechen. Mr. Satterthwaite lächelte vor sich hin. Er war zu alt, um darauf noch hereinzufallen. Er wußte inzwischen, wann es klug war, sich auf die Zunge zu beißen.
Am gleichen Abend beobachtete er sie im *Cercle Privé,* als sie ihr Glück beim Roulette versuchte.
Immer wieder setzte sie, um dann lediglich zuzusehen, wie ihr Einsatz weggerafft wurde. Sie trug ihre Verluste mit Fassung, mit dem stoischen Gleichmut des alten *habitué.* Ein- oder zweimal setzte sie *en plein,* setzte das Maximum auf Rot, gewann eine kleine Summe im mittleren Dutzend und verlor sie dann wieder; schließlich setzte sie sechsmal auf *manque* und verlor. Danach wandte sie sich mit einem leichten anmutigen Schulterzucken ab.
In ihrem Kleid aus einem goldenen Gewebe, das einen grünen Schimmer hatte, sah sie ungewöhnlich eindrucksvoll aus. Die berühmten bosnischen Perlen hatte sie um den Hals geschlungen, und an den Ohren trug sie lange Perlenohrgehänge.
Mr. Satterthwaite hörte, wie zwei Männer in seiner Nähe sich über sie unterhielten.
»Die Zarnowa«, sagte der eine. »Sie hält sich gut, was? Und die bosnischen Kronjuwelen stehen ihr ausgezeichnet.«
Der andere – ein kleiner, jüdisch aussehender Mann – starrte neugierig hinter ihr her.
»Das also sind die Perlen aus Bosnien?« fragte er. »*En vérité.* Das ist wirklich seltsam.«
Leise lachte er vor sich hin.
Mehr konnte Mr. Satterthwaite leider nicht hören, denn in diesem Augenblick wandte er sich um und war entzückt, einen alten Freund zu erkennen.
»Mein lieber Mr. Quin!« Er schüttelte ihm warm die Hand. »Sie hier wiederzusehen, hätte ich mir nun wirklich nicht träumen lassen.«
Mr. Quin lächelte; sein dunkles, reizvolles Gesicht leuchtete auf.
»Das darf Sie nicht überraschen«, sagte er. »Es ist die Zeit des Karnevals. Und während des Karnevals bin ich häufig hier.«

»Wirklich? Ja, das ist eine große Freude! Legen Sie sehr viel Wert darauf, hier zu bleiben? Ich finde es ziemlich stickig.«
»Draußen dürfte es angenehmer sein«, stimmte der andere zu. »Gehen wir in die Anlagen hinaus.«
Die Luft in den Anlagen war zwar frisch, aber nicht kalt. Beide Männer holten tief Atem. »Das ist doch besser«, sagte Mr. Satterthwaite.
»Viel besser«, stimmte Mr. Quin zu. »Und wir können auch freier sprechen. Ich bin überzeugt, daß Sie mir eine ganze Menge berichten wollen.«
»Das stimmt allerdings.«
Mr. Satterthwaite sprach sehr schnell, als er seine Verwirrung ausbreitete. Wie gewöhnlich war er auf seine Fähigkeit, eine Atmosphäre zu schildern, besonders stolz. Die Gräfin, der junge Franklin und die kompromißlose Elizabeth – sie alle zeichnete er mit kräftigen Strichen.
»Seit ich Sie kennenlernte, haben Sie sich sehr verändert«, sagte Mr. Quin lächelnd, als der Bericht beendet war.
»In welcher Art?«
»Damals waren Sie zufrieden, wenn Sie den Dramen, die das Leben zu bieten hat, zuschauen konnten. Heute – heute wollen Sie an ihnen teilnehmen, eine Rolle spielen.«
»Das stimmt«, gestand Mr. Satterthwaite. »Aber in diesem Fall weiß ich nicht, was ich tun soll. Es ist alles so verwirrend. Vielleicht ...« Er zögerte. »... vielleicht können Sie mir helfen?«
»Mit Vergnügen«, sagte Mr. Quin. »Wir werden sehen, was wir tun können.«
Mr. Satterthwaite hatte das seltsame Gefühl von Geborgenheit und Zuversicht.
Am folgenden Tag machte er Franklin Rudge und Elizabeth Martin mit seinem Freund, Mr. Harley Quin, bekannt. Er war erfreut, daß sie sich sofort gut verstanden. Die Gräfin wurde zwar nicht erwähnt, aber zur Mittagszeit erfuhr er eine Neuigkeit, die seine Aufmerksamkeit weckte.
»Mirabelle trifft heute abend in Monte ein«, vertraute er aufgeregt Mr. Quin an.
»Die beliebte Pariser Schauspielerin?«
»Ja. Wahrscheinlich wissen Sie – es ist allgemein bekannt –, daß sie die letzte Eroberung des Königs von Bosnien ist. Ich glaube, er hat sie mit Schmuck überschüttet. Angeblich ist sie die anspruchsvollste und extravaganteste Frau von Paris.«

»Es dürfte interessant sein zu beobachten, wenn sie und die Gräfin Zarnowa sich heute abend begegnen.«

»Daran habe ich auch schon gedacht.«

Mirabelle war ein hochgewachsenes mageres Geschöpf mit einem wunderbaren Kopf blondgefärbter Haare. Ihr Gesicht war ein blasses Gelb mit orangefarbenen Lippen. Sie war erstaunlich chic. Gekleidet war sie in ein Gewand, das einem aufpolierten Paradiesvogel ähnelte, und dazu trug sie Halsketten, die ihr über den bloßen Rücken hinunter hingen. Ein schweres Armband mit riesigen Diamanten umspannte ihr linkes Fußgelenk.

Sie schuf eine Sensation, als sie im Casino erschien.

»Ihre Freundin, die Gräfin, wird es schwer haben, sie zu übertreffen«, flüsterte Mr. Quin Mr. Satterthwaite ins Ohr.

Der Letztgenannte nickte. Er war selbst neugierig, wie die Gräfin sich verhalten würde.

Sie kam erst spät, und ein leises Murmeln erhob sich, als sie unbeteiligt an einen der Roulettetische trat, die in der Mitte standen. Sie war ganz in Weiß gekleidet: ein gerade herunterfallendes Kleid aus schwerer Seide. Und weder an den Armen noch um den Hals trug sie Schmuck – nicht einen einzigen Edelstein.

»Das ist sehr klug«, sagte Mr. Satterthwaite beifällig. »Sie verzichtet auf jede Rivalität und vermeidet jede Vergleichsmöglichkeit.«

Dann ging er zu dem Tisch hinüber und blieb dort stehen. Von Zeit zu Zeit amüsierte er sich damit, einen Einsatz zu placieren. Manchmal gewann er, aber häufiger verlor er.

Gerade setzte ein fürchterlicher Andrang auf das letzte Dutzend ein. Die Nummern 31 und 34 kamen immer wieder. Die Einsätze stapelten sich.

Mit einem Lächeln machte Mr. Satterthwaite für diesen Abend seinen letzten Einsatz; er setzte das Maximum auf die Nummer 5.

Die Gräfin beugte sich ebenfalls vor und setzte das Maximum auf die Nummer 6.

»*Faites vos jeux*«, rief der Croupier heiser. »*Rien ne va plus. Plus rien.*«

Die Kugel rollte, und vergnügt vor sich hinsummend, überlegte Mr. Satterthwaite: ›Für jeden von uns bedeutet es etwas anderes. Qualen der Hoffnung und Verzweiflung, Langeweile, bloßes Amüsement, Leben und Tod.‹

Klick!

Der Croupier beugte sich vor, um besser sehen zu können.
»*Numéro cinq, rouge, impaire, et manque.*«
Mr. Satterthwaite hatte gewonnen!
Der Croupier, der die übrigen Einsätze weggeharkt hatte, schob Mr. Satterthwaites Gewinn über den Tisch. Mr. Satterthwaite streckte seine Hand aus, um ihn an sich zu nehmen. Die Gräfin tat dasselbe. Abwechselnd blickte der Croupier von dem einen zum anderen.
»*À madame*«, sagte er barsch.
Die Gräfin nahm das Geld an sich. Mr. Satterthwaite zog sich zurück. Er blieb ein Gentleman. Die Gräfin blickte ihm voll ins Gesicht, und er erwiderte ihren Blick. Einige Leute, die ebenfalls am Tisch standen, versuchten, dem Croupier klarzumachen, daß er einen Irrtum begangen hätte, aber der Mann schüttelte nur ungeduldig den Kopf. Er hatte entschieden. Das Spiel war beendet. Mit heiserer Stimme forderte er zum nächsten Einsatz auf.
»*Faites vos jeux, messieurs et mesdames.*«
Mr. Satterthwaite gesellte sich wieder zu Mr. Quin. Trotz seines untadeligen Verhaltens war er äußerst aufgebracht. Mr. Quin hörte ihm mitleidsvoll zu.
»Wirklich nicht schön«, sagte er, »aber so etwas passiert manchmal. Übrigens werden wir nachher Ihren Freund Franklin Rudge treffen. Ich gebe ein kleines Abendessen.«
Die drei trafen sich um Mitternacht, und Mr. Quin erläuterte seinen Plan.
»Wir nennen so etwas eine *Hedges and Highways-Party*«, erklärte er. »Man sucht sich einen Treffpunkt aus, und dann zieht jeder los und ist auf Ehre verpflichtet, den ersten Menschen, dem er begegnet, einzuladen.«
Franklin Rudge fand diese Idee großartig.
»Und was passiert, wenn derjenige nicht will?«
»Man muß alles nur mögliche tun, um ihn zu überreden.«
»Gut. Und wo ist der Treffpunkt?«
»Eine Art Künstlerlokal – wo man auch Fremde als Gäste hinbringen kann. Es heißt *Le Caveau.*«
Er beschrieb noch, wo es lag, und dann trennten sich die drei. Mr. Satterthwaite hatte das Glück, direkt Elizabeth Martin in die Arme zu laufen, und vergnügt lud er sie ein. Sie fanden *Le Caveau* und stiegen in eine Art Keller hinab, wo bereits ein Tisch gedeckt war, während der Raum von Kerzen in altmodischen Kerzenhaltern erleuchtet wurde.

»Wir sind die ersten«, sagte Mr. Satterthwaite. »Aha! Da kommt Franklin ...« Er verstummte unvermittelt. Zusammen mit Franklin erschien die Gräfin. Es war ein schrecklicher Augenblick. Elizabeth war erheblich weniger anmutig, als sie sonst sein konnte. Als Frau von Welt bewahrte die Gräfin ihre Fassung.

Zuletzt erschien Mr. Quin. Mit ihm zusammen kam ein kleiner dunkler Mann, ordentlich gekleidet, dessen Gesicht Mr. Satterthwaite irgendwie bekannt vorkam. Gleich darauf erkannte er ihn. Es war der Croupier, der vorhin einen so beklagenswerten Fehler begangen hatte.

»Darf ich Sie mit Monsieur Pierre Vaucher bekannt machen«, sagte Mr. Quin.

Der kleine Mann machte einen verwirrten Eindruck. Mr. Quin stellte ihm in seiner ungezwungenen Art die übrigen Anwesenden vor. Das Essen wurde serviert – ein ausgezeichnetes Essen. Der Wein wurde eingeschenkt – ein ganz ausgezeichneter Wein. Die Atmosphäre verlor etwas von ihrer Kühle. Die Gräfin war sehr schweigsam, genau wie Elizabeth. Franklin Rudge hingegen wurde redselig. Er erzählte verschiedene Geschichten – keine humoristischen Geschichten, sondern ernste. Ruhig und unermüdlich schenkte Mr. Quin den Wein ein.

»Ich erzähle jetzt – und das ist eine wahre Geschichte – von einem Mann, der Glück gehabt hat«, sagte Franklin Rudge nachdrücklich.

Obgleich er aus einem Land kam, in welchem jeglicher Alkohol verboten war, hatte er nicht die geringste Abneigung gegenüber dem Champagner gezeigt.

Und er erzählte seine Geschichte – vielleicht unnötigerweise etwas zu ausführlich. Wie so viele wahre Geschichten war auch diese jeder erfundenen Geschichte weit unterlegen.

Als das letzte Wort gefallen war, schien Pierre Vaucher, der ihm genau gegenüber saß, plötzlich aufzuwachen. Auch er hatte dem Champagner Gerechtigkeit angedeihen lassen. Weit beugte er sich über den Tisch.

»Auch ich will Ihnen jetzt eine Geschichte erzählen«, sagte er etwas mühsam. »Aber meine ist die Geschichte eines Mannes, der kein Glück gehabt hat. Es ist die Geschichte eines Mannes, mit dem es nicht bergauf, sondern bergab gegangen ist. Und wie Ihre ist es eine wahre Geschichte.«

»Bitte, erzählen Sie, Monsieur«, sagte Mr. Satterthwaite höflich.

Pierre Vaucher lehnte sich zurück und blickte an die Decke.

»Beginnen tut die Geschichte in Paris. Dort lebte einmal ein Mann – ein Juwelier und Goldschmied. Er war jung, unbeschwert und in seinem Beruf sehr fleißig. Alle behaupteten, daß er eine große Zukunft vor sich hätte. Für eine gute Ehe war bereits alles arrangiert: die Braut sah nicht allzu häßlich aus, und die Mitgift war höchst zufriedenstellend. Und dann, was glauben Sie wohl? Eines Morgens sieht er ein Mädchen. So ein elendes kleines Mädchen, Messieurs. Schön? Ja, vielleicht, wenn sie nicht halbverhungert gewesen wäre. Jedenfalls besaß sie für den jungen Mann einen Zauber, dem er nicht widerstehen konnte. Sie hatte alles versucht, um irgendwo Arbeit zu finden; sie war äußerst tüchtig – oder wenigstens behauptete sie es von sich. Ich weiß nicht, ob es stimmte.«
Plötzlich drang die Stimme der Gräfin durch das Halbdunkel. »Warum sollte es nicht stimmen? Sie wird nicht die einzige gewesen sein.«
»Also, wie gesagt, der junge Mann glaubte ihr. Und er heiratete sie – die reinste Dummheit! Seine Familie wollte mit ihm nichts mehr zu tun haben. Er hatte ihre Gefühle verletzt. Er heiratete – ich will sie Jeanne nennen. Und das war eine gute Tat. Das sagte er ihr auch. Er hatte das Gefühl, daß sie ihm deswegen sehr dankbar sein müsse. Ihretwillen hatte er so viel geopfert.«
»Ein reizender Anfang für das arme Mädchen«, bemerkte die Gräfin sarkastisch.
»Er liebte sie, jawohl, aber von Anfang an machte sie ihn rasend. Sie hatte Launen, Wutanfälle; den einen Tag war sie eiskalt zu ihm, am nächsten war sie voller Leidenschaft. Schließlich merkte er die Wahrheit. Sie hatte ihn nie geliebt. Sie hatte ihn nur geheiratet, um Leib und Seele zusammenzuhalten. Diese Wahrheit verletzte ihn, verletzte ihn entsetzlich. Er versuchte jedoch alles, um nichts davon an die Oberfläche dringen zu lassen. Und er hatte immer noch das Gefühl, daß er Dankbarkeit und Gehorsam gegenüber seinen Wünschen verdiente. Sie stritten sich. Sie machte ihm Vorwürfe – *mon Dieu!* Weswegen machte sie ihm nicht alles Vorwürfe!
Sie sehen bereits den nächsten Schritt, nicht wahr? Es mußte einfach so kommen. Sie verließ ihn. Zwei Jahre lang war er allein, arbeitete er in seinem kleinen Laden, ohne etwas von ihr zu hören. Einen einzigen Freund hatte er – Absinth. Das Geschäft ging nicht allzu gut.

Und dann kam er eines Tages in seinen Laden, und sie saß da. Sie war sehr hübsch angezogen. Sie hatte Ringe an den Fingern. Er blieb stehen und betrachtete sie. Sein Herz klopfte – und wie es klopfte! Er war ratlos, was er tun sollte. Am liebsten hätte er sie geschlagen, in seine Arme genommen, sie auf den Fußboden geschleudert und auf ihr herumgetrampelt, sich ihr zu Füßen geworfen! Aber er tat nichts davon. Er griff nach seinem Werkzeug und fuhr mit seiner Arbeit fort. ›Madame wünschen?‹ fragte er förmlich.
Das brachte sie auf. Damit hatte sie nicht gerechnet, verstehen Sie? ›Pierre‹, sagte sie. ›Ich bin zurückgekommen.‹ Er legte sein Werkzeug beiseite und sah sie an. ›Du willst nur, daß man dir verzeiht‹, sagte er. ›Möchtest du, daß ich dich wieder bei mir aufnehme? Bereust du ehrlich?‹ – ›Möchtest du mich wieder aufnehmen?‹ flüsterte sie. Oh, sehr sanft sagte sie es.
Er wußte, daß sie ihm eine Falle stellte. Er sehnte sich danach, sie in die Arme zu nehmen, aber dazu war er zu gescheit. Er mimte Gleichgültigkeit.
›Ich bin ein christlicher Mensch‹, sagte er. ›Ich versuche zu tun, was die Kirche anordnet.‹ – ›Oh!‹ dachte er, ›demütigen möchte ich sie – demütigen, bis sie vor mir auf den Knien liegt!‹
Aber Jeanne, wie ich sie nennen will, warf den Kopf zurück und lachte. Ein bösartiges Lachen war es. ›Ich mache mich über dich lustig, kleiner Pierre‹, sagte sie. ›Sieh dir diese teuren Kleider an, die Ringe und Armbänder. Ich bin nur hergekommen, um mich dir zu zeigen. Ich dachte, ich könnte dich dazu bringen, mich in die Arme zu nehmen, und wenn du das getan hättest, dann – dann hätte ich dir ins Gesicht gespuckt und dir gesagt, wie sehr ich dich hasse!‹
Und damit verließ sie meinen Laden. Können Sie sich vorstellen, Messieurs, daß eine Frau so bösartig sein kann – daß sie nur zurückgekommen war, um mich zu quälen?«
»Nein«, sagte die Gräfin, »das kann ich mir nicht vorstellen, und jeder Mann, der kein Tölpel ist, wird es genausowenig glauben. Aber die Männer sind blinde Tölpel.«
Pierre Vaucher nahm von ihr keine Notiz. Er fuhr fort.
»Und jener junge Mann, von dem ich Ihnen erzähle, sank immer tiefer. Er trank immer mehr Absinth. Der kleine Laden mußte verkauft werden. Er gehörte zum Abschaum, zur Gosse. Dann kam der Krieg. O ja, er war gut, der Krieg. Er holte den Mann aus der Gosse heraus und lehrte ihn, kein brutales Untier mehr

zu sein. Er erzog ihn – und ernüchterte ihn. Er erduldete Kälte und Schmerzen und Todesangst – aber er starb nicht, und als der Krieg zu Ende ging, war er wieder ein Mann.
Damals, Messieurs, kam er in den Süden. Seine Lungen waren vom Gas angegriffen, und man riet ihm, er solle sich im Süden Arbeit suchen. Ich will Sie nicht mit den vielen Dingen ermüden, die er tat. Es genügt zu sagen, daß er schließlich Croupier wurde, und dabei – eines Abends, im Casino – sah er sie wieder – jene Frau, die sein Leben ruiniert hatte. Sie erkannte ihn nicht, aber er erkannte sie. Sie machte den Eindruck, als sei sie reich, als fehle ihr nichts – aber, Messieurs, die Augen eines Croupiers sind scharf. Es kam ein Abend, als sie das Allerletzte, was sie besaß, beim Spiel einsetzte. Fragen Sie nicht, woher ich es wußte; ich wußte es – man spürt so etwas. Andere mögen es meinetwegen nicht glauben. Sie trug immer noch teure Kleider. Vielleicht fragt so mancher, warum sie sie nicht verpfändete? Aber wenn man so etwas tut – pah! Dann hat man sofort keinen Kredit mehr. Ihre Juwelen? O nein. War ich früher nicht einmal selbst Juwelier gewesen? Vor langer Zeit waren die wirklichen Juwelen verschwunden. Stück für Stück waren die Perlen eines Königs verkauft worden, durch falsche ersetzt. Und unterdessen muß man essen und die Hotelrechnungen bezahlen. Und die reichen Männer – ja, sie haben viele Jahre für einen gesorgt. Bah! sagen sie jetzt – sie ist über fünfzig. Für mein Geld will ich etwas Jüngeres haben!«
Ein tiefer, zitternder Seufzer kam aus der Fensternische, in die die Gräfin sich zurücklehnte.
»Ja, es war ein großer Moment – damals. Zwei Abende habe ich sie beobachtet. Sie verlor, immer wieder verlor sie. Und dann der Rest. Sie setzt alles auf eine Nummer. Neben ihr, ein englischer Lord, setzt ebenfalls das Maximum – auf die nächste Nummer. Die Kugel rollt ... Der Moment ist gekommen, sie hat verloren ...
Ihr Blick begegnet meinem. Was mache ich? Ich setze meine Stelle im Casino aufs Spiel. Ich beraube den englischen Lord. ›*À madame*‹, sage ich und gebe ihr das Geld.«
»Oh!« Ein Splittern ertönte, als die Gräfin aufsprang, sich über den Tisch lehnte und dabei ihr Glas von der Tischplatte wischte.
»Warum?« rief sie. »Warum hast du das getan – das will ich jetzt wissen!«

Es folgte eine lange Pause – eine Pause, die endlos zu sein schien, und immer noch sahen die beiden Gesichter sich über den Tisch hinweg an, sahen sich weiter an ... Wie ein Duell war es.
Ein häßliches kleines Lächeln breitete sich auf Pierre Vauchers Gesicht aus. Er hob seine Hände.
»Madame«, sagte er. »Es gibt so etwas wie Mitleid ...«
»Oh!«
Sie sank wieder auf ihren Platz.
»Ich verstehe.«
Sie war ruhig, lächelte, war wieder sie selbst.
»Eine interessante Geschichte, Monsieur Vaucher, nicht wahr? Erlauben Sie mir, Ihnen Feuer für Ihre Zigarette zu geben.«
Gewandt rollte sie einen Fidibus zusammen, entzündete ihn an der Kerze und hielt ihn dem Croupier hin. Er beugte sich vor, bis die Flamme das Ende der Zigarette, die er zwischen den Lippen hielt, erreicht hatte.
Dann erhob sie sich unerwartet.
»Und jetzt muß ich Sie leider verlassen. Bitte – ich brauche keine Begleitung.«
Noch ehe die anderen es begriffen hatten, war sie gegangen. Mr. Satterthwaite wäre sicherlich hinter ihr her gelaufen, hätte ihn nicht ein Fluch gelähmt, den der verstörte Franzose ausstieß.
»Himmeldonnerwetter!«
Er starrte auf den halbverbrannten Fidibus, den die Gräfin auf den Tisch fallen gelassen hatte. Er rollte ihn auseinander.
»Mon Dieu!« flüsterte er. »Ein Fünfzigtausend-Franc-Schein. Begreifen Sie? Ihr Gewinn von heute abend. Das, was sie jetzt noch besaß. Und damit hat sie meine Zigarette angezündet! Weil sie zu stolz war, sich bemitleiden zu lassen. Ah! Stolz, sie war schon immer stolz wie der Teufel. Sie ist einzigartig – wundervoll!«
Er sprang von seinem Stuhl auf und rannte hinaus. Mr. Satterthwaite und Mr. Quin hatten sich ebenfalls erhoben. Der Kellner näherte sich Franklin Rudge.
»La note, Monsieur«, sagte er ungerührt.
Mr. Quin nahm sie ihm mit einem schnellen Griff ab.
»Ich komme mir ein bißchen verlassen vor, Elizabeth«, bemerkte Franklin Rudge. »Diese Ausländer – lassen einen hier einfach sitzen! Ich verstehe sie nicht. Was hat das alles überhaupt zu bedeuten?«

Er blickte zu ihr hinüber.
»Mensch, tut das gut, jemanden anzusehen, der so hundertprozentig amerikanisch ist wie du.« Ihre Stimme hatte den kläglichen Ton eines kleinen Kindes. »Diese Ausländer sind wirklich komisch.«
Sie bedankten sich bei Mr. Quin und gingen gemeinsam in die Nacht hinaus. Mr. Quin steckte das Wechselgeld ein und lächelte zu Mr. Satterthwaite hinüber, der sich wie ein zufriedener Vogel putzte.
»Ja«, sagte der Letztgenannte. »Das hat alles prachtvoll geklappt. Unser Turteltaubenpärchen wird sich jetzt wieder äußerst wohl fühlen.«
»Welches?« fragte Mr. Quin.
»Oh!« sagte Mr. Satterthwaite bestürzt. »Ach ja, richtig, wahrscheinlich haben Sie recht, wenn man alles nüchtern betrachtet und so weiter ...«
Er machte ein zweifelndes Gesicht.
Mr. Quin lächelte, und die Fensterscheibe aus farbigem Glas, die sich hinter ihm befand, hüllte ihn für einen kurzen Augenblick in ein buntes Gewand aus farbigem Licht.

Das Mädchen im Zug

»Das wäre dann also erledigt!« bemerkte George Rowland reumütig, als er zu der imposanten rauchgeschwärzten Fassade des Gebäudes emporblickte, das er gerade verlassen hatte.

Eventuell hätte man sogar sagen können, das Gebäude repräsentiere in sehr passender Weise die Macht des Geldes – zumal das Geld in der Person des William Rowland, Onkel des vorgenannten George, gerade offen seine Meinung geäußert hatte. Im Verlauf knapper zehn Minuten war George vom Augapfel seines Onkels, vom Erben dessen Vermögens und einem jungen Mann, dem eine vielversprechende berufliche Laufbahn bevorstand, unvermittelt zu einem Angehörigen der riesigen Armee von Arbeitslosen geworden.

›Und mit diesem Anzug bekomme ich nicht einmal Arbeitslosenunterstützung‹, überlegte Mr. Rowland düster. ›Andererseits reicht meine Begabung einfach nicht aus, Gedichte zu schreiben und sie für zwei Penny (oder ›soviel, wie es Ihnen wert ist, Lady‹) an den Haustüren zu verkaufen.‹

Es stimmte, daß George einen beachtlichen Triumph der Schneiderkunst verkörperte. Er war erlesen und sehr gut gekleidet. Salomo und die Lilien auf dem Felde konnten sich mit George nicht annähernd messen. Aber der Mensch lebt nicht von Kleidung allein – es sei denn, er hätte auf diesem Gebiet eine umfangreiche Ausbildung genossen –, und dieser Tatsache war sich Mr. Rowland schmerzlich bewußt.

›Und das alles wegen dieses verdammten Theaters von gestern abend‹, überlegte er betrübt.

Das verdammte Theater von gestern abend war ein Ball im Covent Garden gewesen. Von diesem Ball war Mr. Rowland einigermaßen spät – oder vielmehr: einigermaßen früh – nach Hause gekommen; genaugenommen konnte er nicht einmal sagen, er könne sich an seine Heimkehr überhaupt erinnern. Rogers, der Butler seines Onkels, war ein hilfsbereiter Bursche, und er wäre zweifellos in der Lage gewesen, mit näheren Einzelheiten aufzuwarten. Ein wahnsinnig schmerzender Kopf, eine Tasse starker Tee und die Tatsache, um fünf Minuten vor zwölf

– statt um halb zehn – im Büro erschienen zu sein, hatten die Katastrophe ausgelöst. Mr. Rowland senior, der seit vierundzwanzig Jahren – wie es einem taktvollen Verwandten zustand – alles verziehen und bezahlt hatte, hatte dieses Verhalten plötzlich aufgegeben und sich in einem völlig neuen Licht gezeigt. Die Inkonsequenz von Georges Antworten (der Schädel des jungen Mannes klappte immer noch auf und zu wie ein mittelalterliches Folterinstrument) hatte ihm zusätzlich mißfallen. William Rowland war in allem und jedem gründlich. Mit einigen kurzen und bündigen Worten stieß er seinen Neffen als Treibgut in die Welt hinaus und begab sich dann wieder an die unterbrochene Aufgabe, einige peruanische Ölfelder zu begutachten.

George Rowland schüttelte den Staub aus dem Büro seines Onkels von seinen Füßen und begab sich in die Londoner City. George war ein praktischer Mensch. Ein gutes Mittagessen, so überlegte er, war notwendig, um die Situation zu überblicken. Er nahm es zu sich. Dann lenkte er seine Schritte wieder in Richtung des Familienwohnsitzes. Rogers öffnete die Tür. Sein gründlich ausgebildetes Gesicht verriet keine Überraschung, als er George zu dieser ungewohnten Stunde erblickte.

»Guten Tag, Rogers. Packen Sie doch bitte meine Sachen, ja? Ich reise ab.«

»Sehr wohl, Sir. Nur für eine kurze Reise, Sir?«

»Für immer, Rogers. Ich fahre heute nachmittag in die Kolonien.«

»Wirklich, Sir?«

»Ja – das heißt, wenn ich einen passenden Dampfer finde. Wissen Sie mit den Dampfern Bescheid, Rogers?«

»An welche Kolonie haben Sie bei Ihrem Besuch gedacht, Sir?«

»An keine besondere. Irgendeine wird genügen. Sagen wir – Australien. Was halten Sie von dieser Idee, Rogers?«

Rogers räusperte sich diskret.

»Nun ja, Sir – ich habe einmal gehört, daß dort draußen genügend Raum für alle ist, die wirklich arbeiten wollen.«

Mr. Rowland schaute ihn interessiert und bewundernd an.

»Sehr hübsch ausgedrückt, Rogers. Genau das, was ich mir vorgestellt habe. Ich werde also nicht nach Australien fahren – jedenfalls noch nicht heute. Holen Sie mir doch einmal den Eisenbahnfahrplan, ja? Wir werden etwas suchen, das nicht ganz so weit ist.«

Rogers brachte das gewünschte Buch. George schlug es aufs Geratewohl auf und blätterte schnell weiter.

»Perth – zu weit weg – Putney Bridge – zu nahe. Ramsgate? Ich glaube nicht. Reigate läßt mich ebenfalls kalt. Nanu – das ist aber eine Überraschung! Es gibt tatsächlich einen Ort, der Rowland's Castle heißt. Haben Sie den Namen schon mal gehört, Rogers?«

»Soweit ich orientiert bin, Sir, fährt man dazu von Waterloo Station ab.«

»Sie sind wirklich ein ungewöhnlicher Mann, Rogers! Sie wissen einfach alles. Gut also – Rowland's Castle! Was mag das wohl für ein Ort sein?«

»Als Ort würde ich es nicht gerade bezeichnen, Sir.«

»Um so besser; dann ist die Konkurrenz nicht so groß. Diese ruhigen kleinen Dörfer besitzen noch eine Menge vom alten feudalen Geist. Der letzte der eigentlichen Rowlands sollte eigentlich auf sofortige Anerkennung stoßen. Mich würde es jedenfalls nicht wundern, wenn man mich binnen einer Woche zum Bürgermeister wählen würde.«

Mit einem Knall klappte er den Fahrplan zu.

»Die Würfel sind gefallen. Packen Sie also meinen kleinen Koffer, Rogers – ja? Außerdem bestellen Sie der Köchin meine herzlichen Grüße, und ob sie mir vielleicht entgegenkommen und ihre Katze borgen würde. Dick Whittington – erinnern Sie sich? Wenn man sich zum Ziel setzt, Oberbürgermeister zu werden, ist dazu unbedingt eine Katze erforderlich.«

»Bedaure, Sir, aber die Katze ist augenblicklich nicht verfügbar.«

»Wie das?«

»Sie hat sich zu einer achtköpfigen Familie entwickelt, Sir. Heute früh sind sie zur Welt gekommen.«

»Was Sie nicht sagen! Und ich dachte, sie hieße Peter?«

»Sehr richtig, Sir. Es war für uns alle eine große Überraschung.«

»Ein Beispiel für die sorglose Namensgebung und das trügerische Geschlecht, was? Also gut, dann werde ich eben katzenlos hinfahren. Packen Sie die Sachen bitte sofort, ja?«

»Sehr wohl, Sir.«

Rogers zog sich zurück, um zehn Minuten später wieder zu erscheinen.

»Soll ich ein Taxi bestellen, Sir?«

»Ja, bitte.«
Rogers zögerte, trat dann jedoch einige Schritte weiter ins Zimmer.
»Entschuldigen Sie die Freiheit, Sir, aber wenn ich an Ihrer Stelle wäre, würde ich von dem, was Mr. Rowland heute vormittag sagte, nicht allzuviel Notiz nehmen. Gestern abend war er bei einem dieser Honoratioren-Essen, und ...«
»Kein Wort mehr!« sagte George. »Ich habe verstanden.«
»Und bei der gichtischen Veranlagung ...«
»Ich weiß, ich weiß. Ein ziemlich anstrengender Abend für Sie, Rogers, mit uns beiden, was? Ich habe mich jedoch entschlossen, mich in Rowland's Castle auszuzeichnen – an der Wiege meines historischen Geschlechts! In einer Ansprache dürfte es ausgezeichnet klingen, nicht wahr? Ein Telegramm an meine dortige Anschrift oder eine diskrete Annonce in einer Morgenzeitung würden mich sofort zur Rückfahrt veranlassen, und besonders dann, wenn ein Kalbsfrikassee auf dem Feuer steht. Aber nun – nach Waterloo, wie Wellington am Vorabend jener historischen Schlacht sagte.«
Waterloo Station zeigte sich an diesem Nachmittag weder von der strahlendsten noch von der besten Seite. Mr. Rowland entdeckte schließlich einen Zug, der ihn an seinen Bestimmungsort bringen wollte; es war jedoch ein alles andere als vornehmer, ein keineswegs imposanter Zug – ein Zug, mit dem zu reisen niemanden sonderlich zu reizen schien. Mr. Rowland hatte ein Abteil erster Klasse für sich allein, ganz am Anfang des Zuges. Nebel senkte sich unentschlossen auf die Metropole, hier wieder in die Höhe steigend, dort wieder fallend. Der Bahnsteig war verwaist; nur das asthmatische Schnaufen der Lokomotive durchbrach die Stille.
Und dann, völlig unvermittelt, ereigneten sich in verwirrender Eile eine ganze Reihe von Dingen.
Zuerst ereignete sich ein Mädchen. Es riß die Tür auf, sprang in das Abteil, schreckte Mr. Rowland aus etwas so Gefährlichem wie einem kurzen Schlummer auf und rief dabei: »Oh! Verstekken Sie mich – bitte, verstecken Sie mich!«
George war im wesentlichen ein Mann der Tat: Nicht Überlegen war seine Stärke, sondern Handeln, Streben und so weiter. In einem Eisenbahnwagen gibt es nur einen Ort zum Verstecken – unter der Sitzbank. Binnen sieben Sekunden war das Mädchen dort untergebracht, und Georges Koffer, der nachlässig am einem

Ende der Bank stand, verbarg fremden Blicken den Zufluchtsort des Mädchens. Übrigens keineswegs zu zeitig. Ein aufgebrachtes Gesicht erschien vor dem Abteilfenster.
»Meine Nichte! Sie haben sie hier. Ich wünsche meine Nichte!«
Etwas außer Atem lehnte George in der Ecke, tief in die Sportseite der Abendzeitung, einunddreißigste Ausgabe, versunken. Er legte sie beiseite und ähnelte dabei einem Manne, der in anderen Sphären geweilt hat.
»Verzeihung, Sir?« sagte er höflich.
»Meine Nichte – was haben Sie mit ihr gemacht?«
Der Erfahrung eingedenk, daß Angriff immer die beste Verteidigung ist, ergriff George die Initiative.
»Was zum Teufel wollen Sie damit sagen?« schrie er, indem er das Auftreten seines eigenen Onkels sehr glaubwürdig nachahmte.
Der andere schwieg eine Minute – bestürzt über dieses plötzliche Ungestüm. Es war ein dicker Mann, der immer noch etwas keuchte, als wäre er etliche Meter gerannt. Sein Haar war bürstenartig geschoren, und er trug einen Bart nach hohenzollernscher Art. Sein Akzent klang unmißverständlich guttural, und seine steife Haltung verriet, daß er sich in Uniform wohler fühlte als ohne. George besaß das den Briten angeborene echte Vorurteil gegenüber Ausländern – und eine besondere Abneigung für deutsch aussehende Ausländer.
»Was zum Teufel wollen Sie eigentlich, Sir?« wiederholte er ärgerlich.
»Sie ging hierher«, sagte der andere. »Ich habe sie gesehen. Was haben Sie mit ihr gemacht?«
George schleuderte die Zeitung von sich und zwängte Kopf und Schultern durch das Fenster.
»Das also ist der Grund, was?« brüllte er. »Erpressung! Nur sind Sie dabei an den Falschen geraten. Ich habe Ihre Geschichte heute morgen bereits in der *Daily Mail* gelesen. Hallo, Schaffner – Schaffner!«
Von weitem bereits auf die Auseinandersetzung aufmerksam geworden, eilte der Beamte herbei.
»Hier, Schaffner«, sagte Mr. Rowland mit jenem Anflug von Autorität, den die niederen Klassen so bewundern. »Dieser Kerl belästigt mich. Falls notwendig, werde ich ihn der Erpressung beschuldigen. Behauptet, ich hätte seine Nichte hier versteckt. Eine regelrechte Bande, lauter Ausländer, probiert es mit der-

artigen Tricks. Man sollte dagegen einschreiten. Führen Sie ihn ab, ja? Hier ist meine Karte, falls Sie sie haben wollen.«

Der Schaffner blickte vom einen zum anderen. Seine Überlegungen waren wenig später abgeschlossen. Seine Ausbildung hatte zur Folge, daß er Ausländer verabscheute, gutgekleidete Gentlemen hingegen, die erster Klasse reisten, achtete und bewunderte. Er legte seine Hand auf die Schulter des Störenfrieds.

»Sie«, sagte er, »kommen Sie da runter.«

In diesem kritischen Moment versiegte der englische Wortschatz des Fremden, und er fiel mit wilden Flüchen in seine Muttersprache zurück.

»Schluß jetzt!« sagte der Schaffner. »Treten Sie zurück, verstanden? Der Zug hat Ausfahrt.«

Flaggen wurden geschwenkt und Pfiffe ausgestoßen. Mit einem unwilligen Ruck rollte der Zug aus dem Bahnhof.

George blieb auf seinem Beobachtungsposten, bis der Zug den Bahnsteig hinter sich gelassen hatte. Dann zog er den Kopf herein, ergriff seinen Koffer und warf ihn in das Gepäcknetz.

»Alles in Ordnung. Sie können hervorkommen«, sagte er aufmunternd.

Das Mädchen kroch hervor.

»Oh!« sagte es atemlos. »Wie kann ich Ihnen nur danken?«

»Darüber machen Sie sich keine Gedanken. Glauben Sie mir: Es war mir ein Vergnügen«, erwiderte George lässig.

Besänftigend lächelte er sie an. Der Blick ihrer Augen wirkte leicht erstaunt. Sie schien irgend etwas zu vermissen, an das sie gewohnt war. In diesem Moment erblickte sie sich plötzlich in dem kleinen Spiegel, der ihr gegenüber hing, und stieß einen tiefen Seufzer aus.

Ob die Wagenwäscher den Fußboden auch unter den Sitzen aufwischen oder nicht, steht nicht einwandfrei fest. Der Anschein sprach zwar gegen ihre Tätigkeit; es kann jedoch möglich sein, daß jedes Dreck- und Qualmpartikelchen – ähnlich den Zugvögeln – seinen Weg dorthin findet. George hatte bisher kaum Zeit gehabt, die Erscheinung des Mädchens in sich aufzunehmen: So plötzlich war ihre Ankunft und so kurz die Zeitspanne gewesen, ehe sie in ihr Versteck kroch. Trotzdem handelte es sich mit Sicherheit um eine schlanke und gutgekleidete junge Frau, die unter dem Sitz verschwunden war. Jetzt war ihr kleiner roter Hut jedoch zerbeult und verdrückt, und ihr Gesicht war durch lange Schmutzstreifen verunstaltet.

»Oh!« sagte das Mädchen.
Sie kramte in ihrer Handtasche. Mit dem Taktgefühl des wahren Gentleman starrte George wie gebannt aus dem Fenster und bewunderte die Londoner Straßen südlich der Themse.
»Wie kann ich Ihnen nur danken?« sagte das Mädchen wieder.
In der Annahme, daß dies ein Hinweis sei, die Unterhaltung wiederaufzunehmen, wandte George seinen Blick ab und leistete wiederum aus Höflichkeit einen Verzicht, diesmal jedoch mit einem Gutteil zusätzlicher Wärme in seinem Verhalten.
Das Mädchen war absolut bezaubernd! Noch nie, überlegte George, hatte er bisher ein so bezauberndes Mädchen erblickt. Die Dienstfertigkeit in seinem Verhalten wurde noch deutlicher.
»Ich finde es einfach großartig von Ihnen«, sagte das Mädchen bewundernd.
»Aber ich bitte Sie. Nichts Einfacheres als das. Und ich bin äußerst erfreut, daß ich Ihnen von Nutzen sein konnte«, murmelte George.
»Großartig«, wiederholte sie bewundernd.
Es ist zweifellos erfreulich, wenn das liebreizendste Mädchen, dem man je begegnet ist, einem in die Augen blickt und sagt, wie großartig es einen fände. George genoß es genauso, wie jeder andere an seiner Stelle es genossen hätte.
Dann trat eine ziemlich schwierige Stille ein. Dem Mädchen schien es zu dämmern, daß eventuell weitere Erklärungen erwartet würden. Sie errötete leicht.
»Schrecklich ist dabei«, sagte sie nervös, »daß ich fürchte, es gar nicht erklären zu können.«
Mit einem jammervollen Ausdruck der Unsicherheit sah sie ihn an.
»Sie können es nicht erklären?«
»Nein.«
»Wie hinreißend!« sagte Mr. Rowland bewundernd.
»Wie bitte?«
»Ich sagte: wie hinreißend. Genau wie in einem dieser Bücher, die einen die ganze Nacht wach halten. Immer sagt die Heldin im ersten Kapitel: ›Ich kann es nicht erklären!‹ Natürlich erklärt sie es schließlich doch, und eigentlich bestand gar kein Grund, daß sie es nicht schon gleich zu Anfang tat – aber dann wäre die ganze Geschichte verdorben gewesen. Ich kann Ihnen gar nicht sagen, wie hocherfreut ich bin, in ein wirkliches Geheimnis hineingezogen worden zu sein – ich wußte gar nicht, daß es

derartige Dinge überhaupt gibt. Hoffentlich hängt es mit Geheimdokumenten von ungeheurer Wichtigkeit zusammen, und auch mit dem Balkan-Expreß. In den bin ich nämlich völlig vernarrt.«
Mit großen, mißtrauischen Augen starrte das Mädchen ihn an.
»Wieso kommen Sie auf den Balkan-Expreß?« fragte sie scharf.
»Hoffentlich war ich nicht allzu indiskret«, beeilte sich George einzuwerfen. »Vielleicht hat Ihr Onkel ihn benutzt?«
»Mein Onkel ...« Sie verstummte und fing dann noch einmal an: »Mein Onkel ...«
»Sehr richtig«, sagte George mitfühlend. »Ich habe auch einen Onkel. Eigentlich dürfte man niemanden für seine leiblichen Onkel verantwortlich machen. Die Natur kennt auch Rückschläge – wenigstens sehe ich es so an.«
Plötzlich fing das Mädchen an zu lachen. Als sie sprach, fiel George der leichte ausländische Tonfall ihrer Stimme auf. Bisher hatte er sie für eine Engländerin gehalten.
»Was sind Sie doch für ein erfrischender und ungewöhnlicher Mensch, Mr. ...«
»Rowland. Bei meinen Freunden heiße ich George.«
»Ich heiße Elizabeth ...«
Sie verstummte unvermittelt.
»Der Name Elizabeth gefällt mir sehr«, sagte George, um ihre vorübergehende Verwirrung zu überspielen. »Hoffentlich nennt man Sie nicht Bessie oder mit einem ähnlich scheußlichen Namen?«
Sie schüttelte den Kopf.
»Also gut«, sagte George, »da wir uns nun so gut kennen, können wir zum geschäftlichen Teil übergehen. Wenn Sie aufstehen würden, Elizabeth, könnte ich den Rücken Ihres Mantels abklopfen.«
Gehorsam erhob sie sich, und George war in der Lage, sein Vorhaben zufriedenstellend auszuführen.
»Danke, Mr. Rowland.«
»George. Meine Freunde nennen mich George, wenn Sie sich gütigst erinnern wollen. Und Sie können nicht einfach in mein hübsches leeres Abteil stürzen, sich unter den Sitz rollen, mich veranlassen, Ihrem Onkel Lügen aufzutischen, und sich dann weigern, mich als Ihren Freund anzusehen – stimmt's?«
»Danke, George.«

»Das klingt sehr viel besser.«

»Bin ich jetzt wieder vorzuzeigen?« fragte Elizabeth und versuchte, über ihre linke Schulter hinwegzusehen.

»Sie sind – ach! Sie sehen – großartig sehen Sie aus«, sagte George und nahm sich gewaltig zusammen.

»Es kam alles so plötzlich, verstehen Sie?« erklärte das Mädchen.

»Das ist anzunehmen.«

»Er sah uns im Taxi, und auf dem Bahnhof sprang ich einfach in dieses Abteil, weil er mich fast schon eingeholt hatte. Wohin fährt dieser Zug übrigens?«

»Nach Rowland's Castle«, sagte George mit fester Stimme.

Verblüfft sah das Mädchen ihn an.

»Nach Rowland's Castle?«

»Natürlich nicht nur. Dahin kommt er erst nach verschiedenen Aufenthalten und stundenlanger langsamer Fahrt. Ich bin jedoch voller Zuversicht, noch vor Mitternacht dort einzutreffen. Die einstige South-Western war eine ausgesprochen zuverlässige Strecke – langsam, aber zuverlässig –, und ich bin überzeugt, daß die Southern Railway diese Tradition aufrechterhält.«

»Ich weiß eigentlich gar nicht, was ich in Rowland's Castle soll«, sagte Elizabeth nachdenklich.

»Sie verletzen mich. Es ist ein entzückender Ort.«

»Waren Sie schon einmal dort?«

»Genaugenommen eigentlich nicht. Aber es gibt eine Unmenge anderer Orte, wo Sie aussteigen können, wenn Ihnen Rowland's Castle nicht zusagt – zum Beispiel Woking, oder Weybridge, oder auch Wimbledon. Mit Sicherheit ist anzunehmen, daß der Zug auf dem einen oder anderen Bahnhof halten wird.«

»Ich verstehe«, sagte das Mädchen. »Ja, dort könnte ich aussteigen und eventuell mit einem Wagen nach London zurückfahren. Meiner Ansicht nach wäre das vielleicht das beste.«

Während sie noch sprach, begann der Zug sein Tempo zu verlangsamen. Mit flehenden Augen blickte George sie an.

»Wenn ich noch irgend etwas für Sie tun kann ...?«

»Wirklich nicht. Sie haben bereits so viel getan.«

Es folgte eine Pause, und dann brach es plötzlich aus dem Mädchen heraus.

»Ich – ich wünschte, ich könnte es Ihnen erklären. Ich ...«

»Um Himmels willen – machen Sie sich doch darüber keine Gedanken! Es würde alles nur verderben. Aber sagen Sie: könnte ich vielleicht nicht doch noch irgend etwas für Sie tun? Die Geheimpapiere vielleicht nach Wien bringen – oder etwas dieser Art? Geheimpapiere sind doch immer dabei. Geben Sie mir eine Chance.«

Der Zug hatte gehalten. Schnell sprang Elizabeth auf den Bahnsteig. Sie drehte sich um und redete mit ihm durch das Fenster

»Ist das Ihr Ernst? Wollen Sie wirklich etwas für uns – für mich tun?«

»Alles in der Welt würde ich für Sie tun, Elizabeth.«

»Auch wenn ich Ihnen keinen Grund dafür nennen könnte?«

»Gründe – so etwas Lächerliches!«

»Selbst wenn es – wenn es gefährlich wäre?«

»Je gefährlicher, desto besser.«

Sie zögerte eine Minute, schien dann jedoch zu einem Entschluß gekommen zu sein.

»Lehnen Sie sich aus dem Fenster. Blicken Sie den Bahnsteig entlang, als schauten Sie gar nicht hin.« Mr. Rowland bemühte sich, dieser etwas schwierigen Aufforderung nachzukommen. »Sehen Sie den Mann, der gerade einsteigt – mit dem kleinen dunklen Bart – und dem leichten Übermantel? Folgen Sie ihm, stellen Sie fest, wo er hingeht, und beobachten Sie genau, was er tut.«

»Ist das alles?« fragte Mr. Rowland. »Was soll ich ...«

Sie ließ ihn nicht ausreden und unterbrach ihn.

»Weitere Anweisungen werden Ihnen noch übermittelt. Beobachten Sie ihn – und bewahren Sie das hier sicher auf.« Sie schob ihm ein kleines versiegeltes Päckchen in die Hand. »Behüten Sie es – und wenn es Ihr Leben kostet. Es ist der Schlüssel zu allem!«

Der Zug fuhr an. Mr. Rowland starrte aus dem Fenster und blickte der schlanken grazilen Gestalt nach, die sich ihren Weg über den Bahnsteig bahnte. Seine Hand umklammerte das kleine versiegelte Päckchen.

Der Rest seiner Reise verlief ebenso eintönig wie ereignislos. Bei dem Zug handelte es sich um einen Bummelzug. Überall hielt er. Auf jedem Bahnhof schoß Georges Kopf aus dem Fenster, um zu sehen, ob sein Opfer ausstiege oder nicht. Gelegentlich schlenderte er auf dem Bahnsteig hin und her, wenn der Aufenthalt länger zu dauern schien, und überzeugte sich, daß der Mann noch im Zug war.

Der tatsächliche Zielort des Zuges war Portsmouth, und dort stieg der schwarzbärtige Mann endlich aus. Er machte sich auf den Weg zu einem kleinen zweitrangigen Hotel, wo er ein Zimmer nahm. Auch Mr. Rowland nahm dort ein Zimmer.

Die Zimmer lagen in derselben Etage, zwei Türen voneinander getrennt. Nach Georges Meinung war diese Anordnung zufriedenstellend. In der Kunst des Beschattens war er zwar ein vollständiger Neuling; trotzdem war er jedoch bemüht, sich seines Auftrags gut zu entledigen und Elizabeths Vertrauen zu ihm nicht zu enttäuschen.

Beim Abendessen wurde George ein Tisch zugewiesen, der nicht sehr weit von dem seines Opfers entfernt war. Der Raum war nicht sonderlich voll, und die Mehrheit der Gäste sortierte George von vornherein aus, da es sich dabei um Handelsreisende handelte – sehr ehrenswerte Männer, die ihr Essen mit Appetit verspeisten. Nur ein einziger Mann erregte seine besondere Aufmerksamkeit: ein kleiner Mann mit hellbraunem Haar und Schnurrbart, der ihn irgendwie an ein Roß erinnerte. Er seinerseits schien sich für George zu interessieren: als das Abendessen beendet war, lud er George zu einem Drink und einer Partie Billard ein. George hatte jedoch gerade erspäht, daß der schwarzbärtige Mann Hut und Mantel ergriff, und deshalb lehnte er höflich ab. Im nächsten Augenblick stand er draußen auf der Straße und gewann neuen Einblick in die schwierige Kunst des Beschattens. Die Jagd war langwierig und ermüdend – und am Ende schien sie doch zu nichts zu führen. Nachdem der Mann sich etwa vier Meilen lang durch die Straßen von Portsmouth gewunden und gedreht hatte, kehrte er ins Hotel zurück – George dicht auf seinen Fersen. Ein leichter Zweifel befiel Letztgenannten. War es vorstellbar, daß der Mann seine Gegenwart wahrgenommen hatte? Während er noch in der Halle stand und diesen Punkt sorgfältig erwog, wurde die Tür zur Straße aufgestoßen, und der kleine hellbraune Mann betrat das Hotel. Offensichtlich hatte auch er noch einen Spaziergang unternommen.

George wurde plötzlich gewahr, daß das schöne Mädchen aus dem Büro ihn ansprach.

»Mr. Rowland, nicht wahr? Zwei Gentlemen möchten Sie sprechen. Zwei ausländische Gentlemen. Sie warten im kleinen Saal am Ende des Ganges.«

Leicht erstaunt suchte George den fraglichen Raum auf. Zwei Männer, die dort saßen, erhoben sich und verneigten sich förmlich.

»Mr. Rowland? Ich habe nicht den geringsten Zweifel, Sir, daß Sie sich vorstellen können, wer wir sind.«
George blickte von einem zum anderen. Der Sprecher war der ältere von beiden: ein grauhaariger und auffallender Gentleman, der ausgezeichnet Englisch sprach. Der andere war ein hochgewachsener, leicht verpickelter junger Mann mit einem Gesicht blonder teutonischer Abstammung, das durch das erboste Stirnrunzeln, welches der junge Mann augenblicklich trug, keineswegs attraktiver geworden war.
Irgendwie erleichtert, daß es sich bei keinem seiner Besucher um jenen alten Herrn handelte, dem er auf dem Bahnhof Waterloo Station begegnet war, befleißigte George sich seiner liebenswürdigsten Art.
»Nehmen Sie bitte Platz, Gentlemen. Ich bin entzückt, Ihre Bekanntschaft zu machen. Wie wäre es mit einem Drink?«
Der Ältere hob abwehrend seine Hand.
»Vielen Dank, Lord Rowland – nicht für uns. Wir haben nur sehr wenig Zeit – gerade so viel, daß Sie uns eine Frage beantworten können.«
»Es ist sehr freundlich von Ihnen, mich in den Adelsstand zu erheben«, sagte George. »Und es tut mir leid, daß ich Ihnen keinen Drink anbieten kann. Wobei handelt es sich bei Ihrer kurzen Frage?«
»Lord Rowland, Sie verließen London in Begleitung einer bestimmten Dame. Hier sind Sie dann allein angekommen. Wo ist die Dame?«
George erhob sich.
»Leider sehe ich mich nicht in der Lage, Ihre Frage zu verstehen«, sagte er kalt und bemühte sich, möglichst genau wie der Held eines Romans zu sprechen. »Ich habe die Ehre, Ihnen einen guten Abend zu wünschen, Gentlemen.«
»Dabei verstehen Sie ganz genau! Sehr gut verstehen Sie die Frage!« schrie der jüngere Mann in einem plötzlichen Ausbruch. »Was haben Sie mit Alexa gemacht?«
»Ruhig, Sir«, murmelte der andere. »Ich bitte Sie inständig, Ruhe zu bewahren.«
»Ich kann Ihnen versichern«, sagte George, »daß ich keine Dame dieses Namens kenne. Es muß sich also um einen Irrtum handeln.«
Der Ältere sah ihn gespannt an.
»Das ist kaum möglich«, sagte er trocken. »Ich nahm mir die

Freiheit, das Gästeverzeichnis des Hotels durchzusehen. Sie haben sich als Mr. G. Rowland of Rowland's Castle eingetragen.«

George war gezwungen zu erröten.

»Ein – ein kleiner Scherz meinerseits«, erklärte er matt.

»Eine ziemlich armselige Ausflucht. Hören Sie – klopfen wir nicht länger auf den Busch. Wo befindet sich Ihre Hoheit?«

»Wenn Sie damit Elizabeth meinen . . .«

Mit einem wütenden Aufheulen stürzte der junge Mann wieder vorwärts.

»Unverschämter Schweinehund! So von ihr zu sprechen!«

»Wie Sie sehr wohl wissen«, sagte der andere langsam, »beziehen sich meine Worte auf die Großherzogin Anastasia Sophia Alexandra Marie Helena Olga Elizabeth von Catonien.«

»Oh«, sagte Mr. Rowland etwas hilflos. Er versuchte, sich alles in Erinnerung zurückzurufen, was er jemals über Catonien gewußt hatte. Soweit er sich entsann, handelte es sich um ein kleines balkanisches Königreich, und irgendwie schien er sich ferner einer Revolution zu erinnern, die dort stattgefunden hatte. Mit Mühe faßte er sich wieder.

»Offenbar meinen wir dieselbe Person«, sagte er fröhlich, »nur daß ich sie Elizabeth nenne.«

»Dafür werden Sie mir Genugtuung geben«, fauchte der jüngere Mann. »Wir werden kämpfen.«

»Kämpfen?«

»Ein Duell.«

»An Duellen beteilige ich mich niemals«, sagte Mr. Rowland standhaft.

»Warum nicht?« fragte der andere in unangenehmem Ton.

»Ich habe zuviel Angst, dabei verletzt zu werden.«

»Aha! So ist das also! Dann werde ich Ihnen zumindest die Nase langziehen.«

Wütend sprang der junge Mann auf George los. Was dann genau geschah, war schwer zu erkennen; er beschrieb jedoch einen halben Bogen durch die Luft und landete mit einem dumpfen Dröhnen auf dem Fußboden. Leicht betäubt raffte er sich wieder auf. Mr. Rowland lächelte erfreut.

»Wie ich gerade sagte«, bemerkte er, »habe ich immer Angst, verletzt zu werden. Aus diesem Grunde hielt ich es für angebracht, Jiu-Jitsu zu lernen.«

Darauf folgte eine Pause. Die beiden Ausländer betrachteten zweifelnd den so liebenswürdig aussehenden jungen Mann, als

hätten sie plötzlich erkannt, daß hinter der angenehmen Nonchalance seines Benehmens irgendeine gefährliche Eigenschaft lauere. Der junge Teutone war kalkweiß vor Leidenschaft.
»Das werden Sie bereuen«, zischte er.
Der Ältere bewahrte seine würdevolle Haltung.
»Ist das Ihr letztes Wort, Lord Rowland? Sie weigern sich, uns den Aufenthaltsort Ihrer Hoheit mitzuteilen?«
»Ihr Aufenthaltsort ist selbst mir unbekannt.«
»Sie werden kaum annehmen, daß ich Ihren Worten glaube!«
»Ich fürchte, Sie sind überhaupt ein ungläubiger Mensch, Sir.«
Der andere schüttelte hingegen nur den Kopf und murmelte:
»Damit ist der Fall noch nicht beendet. Sie werden wieder von uns hören.« Damit verließen die beiden den Raum.
George fuhr sich mit der Hand über die Stirn. Die Ereignisse entwickelten sich mit verwirrender Geschwindigkeit. Offenbar war er in einen erstklassigen europäischen Skandal verwickelt.
»Vielleicht bedeutet das sogar einen neuen Krieg«, sagte George hoffnungsvoll, als er wie ein Jagdhund durch das Hotel strich, um festzustellen, was aus dem Mann mit dem schwarzen Bart geworden war.
Zu seiner großen Erleichterung entdeckte er ihn im Aufenthaltsraum, wo er in einer Ecke saß. George setzte sich in eine andere Ecke. Nach etwa drei Minuten stand der Schwarzbärtige auf und ging zu Bett. George folgte ihm und sah ihn in seinem Zimmer verschwinden und die Tür schließen. George stieß einen Seufzer der Erleichterung aus.
»Ich brauche dringend meine Nachtruhe«, murmelte er. »Ganz dringend.«
Dann kam ihm ein gräßlicher Gedanke. Angenommen, der Schwarzbärtige hatte gemerkt, daß George auf seiner Spur war? Angenommen, er entwischte im Laufe der Nacht, während George gerade den Schlaf des Gerechten schlief? Nach einigem Überlegen von wenigen Minuten Dauer fiel Mr. Rowland eine Möglichkeit ein, auch mit dieser Schwierigkeit fertigzuwerden. Er räufelte eine seiner Socken auf, bis er einen ausreichend langen Wollfaden von neutraler Farbe hatte, schlich dann geräuschlos aus seinem Zimmer, klebte das eine Ende des Fadens mit einer Briefmarke an die Tür des Fremden und legte schließlich den Faden bis in sein eigenes Zimmer. Dort knotete er das andere Ende an eine kleine silberne Glocke – ein Erinnerungsstück an das Vergnügen der letzten Nacht. Mit einem gut Teil Befriedi-

gung betrachtete er die Anlage. Sollte der schwarzbärtige Mann versuchen, sein Zimmer zu verlassen, würde George sofort durch das Klingeln der Glocke aufgeschreckt werden.
Nachdem diese Angelegenheit geregelt war, verlor George keine Zeit, seine Schlafstätte aufzusuchen. Das kleine Päckchen legte er sorgfältig unter das Kopfkissen. Dabei fiel er vorübergehend in trübe Überlegungen. Seine Gedanken hätten folgendermaßen übersetzt werden können: ›Anastasia Sophia Marie Alexandra Olga Elizabeth. Verdammt noch mal, einen habe ich ausgelassen. Wenn ich jetzt bloß wüßte . . .‹
Angesichts seines Unvermögens, die Situation zu erfassen, war er unfähig, sofort einzuschlafen. Was sollte das alles? Worin bestand die Verbindung zwischen der entflohenen Großherzogin, dem versiegelten Päckchen und dem schwarzbärtigen Mann? Wovor befand die Großherzogin sich auf der Flucht? Waren die Ausländer sich bewußt, daß das versiegelte Päckchen sich in seinem Besitz befand? Und was enthielt es aller Voraussicht nach?
Während er noch über diese Dinge nachdachte und dabei das leicht irritierte Gefühl hatte, ihrer Lösung keinen Schritt nähergekommen zu sein, schlief Mr. Rowland ein.
Geweckt wurde er vom leisen Klingeln einer Glocke. Da er nicht zu jenen Menschen gehörte, die aufwachen und sofort aus dem Bett springen, brauchte er rund eineinhalb Minuten bis zu der Erkenntnis, was eigentlich los war. Dann allerdings sprang er auf, schlüpfte mit den Füßen in die Pantoffeln, öffnete mit äußerster Vorsicht die Tür und schlich in den Korridor hinaus. Ein schwacher, sich bewegender Schatten am anderen Ende des Korridors zeigte ihm die Richtung, in der sein Opfer entschwunden war. So geräuschlos wie nur möglich folgte Mr. Rowland seiner Fährte. Er kam gerade noch rechtzeitig, um zu sehen, wie der Schwarzbärtige in einem Badezimmer verschwand. Das war erstaunlich, zumal ein anderes Badezimmer sich genau gegenüber jenem Zimmer befand, das der Schwarzbärtige bewohnte. Als Mr. Rowland sich möglichst weit der angelehnten Tür genähert hatte, lugte er durch den Spalt. Der Mann kniete neben der Badewanne und schob irgend etwas unter die Verkleidung zwischen Wanne und Wand. Fünf Minuten benötigte er dazu; dann erhob er sich wieder, und George begab sich vorsichtig auf den Rückzug. Wieder im Schatten der eigenen Tür, beobachtete er, wie der andere vorüberging und in seinem eigenen Zimmer verschwand.

›Ausgezeichnet‹, sagte sich George. ›Das Geheimnis des Badezimmers wird morgen früh erforscht.‹
Er legte sich ins Bett und griff mit der Hand unter das Kopfkissen, um sich zu vergewissern, daß das kostbare Päckchen sich noch dort befände. Im nächsten Augenblick riß er das Bettzeug auseinander. Das Päckchen war verschwunden!
Ein arg zerzauster George saß am folgenden Morgen an seinem Tisch und verzehrte Eier mit Schinken. Er hatte Elizabeth enttäuscht. Er hatte zugelassen, daß das kostbare Päckchen, das sie seiner Obhut anvertraut hatte, ihm entwendet worden war, und das ›Geheimnis des Badezimmers‹ war ein ausgesprochen unangemessener Ersatz. Ja – kein Zweifel, daß George sich äußerst töricht angestellt hatte.
Nach dem Frühstück schlenderte er wieder nach oben. Ein Zimmermädchen stand im Korridor und machte ein verwirrtes Gesicht.
»Stimmt etwas nicht, meine Liebe?« sagte George freundlich.
»Es geht um den Gentleman, der hier wohnt, Sir. Er wollte um halb neun geweckt werden, aber ich bekomme keine Antwort, und die Tür ist abgeschlossen.«
»Was Sie nicht sagen«, meinte George.
Ein unbehagliches Gefühl erhob sich in seiner Brust. Er eilte in sein eigenes Zimmer. Mochte er gerade noch irgendwelche Pläne gehabt haben – von dem unerwarteten Anblick, der sich ihm bot, wurden sie weggewischt: auf der Frisierkommode lag das kleine Päckchen, das ihm in der vergangenen Nacht gestohlen worden war!
George nahm es in die Hand und betrachtete es prüfend. Jawohl – zweifellos war es dasselbe. Aber die Siegel waren zerbrochen. Nach kurzem Zögern wickelte er es aus. Wenn andere seinen Inhalt gesehen hatten, bestand kein Grund, daß er ihn nicht auch sehen konnte. Außerdem bestand die Möglichkeit, daß der Inhalt entwendet worden war. Aus dem Papier schälte sich eine kleine Pappschachtel, wie Juweliere sie verwenden. George öffnete sie. In ein Bett aus Baumwolle schmiegte sich ein schlichter goldener Ehering. Er nahm ihn heraus und betrachtete ihn prüfend. Auf der Innenseite befand sich keine Inschrift – gar nichts, was ihn von anderen Eheringen hätte unterscheiden können. Mit einem Aufstöhnen verbarg George den Kopf in den Händen.
»Wahnsinn«, murmelte er. »Etwas anderes ist es nicht. Offener, unverhüllter Wahnsinn. Nirgends ist ein Sinn zu entdecken.«

Plötzlich erinnerte er sich der Feststellung des Zimmermädchens, und gleichzeitig stellte er fest, daß sich vor dem Fenster ein Geländer entlangzog. Es war ein Heldenstück, dem er sich normalerweise nicht unterzogen hätte; Neugier und Ärger hatten jedoch derart von ihm Besitz ergriffen, daß er sich in einem Zustand befand, der Schwierigkeiten auf die leichte Schulter nahm. Er setzte über das Fensterbrett. Wenige Sekunden später lugte er durch das Fenster jenes Zimmers, das der Schwarzbärtige bewohnt hatte. Das Fenster stand offen und der Raum war leer. Ein kleines Stückchen weiter befand sich eine Feuerleiter. Damit war vollkommen klar, auf welche Weise sein Opfer sich davongemacht hatte.

George sprang durch das Fenster in das Zimmer. Die Sachen des Verschwundenen lagen noch überall herum. Vielleicht befand sich unter ihnen irgendein Hinweis, der Georges Verwirrung erhellen würde. Er begann, alles zu durchsuchen, und machte den Anfang mit dem Inhalt einer ramponierten Reisetasche.

Ein Geräusch unterbrach seine Suche – ein sehr leises Geräusch zwar, aber immerhin ein Geräusch, das nicht zu überhören war. Georges Blick richtete sich auf den großen Kleiderschrank. Er sprang hoch und riß die Schranktür auf. Im gleichen Augenblick war ein Mann mit einem Satz heraus und rollte, von Georges Armen eng umschlungen, auf den Fußboden. Er gehörte keineswegs zu den gewöhnlichen Gegnern. Sämtliche besonderen Tricks, die George anwandte, erreichten kaum etwas. Schließlich lagen sie völlig erschöpft – der eine hier, der andere dort – auf dem Fußboden, und zum erstenmal sah George, um wen es sich bei seinem Gegner handelte. Es war der kleine Mann mit dem hellbraunen Bart.

»Wer, zum Teufel, sind Sie?« fragte George.

Statt einer Antwort zog der andere eine Karte hervor und überreichte sie ihm. George las sie laut.

»Detective Inspector Jarrold, Scotland Yard.«

»Stimmt, Sir. Und Sie täten gut daran, wenn Sie mir alles erzählten, was Sie über diese Angelegenheit wissen.«

»Das Gefühl habe ich auch«, sagte George nachdenklich. »Wissen Sie was, Inspektor? Ich glaube, Sie haben recht. Sollen wir uns aber dazu nicht einen erfreulicheren Ort suchen?«

In einer ruhigen Ecke der Bar breitete George seine Seele aus. Inspektor Jarrold lauschte ihm voller Mitgefühl.

»Äußerst erstaunlich, was Sie sagen, Sir«, bemerkte er, als George seinen Bericht beendet hatte. »Aus einem erheblichen Teil kann ich mir zwar auch kein Bild machen, aber einige Punkte kann ich Ihnen doch erläutern. Ich war wegen Mardenberg, Ihres schwarzbärtigen Freundes, hier, und Ihr Auftauchen sowie die Art, wie Sie ihn beobachteten, machten mich mißtrauisch. Ich konnte Sie nirgends unterbringen. In der vergangenen Nacht schlich ich mich daher in Ihr Zimmer, als Sie es verlassen hatten, und ich war es auch, der das kleine Päckchen unter Ihrem Kopfkissen wegnahm. Als ich es öffnete und feststellte, daß es doch nicht das war, was ich suchte, ergriff ich die erste beste Gelegenheit, es wieder in Ihr Zimmer zurückzubringen.«

»Das erklärt die Angelegenheit zumindest teilweise«, sagte George nachdenklich. »Ich scheine mich so ziemlich wie ein Esel aufgeführt zu haben.«

»Das würde ich nicht sagen, Sir. Für einen Anfänger waren Sie ungewöhnlich gut. Sie sagten, Sie hätten heute morgen das Badezimmer aufgesucht und an sich genommen, was hinter der Badewanne versteckt war?«

»Ja. Aber es war nur ein verdammter Liebesbrief«, sagte George düster. »Zum Teufel damit, aber ich hatte wirklich nicht die Absicht, in den Privatangelegenheiten des armen Kerls herumzuschnüffeln.«

»Hätten Sie etwas dagegen, wenn ich ihn mir einmal ansähe, Sir?«

George zog einen zusammengefalteten Brief aus der Tasche und reichte ihn dem Inspektor. Dieser faltete ihn auseinander.

»Sie haben vollständig recht, Sir; aber wenn man dieses kleine i mit den anderen durch Striche verbindet, könnte ich mir vorstellen, daß das Ergebnis ganz anders aussieht. Menschenskind – Sir, das hier ist ein Plan von der Hafenverteidigung von Portsmouth!«

»Was denn!«

»Ja. Wir haben den Gentleman schon seit einiger Zeit beobachtet. Er war für uns jedoch zu gerissen. Verschaffte sich eine Frau, die den größten Teil der Dreckarbeit erledigt.«

»Eine Frau?« sagte George mit versagender Stimme. »Wie heißt sie denn?«

»Sie hat eine ganze Menge Namen, Sir. Meistens ist sie als Betty Brighteyes bekannt. Eine auffallend gut aussehende Frau übrigens.«

»Betty – Brighteyes«, sagte George. »Vielen Dank, Inspektor.«

»Verzeihung, Sir – aber Sie sehen gar nicht gut aus.«
»Mir geht es auch nicht gut. Ich bin sehr krank. Vielleicht ist es wirklich besser, ich nehme den nächsten Zug und fahre nach London zurück.«
Der Inspektor blickte auf seine Uhr.
»Ich fürchte, das ist ein Bummelzug, Sir. Warten Sie lieber auf den Schnellzug.«
»Das ist egal«, sagte George düster. »Einen Zug, der langsamer fährt als derjenige, mit dem ich gestern gekommen bin, gibt es gar nicht.«
Als George wieder in einem Abteil erster Klasse saß, überflog er gelangweilt die Tagesnachrichten. Plötzlich setzte er sich kerzengerade hin und starrte auf die Seite vor seinen Augen.
»Eine romantische Hochzeit fand gestern in London statt, als Lord Roland Gaigh, zweiter Sohn des Marquis of Axminster, mit der Großherzogin Anastasia von Catonien getraut wurde. Die Zeremonie wurde streng geheimgehalten. Seit dem Aufstand in Catonien lebte die Großherzogin mit ihrem Onkel in Paris. Sie lernte Lord Roland kennen, als dieser Sekretär an der britischen Gesandtschaft in Catonien war, und ihre Zuneigung datiert aus dieser Zeit.«
»Jetzt bin ich aber ...«
Mr. Rowland fiel nichts ein, was kräftig genug gewesen wäre, seine Gefühle auszudrücken. Statt dessen starrte er weiter ins Leere. Der Zug hielt auf einem kleinen Bahnhof, und eine Dame stieg ein. Sie setzte sich ihm gegenüber.
»Guten Morgen, George«, sagte sie sanft.
»Ach du lieber Himmel!« rief George. »Elizabeth!«
Sie lächelte ihn an. Wenn möglich, war sie noch bezaubernder als jemals zuvor.
»Sehen Sie mich an«, rief George und umklammerte seinen Kopf. »Verraten Sie mir um alles auf der Welt eines: sind Sie die Großherzogin Anastasia, oder sind Sie Betty Brighteyes?«
Sie starrte ihn an. »Ich bin weder die eine noch die andere. Ich heiße Elizabeth Gaigh. Und jetzt kann ich Ihnen auch alles erzählen. Entschuldigen muß ich mich übrigens auch noch. Sehen Sie – mein Bruder Roland war schon immer verliebt in Alexa ...«
»Meinen Sie damit die Großherzogin?«
»Ja. Von der Familie wird sie so genannt. Wie ich also bereits sagte, war Roland schon immer in Alexa verliebt – und sie in

ihn. Und dann kam die Revolution, und Alexa war in Paris, und sie wollten alles gerade fest abmachen, als der alte Stürm, der Kanzler, auftauchte und darauf bestand, Alexa mitzunehmen und sie zu zwingen, Prinz Karl zu heiraten, ihren Cousin, einen schrecklich verpickelten Menschen . . .«

»Ich glaube, ich bin ihm schon begegnet«, sagte George.

»Den sie von ganzem Herzen haßt. Und der alte Prinz Osric, ihr Onkel, verbot ihr, Roland jemals wiederzusehen. Daraufhin floh sie nach England, und ich fuhr nach London und traf sie dort, und dann schickten wir Roland, der gerade in Schottland war, ein Telegramm. Und ausgerechnet in der allerletzten Minute, als wir in einem Taxi zum Standesamt fuhren, begegneten wir auch noch dem alten Prinz Osric, der ebenfalls in einem Taxi saß und uns erkannte. Natürlich verfolgte er uns, und wir waren mit unserem Latein bereits am Ende, weil er uns bestimmt eine ganz fürchterliche Szene gemacht hätte, und andererseits ist er ihr Vormund. Dann hatte ich die glänzende Idee, unsere Rollen zu vertauschen. Bis auf die Nasenspitze kann man heutzutage von einem Mädchen praktisch nichts sehen. Ich setzte also Alexas roten Hut auf, zog ihren braunen Mantel an, und sie zog statt dessen meinen grauen über. Dann ließen wir uns vom Taxi zur Waterloo Station fahren, und ich sprang hinaus und lief in den Bahnhof. Der alte Osric rannte sofort hinter dem roten Hut her, ohne an die andere Insassin des Taxis zu denken, die sich in eine Ecke gedrückt hatte; mein Gesicht konnte er natürlich nicht erkennen. Deshalb stürzte ich einfach in Ihr Abteil und unterwarf mich Ihrer Barmherzigkeit.«

»Bis dahin habe ich alles verstanden«, sagte George. »Aber der Rest ist mir immer noch unklar.«

»Ich weiß. Und deswegen muß ich mich doch auch bei Ihnen entschuldigen. Hoffentlich sind Sie mir nicht allzu böse. Aber Sie schienen so versessen darauf zu sein, daß es sich tatsächlich um ein Geheimnis handelte – wie in Romanen, und deshalb konnte ich der Versuchung einfach nicht widerstehen. Auf dem Bahnsteig suchte ich mir einen möglichst finster aussehenden Mann aus und sagte, Sie sollten ihn beschatten. Und dann steckte ich Ihnen noch das Päckchen zu.«

»In welchem sich ein Ehering befand.«

»Ja. Alexa und ich haben ihn gekauft, weil Roland erst kurz vor der Hochzeit aus Schottland zurückkam. Und natürlich wußte ich, daß sie ihn nicht mehr brauchten, wenn ich wieder in

London wäre – daß sie statt dessen einen Gardinenring oder etwas Ähnliches nehmen müßten.«
»Ich verstehe«, sagte George. »Es ist wie immer bei solchen Geschichten – wenn man es weiß, ist alles ganz einfach! Erlauben Sie, Elizabeth!«
Er streifte ihren linken Handschuh ab, und beim Anblick ihres ungeschmückten Ringfingers stieß er einen Seufzer der Erleichterung aus.
»Dann ist es gut«, bemerkte er. »Dieser Ring ist also doch nicht vergeudet.«
»Oh!« rief Elizabeth, »aber ich weiß doch noch gar nichts über Sie!«
»Du weißt, wie reizend ich bin«, sagte George. »Übrigens ist mir gerade eingefallen, daß du dann natürlich Lady Elizabeth Gaigh bist.«
»Ach, George – bist du etwa ein Snob?«
»Genaugenommen stimmt es ziemlich. Mein schönster Traum war der, als ich King George eine halbe Krone borgte, damit er über das Wochenende nicht ohne Geld war. Aber ich dachte eben an meinen Onkel – das ist der, dem ich mich entfremdet habe. Dieser Onkel ist ein entsetzlicher Snob. Wenn er erfährt, daß ich dich heiraten werde und wir damit einen Titel in der Familie haben, wird er mich sofort zu seinem Teilhaber machen!«
»Oh! George – ist er sehr reich?«
»Elizabeth, bist du geldgierig?«
»Sehr. Ich gebe rasend gern Geld aus. Aber vor allem dachte ich an Vater: fünf Töchter, jede bildschön und blaublütig. Er verzehrt sich förmlich nach einem reichen Schwiegersohn.«
»Hm«, sagte George. »Es wird dann also eine jener Ehen, die im Himmel geschlossen und auf Erden erprobt werden. Werden wir in Rowland's Castle wohnen? Mit dir als Ehefrau machen sie mich dort bestimmt zum Oberbürgermeister. Ach Elizabeth – Liebling, wahrscheinlich ist es ein Verstoß gegen die gesellschaftlichen Sitten, aber ich muß dir einfach einen Kuß geben!«

Villa Nachtigall

»Auf Wiedersehen, Liebling.«
»Auf Wiedersehen, Liebster.«
Alix Martin stand über den niedrigen Holzzaun gelehnt und blickte der langsam kleiner werdenden Gestalt ihres Mannes nach, der die Straße in Richtung auf das Dorf hinunterging.
Schließlich schritt er um eine Biegung und geriet außer Sicht, doch Alix blieb in der gleichen Haltung stehen und strich sich gedankenverloren eine Locke ihres vollen braunen Haares zurück, die ihr ins Gesicht geweht war. Ihre Augen blickten verträumt in die Ferne.
Alix Martin war nicht schön, genaugenommen noch nicht einmal hübsch. Aber ihr Gesicht – das Gesicht einer Frau, die ihre erste Jugend hinter sich hat – war weich geworden und strahlte eine innere Zufriedenheit aus, so daß ihre früheren Bürokolleginnen sie wohl kaum wiedererkannt haben würden. Als Miss Alix King war sie eine durchschnittliche, nette berufstätige junge Frau gewesen, anstellig, etwas brüsk in ihrer Art, nüchtern und offensichtlich tüchtig.
Alix war durch eine harte Schule gegangen. Fünfzehn Jahre lang, von ihrem achtzehnten bis dreiunddreißigsten Lebensjahr, hatte sie sich – und sieben Jahre davon auch die kranke Mutter – allein mit ihrer Arbeit als Stenotypistin unterhalten müssen. Der Kampf um die Existenz hatte die weichen Linien ihres mädchenhaften Gesichtes verhärtet.
Natürlich hatte es auch so etwas wie eine Romanze in ihrem Leben gegeben – Dick Windyford, ein Bürokollege. Im innersten Herzen war Alix ganz eine Frau und hatte immer gewußt, ohne es sich anmerken zu lassen, daß er sie liebte. Nach außen hin waren sie Freunde, nicht mehr. Von seinem geringen Gehalt ermöglichte Dick unter großen Entbehrungen einem jüngeren Bruder das Studium. Vorläufig konnte er daher überhaupt nicht ans Heiraten denken.
Doch plötzlich und unerwartet war für Alix die Erlösung von der täglichen Plackerei gekommen. Eine entfernte Verwandte war gestorben und hatte Alix ihr ganzes Geld hinterlassen –

einige tausend Pfund, die ein paar hundert Pfund im Jahr einbrachten. Für Alix bedeutete das Freiheit, Leben, Unabhängigkeit. Jetzt brauchten sie und Dick nicht länger zu warten.
Aber Dick reagierte unvorhergesehen. Er hatte nie direkt von seiner Liebe zu Alix gesprochen, jetzt aber schien er weniger dazu geneigt denn je. Er mied sie, wurde mürrisch und verdrießlich. Alix hatte rasch den wahren Grund erkannt: sie war jetzt eine wohlhabende Frau, und Empfindlichkeit und Stolz standen Dick im Wege, ihr einen Heiratsantrag zu machen.
Sie mochte ihn darum aber nicht weniger gern und überlegte gerade ernsthaft, ob sie vielleicht den ersten Schritt machen sollte, als zum zweitenmal das Unerwartete über sie hereinbrach.
Im Hause eines Freundes begegnete sie Gerald Martin. Er verliebte sich heftig in sie, und innerhalb einer Woche waren sie verlobt. Alix, die sich nie für den Typ gehalten hatte, der sich Hals über Kopf verliebt, war völlig hingerissen.
Unbeabsichtigt hatte sie damit den Weg gefunden, ihren ersten Verehrer aus seiner Reserve zu locken. Stammelnd vor Wut und Enttäuschung war Dick Windyford zu ihr gekommen.
»Der Mann ist völlig fremd für dich! Du weißt nichts über ihn.«
»Ich weiß, daß ich ihn liebe.«
»Wie kannst du das wissen – nach einer Woche?«
»Es braucht eben nicht jeder elf Jahre, um herauszufinden, daß er ein Mädchen liebt!« hatte Alix erregt geschrien.
Sein Gesicht wurde weiß.
»Seit ich dich kenne, habe ich immer nur an dich gedacht. Ich glaubte, daß du genauso für mich empfändest.«
Alix blieb bei der Wahrheit.
»Auch ich habe das geglaubt«, gab sie zu, »aber nur weil ich nicht wußte, was Liebe ist.«
Darauf war Dick wieder wütend geworden: Bitten, Flehen, ja sogar Drohungen – Drohungen gegen den Mann, der ihn verdrängt hatte. Alix war verblüfft, als sie den Vulkan unter dem reservierten Äußern dieses Mannes bemerkte, den sie so gut zu kennen geglaubt hatte.
Und während sie sich an diesem sonnigen Morgen über den Gartenzaun ihres kleinen Landhauses lehnte, wanderten ihre Gedanken zu jener Unterredung zurück. Vor einem Monat hatte sie geheiratet und war zufrieden und glücklich. Doch jetzt, während der Abwesenheit ihres Mannes, der ihr alles bedeutete,

schlich sich eine leise Besorgnis in ihr vollkommenes Glück. Und der Grund dieser Besorgnis war Dick Windyford.
Dreimal hatte sie seit ihrer Heirat den gleichen Traum geträumt. Die Begleitumstände wichen jedesmal voneinander ab, der Kern aber blieb immer derselbe: *sie sah ihren Mann tot am Boden liegen und Dick Windyford über ihm stehen, und sie wußte ganz sicher, daß seine Hand den tödlichen Streich geführt hatte.*
Aber so schrecklich das auch war – das Erwachen empfand sie noch viel schrecklicher, denn im Traum kam ihr der ganze Vorgang völlig natürlich und unvermeidlich vor: *sie, Alix Martin, war froh, daß ihr Mann tot war! Sie streckte dem Mörder dankbar ihre Hände entgegen, manchmal dankte sie ihm sogar mit Worten.* Der Traum endete immer auf dieselbe Weise: *Dick Windyford schloß sie in seine Arme.*
Sie hatte ihrem Mann nichts von diesem Traum erzählt, aber im geheimen hatte er sie mehr verwirrt, als sie sich eingestehen wollte. War es eine Warnung – Warnung vor Dick Windyford?
Das scharfe Läuten des Telephons im Hause schreckte Alix aus ihren Gedanken. Sie ging hinein und nahm den Hörer ab. Plötzlich schwankte sie und stützte sich mit einer Hand gegen die Wand.
»*Wer* spricht dort, bitte?«
»Aber Alix, was ist denn los mit dir? Ich erkenne deine Stimme ja fast nicht wieder. Ich bin's, Dick.«
»Oh!« sagte Alix. »Oh! Wo – bist du jetzt?«
»Im *Traveller's Arms* – so heißt es doch, nicht wahr? Oder weißt du etwa nicht einmal, daß es in eurem Dorf so ein Gasthaus gibt? Ich habe gerade Urlaub – angle hier ein bißchen. Hättest du was dagegen, daß ich euch zwei liebe Leutchen heute abend nach dem Essen kurz besuche?«
»Nein!« entfuhr es Alix scharf. »Du darfst nicht kommen!«
Eine Pause trat ein, und als Dicks Stimme wiederkehrte, klang sie merklich verändert.
»Verzeih bitte«, sagte er förmlich. »Selbstverständlich möchte ich euch nicht zur Last fallen –«
Hastig unterbrach Alix ihn. Ihr Verhalten mußte ihm äußerst merkwürdig vorkommen. Und es *war* merkwürdig. Ihre Nerven schienen ihr einen schlimmen Streich zu spielen.
»Ich wollte damit nur sagen, daß wir – daß wir für heute abend schon eine Verabredung haben«, erklärte sie und versuchte, ihre

Stimme möglichst natürlich klingen zu lassen. »Möchtest du – möchtest du nicht morgen zum Abendessen kommen?«
Aber Dick spürte offenbar die fehlende Herzlichkeit in ihrem Ton.
»Vielen Dank«, sagte er mit der gleichen förmlichen Stimme, »aber ich kann jederzeit wieder abreisen. Hängt davon ab, ob ein Freund von mir noch kommt oder nicht. Auf Wiedersehen, Alix.«
Er zögerte etwas und fügte dann hastig und in verändertem Ton hinzu: »Und alles Gute weiterhin, Liebes.«
Mit einem Gefühl der Erleichterung legte Alix den Hörer auf.
»Er darf nicht herkommen«, wiederholte sie noch einmal für sich. »Er darf nicht herkommen. Oh, was für eine Närrin ich doch bin! Mich in einen solchen Zustand hineinzusteigern. Gleichviel, ich bin froh, daß er nicht kommt.«
Sie griff sich einen ländlichen Strohhut von einem Tisch und ging wieder in den Garten hinaus. Vor dem Haus blieb sie einen Moment stehen und blickte zu dem geschnitzten Namenszug über der Veranda auf: ›Villa Nachtigall‹.
»Ist das nicht ein reichlich schwärmerischer Name?« hatte sie einmal vor der Hochzeit gegenüber Gerald geäußert. Er hatte gelacht.
»Du kleines Großstadtgeschöpf«, hatte er liebevoll gesagt. »Ich glaube, du hast noch nie eine Nachtigall gehört. Und eigentlich bin ich froh darüber. Nachtigallen sollten nur für Verliebte singen. Wir werden sie zusammen an einem Sommerabend vor unserem eigenen Heim hören.«
Und bei der Erinnerung, wie sie dann tatsächlich die Nachtigallen singen gehört hatten, fühlte Alix eine glückliche Wärme in sich aufsteigen, während sie jetzt vor ihrem Heim stand.
Gerald hatte damals die Villa Nachtigall ausfindig gemacht. Fast zerspringend vor Aufregung war er zu Alix gekommen: er habe *das* Haus für sie gefunden – einzigartig – ein Kleinod – eine einmalige Chance im Leben! Und als Alix es gesehen hatte, war auch sie von seinem Reiz gefangen. Sicher – es lag recht einsam – bis zum nächsten Dorf waren es gut drei Kilometer; aber das Häuschen war so einzigartig in seinem altmodischen Äußeren und seinem modernen Komfort mit Badezimmern, Heißwasseranlage, elektrischem Licht und Telephon, daß sie auf der Stelle seinem Charme erlag. Die Sache hatte nur einen Haken: der Eigentümer, ein reicher Mann, dessen Laune das Häus-

chen seine Entstehung verdankte, lehnte ab, es zu vermieten; er wollte es nur verkaufen.
Gerald Martin verfügte zwar über ein gutes Einkommen, konnte sein Vermögen aber im Moment nicht flüssigmachen. Mehr als tausend Pfund konnte er auf keinen Fall auftreiben, der Eigentümer verlangte jedoch dreitausend. Alix, die ihr Herz an diesen Ort gehängt hatte, kam zu Hilfe. Ihr Vermögen ließ sich leicht realisieren, da es in Aktien und Obligationen angelegt war. So wurde die Villa Nachtigall ihr Eigentum, und noch keinen Augenblick lang hatte Alix ihre Wahl bereut. Es stimmte schon, daß Hauspersonal die ländliche Einsamkeit nicht besonders mochte – zur Zeit hatten sie überhaupt niemand –, aber Alix, die sich nach Häuslichkeit sehnte, kochte eifrig und mit viel Vergnügen kleine, schmackhafte Gerichte, und der Hausputz machte ihr Spaß.
Der prachtvolle Blumengarten wurde von einem alten Mann aus dem Dorf, der zweimal die Woche kam, in Ordnung gehalten.
Als Alix um die Hausecke trat, sah sie zu ihrer Überraschung den alten Gärtner bei den Blumenbeeten an der Arbeit. Sie war überrascht, weil seine Arbeitstage Montag und Freitag waren, und heute war Mittwoch.
»Nanu, George, was machen Sie denn hier?« fragte sie, als sie näher kam.
Schmunzelnd richtete der alte Mann sich auf und legte grüßend die Hand an seine verwitterte Kappe.
»Hab mir schon gedacht, daß Sie überrascht sein würden, Madam. Aber das ist so: der Gutsbesitzer gibt am Freitag ein Fest, und da hab ich mir gesagt, daß Mr. Martin und seine gute Frau wohl nichts dagegen haben werden, wenn ich einmal am Mittwoch statt am Freitag komme.«
»Schon recht, George«, antwortete Alix. »Hoffentlich amüsieren Sie sich bei dem Fest gut.«
»Ich glaub schon«, meinte George einfach. »Is' 'ne feine Sache, wenn man sich den Bauch so richtig vollschlagen kann und dabei weiß, daß man's nicht zu bezahlen braucht. Der Gutsbesitzer gibt seinen Pächtern immer ein ordentliches Essen. Und dann hab ich mir auch gedacht, Madam, 's wär gut, wenn ich Sie noch mal sähe, bevor Sie abreisen, damit ich weiß, wie Sie die Rabatten haben wollen. Ich nehme an, Sie wissen noch nicht, wann Sie zurückkommen werden?«
»Aber ich fahre ja gar nicht weg.«

George starrte sie an.
»Sie fahren morgen nicht nach London?«
»Nein. Wie sind Sie nur auf diese Idee gekommen?«
George deutete mit dem Kopf über seine Schulter.
»Hab Ihren Mann gestern im Dorf getroffen. Sagte mir, daß Sie beide morgen nach London fahren, und es sei unsicher, wann Sie zurückkämen.«
»Unsinn«, sagte Alix lachend. »Sie müssen ihn mißverstanden haben.«
Dennoch wunderte sie sich insgeheim. Was konnte Gerald nur gesagt haben, das den alten Mann zu einem so sonderbaren Mißverständnis geführt hatte? Ausgerechnet London? Sie spürte nicht den geringsten Wunsch, wieder nach London zu fahren.
»Ich hasse London!« sagte sie plötzlich bitter.
»Ach«, meinte George gelassen, »da muß ich ihn wohl mißverstanden haben; und doch schien mir, daß er es deutlich genug gesagt hat. Ich bin froh, daß Sie hierbleiben. Ich halte nichts von diesem Herumvagabundieren, und schon gar nichts von London. *Ich* hab's nie nötig gefunden, dorthin zu gehen. Zu viele Autos heutzutage – das bringt eben Unruhe mit. Wenn die Leute erst ein Auto haben, verflixt noch mal, können sie's überhaupt nirgends mehr aushalten. Mr. Ames, dem dies Haus gehörte, war ein netter, ruhiger Herr, bis er eins von diesen Dingern kaufte. Hatte es noch keinen Monat, als er auch schon dieses Haus zum Verkauf ausschrieb. Eine schöne Stange Geld hatte er dafür ausgegeben – Fließwasser in allen Schlafzimmern und elektrisches Licht und so. ›Das viele Geld werden Sie nie wiedersehn‹, hab ich zu ihm gesagt. ›Und ob‹, hat er mir geantwortet, ›bis auf den letzten Penny werde ich meine zweitausend Pfund für dies Haus zurückbekommen.‹ Und das hat er auch tatsächlich geschafft.«
»Er hat dreitausend bekommen«, sagte Alix lächelnd.
»Zweitausend«, wiederholte George. »Damals wurde viel über die Summe gesprochen, die er gefordert hat.«
»Es waren wirklich dreitausend«, sagte Alix.
»Frauen verstehen nichts von Zahlen«, erwiderte George unüberzeugt. »Sie wollen mir doch nicht erzählen, daß Mr. Ames die Stirn hatte, Ihnen ins Gesicht zu sehen und dreitausend Pfund zu fordern?«
»Er hat es nicht mir gesagt«, antwortete Alix, »er sagte es meinem Mann.«

George beugte sich wieder über sein Blumenbeet.
»Der Preis war zweitausend«, entgegnete er halsstarrig.
Alix wollte sich nicht mit ihm streiten. Sie ging zu einem der anderen Blumenbeete und begann, einen Armvoll Blumen zu pflücken.
Als sie sich mit ihrem duftenden Strauß wieder dem Haus näherte, sah Alix einen schmalen dunkelgrünen Gegenstand zwischen den Blättern aus einem Beet hervorscheinen. Während sie sich danach bückte, erkannte sie das Notizbuch ihres Mannes.
Sie öffnete es und überflog belustigt die Eintragungen. Schon fast zu Beginn ihres Ehelebens hatte sie erkannt, daß der impulsive und gefühlsbetonte Gerald die uncharakteristischen Tugenden der Ordnung und Methodik besaß. Er bestand außergewöhnlich pedantisch darauf, daß die Mahlzeiten immer pünktlich waren, und seinen Tag plante er stets mit der Genauigkeit eines Fahrplanes voraus.
Während sie die Seiten umblätterte, mußte sie unwillkürlich lächeln, als sie die Eintragung vom 14. Mai las: ›Trauung mit Alix, St. Peter 14.30.‹
»Lieber, großer Narr«, murmelte Alix leise, während sie weiterblätterte. Plötzlich stutzte sie.
»Mittwoch, 18. Juni – das ist doch heute!«
Neben dem Datum stand in Geralds ordentlicher, klarer Schrift: ›21 Uhr‹. Nichts weiter. Was hatte Gerald für 21 Uhr geplant? Alix war neugierig. Ihr fielen die Geschichten ein, die sie so oft gelesen hatte – in so einem Falle hätte das Notizbuch sie zweifellos mit einer sensationellen Enthüllung überrascht. Sie lächelte. Ganz gewiß hätte der Name einer anderen Frau darin gestanden. Müßig ließ sie die Seiten zurückflattern. Termine, Verabredungen, knappe Stichworte zu Geschäftsabschlüssen, aber nur ein Frauenname – ihr eigener.
Doch als sie das Notizbuch in die Tasche steckte und mit ihren Blumen ins Haus ging, stieg eine unbestimmbare Unruhe in ihr auf. Die Worte von Dick Windyford klangen ihr in den Ohren, als ob er neben ihr stände, und sie wiederholte: ›Der Mann ist völlig fremd für dich! Du weißt nichts über ihn.‹
Das stimmte. Was wußte sie schon über ihn? Schließlich war Gerald vierzig. In vierzig Jahren mußten Frauen in seinem Leben eine Rolle gespielt haben ...
Alix schüttelte sich unwillig. Sie durfte solchen Gedanken keinen

Raum geben. Im Augenblick mußte sie sich über etwas viel Dringlicheres klarwerden. Sollte sie ihrem Mann erzählen, daß Dick Windyford angeläutet hatte, oder nicht?
Es bestand zwar die Möglichkeit, daß Gerald ihm bereits zufällig im Dorf begegnet war. Aber in diesem Fall würde er es sicher unmittelbar nach seiner Rückkehr erwähnen, und sie brauchte sich weiter keine Gedanken zu machen. Wenn aber nicht – was dann? Alix spürte ein ausgeprägtes Verlangen, nichts davon zu erzählen.
Denn wenn sie es sagte, würde er bestimmt vorschlagen, Dick Windyford hierher einzuladen. Dann aber mußte sie ihm erklären, daß Dick schon selbst den Vorschlag gemacht hatte, sie zu besuchen, und daß sie sein Kommen unter einem Vorwand verhindert hatte. Und wenn Gerald sie nach dem Grund dafür fragte, was sollte sie antworten? Ihm ihren Traum erzählen? Er würde nur lachen – oder, schlimmer noch, feststellen, daß sie ihm eine Bedeutung beimaß, die dem Traum seiner Ansicht nach gar nicht zukam.
Schließlich beschloß Alix ziemlich beschämt, überhaupt nichts zu sagen. Es war das erste Mal, daß sie ihrem Mann gegenüber ein Geheimnis hatte, und dieses Bewußtsein machte sie unruhig.
Als sie Gerald kurz vor dem Mittagessen aus dem Dorf zurückkehren hörte, eilte sie in die Küche und tat sehr beschäftigt mit dem Kochen, um ihre Verwirrung zu verbergen.
Offensichtlich hatte Gerald nichts von Dick Windyford gesehen oder gehört. Alix fühlte sich gleichzeitig erleichtert und verlegen. Sie war jetzt endgültig einer Politik der Geheimhaltung ausgeliefert.
Erst nach ihrem einfachen Abendessen, als sie unter dem Eichengebälk ihres Wohnzimmers saßen und durch die weit geöffneten Fenster die warme Abendluft mit dem süßen Duft der Malven und weißen Levkojen drang, fiel Alix wieder das Notizbuch ein.
»Hier«, sagte sie und warf es ihm in den Schoß, »damit hast du die Blumen begossen.«
»Ist mir in die Rabatte gefallen, nicht wahr?«
»Ja; jetzt kenne ich alle deine Geheimnisse.«
»Nicht schuldig«, erwiderte Gerald und schüttelte den Kopf.
»Und was bedeutet deine Verabredung für heute abend neun Uhr?«
»Oh! Das –« Einen Moment lang schien er betroffen, dann aber

lächelte er, als ob etwas ihn außerordentlich belustige. »Das ist ein Stelldichein mit einem ganz besonders netten Mädchen, Alix. Sie hat braune Haare und blaue Augen und ist dir sehr ähnlich.«

»Ich verstehe dich nicht«, sagte Alix mit gespielter Strenge. »Du weichst aus.«

»Aber nicht im geringsten. In Wirklichkeit ist das nur eine Erinnerung, daß ich heute abend ein paar Negative entwickeln will; und ich möchte, daß du mir dabei hilfst.«

Gerald Martin war ein begeisterter Photograph. Er besaß eine etwas altmodische Kamera, aber mit einer ausgezeichneten Optik, und er entwickelte seine Platten selbst in einem kleinen Kellerraum, den er sich als Dunkelkammer eingerichtet hatte.

»Und das muß genau um neun Uhr getan werden?« meinte Alix neckend.

Gerald blickte etwas verärgert.

»Mein liebes Mädchen«, sagte er mit einem Anflug von Eigensinn, »man sollte die Ausführung einer Sache immer für eine bestimmte Zeit planen. Nur dann wird man nie mit seiner Arbeit ins Hintertreffen geraten.«

Alix saß ein oder zwei Minuten schweigend und beobachtete ihren Mann, wie er rauchend in seinem Sessel lag: den zurückgelehnten, dunkelhaarigen Kopf und den klaren Umriß seines glattrasierten Gesichts gegen den düsteren Hintergrund. Und plötzlich schlug aus irgendeinem unerklärlichen Grund eine Welle der Panik über ihr zusammen, so daß es aus ihr herausbrach, bevor sie sich zurückhalten konnte: »O Gerald, ich wünschte, ich wüßte mehr über dich!«

Erstaunt sah ihr Mann sie an.

»Aber meine liebe Alix, du weißt alles über mich. Ich habe dir von meiner Kindheit in Northumberland erzählt, von meinem Leben in Südafrika und von diesen letzten zehn Jahren in Kanada, die mir Erfolg gebracht haben.«

»Ach! Geschäft!« sagte Alix verächtlich.

Gerald lachte plötzlich. »Ich weiß, was du meinst – Liebesgeschichten. Ihr Frauen seid doch alle gleich. Nichts als das rein Persönliche interessiert euch.«

Alix fühlte ihre Kehle trocken werden, als sie undeutlich murmelte: »Nun, aber du mußt doch – Liebesgeschichten gehabt haben. Ich meine – wenn ich nur wüßte –«

Eine oder zwei Minuten lang herrschte wieder Schweigen. Gerald

Martin runzelte wie unentschlossen die Stirn. Als er zu sprechen begann, waren sein Gesicht und seine Stimme ernst, ohne eine Spur seiner bisherigen scherzenden Art.
»Hältst du es für weise, Alix, diese – Blaubartstimmung heraufzubeschwören? Natürlich hat es Frauen in meinem Leben gegeben; das streite ich nicht ab. Und wenn ich es täte, würdest du mir nicht glauben. Doch ich kann dir wahrheitsgemäß schwören, daß keine von ihnen mir etwas bedeutet hat.«
Ein Ton von Aufrichtigkeit schwang in seiner Stimme, der die zuhörende Frau tröstete.
»Zufrieden, Alix?« fragte er lächelnd. Dann blickte er sie mit einem Anflug von Neugier an. »Was hat dich nur ausgerechnet heute abend auf all diese unangenehmen Dinge kommen lassen?«
Alix stand auf und begann, ruhelos auf und ab zu wandern.
»Ach, ich weiß nicht«, antwortete sie. »Ich bin schon den ganzen Tag lang nervös.«
»Das ist merkwürdig«, sagte Gerald leise, als spräche er mit sich selbst. »Das ist wirklich sehr merkwürdig.«
»Warum ist das merkwürdig?«
»Aber, mein liebes Mädchen, wer wird mich denn gleich so anfahren. Ich sagte nur, es sei merkwürdig, weil du in der Regel immer lieb und fröhlich bist.«
Alix zwang sich zu einem Lächeln.
»Alles hat sich heute gegen mich verschworen«, gestand sie. »Sogar der alte George hatte sich die lächerliche Idee in den Kopf gesetzt, daß wir nach London fahren wollen. Er sagte, du hättest ihm das erzählt.«
»Wo hast du ihn getroffen?« fragte Gerald scharf.
»Er kam heute zur Gartenarbeit anstatt Freitag.«
»Verdammter alter Narr!« sagte Gerald ärgerlich.
Alix blickte überrascht auf. Das Gesicht ihres Mannes war verzerrt vor Wut. Sie hatte ihn noch nie so gereizt gesehen. Als er ihr Erstaunen bemerkte, versuchte Gerald, sich zu beherrschen.
»Er ist aber auch ein alter Narr«, protestierte er.
»Was kannst du denn nur gesagt haben, daß er sich so etwas gedacht hat?«
»Ich? Ich habe überhaupt nichts gesagt. Wenigstens – ach ja, jetzt erinnere ich mich: ich machte so einen lahmen Scherz über ›in aller Herrgottsfrühe nach London fahren‹, und wahrscheinlich hat er das ernst genommen. Oder er hat nicht richtig zugehört. Natürlich hast du ihm das ausgeredet?«

Unruhig wartete er auf ihre Antwort.
»Selbstverständlich; aber George ist einer von diesen alten Leuten, denen man eine Idee nicht so leicht wieder ausreden kann, wenn sie sich einmal darauf versteift haben.«
Dann erzählte sie Gerald, wie George hartnäckig auf seinem Glauben über die Kaufsumme für das Haus bestanden hatte.
Ein paar Augenblicke lang schwieg Gerald, um dann langsam zu sagen: »Ames wollte zweitausend in bar und war bereit, die restlichen tausend Pfund als Hypothek zu nehmen. Sicher ist das der Ursprung dieses Mißverständnisses, nehme ich an.«
»Sehr wahrscheinlich«, stimmte Alix zu.
Dann blickte sie zur Uhr hoch und deutete schadenfroh mit dem Zeigefinger darauf.
»Wir sollten uns an die Arbeit machen, Gerald. Schon fünf Minuten Verspätung.«
Ein sehr sonderbares Lächeln trat in Gerald Martins Gesicht.
»Ich habe es mir anders überlegt«, sagte er ruhig; »heute abend möchte ich nicht mehr entwickeln.«
Mit dem Gemüt einer Frau hat es eine merkwürdige Bewandtnis. Als sie an jenem Mittwochabend zu Bett ging, war Alix beruhigt und zufrieden. Ihr vorübergehend schwankendes Glück hatte sich wieder gefestigt, triumphierend wie eh und je.
Aber gegen Abend des folgenden Tages wurde sie sich bewußt, daß arglistige Kräfte an der Arbeit waren, es zu unterwühlen. Dick Windyford hatte nicht wieder angerufen, aber trotzdem meinte sie seinen Einfluß zu fühlen. Wieder und wieder kamen ihr seine Worte ins Gedächtnis: *›Der Mann ist völlig fremd für dich! Du weißt nichts über ihn.‹* Und mit ihnen kam die Erinnerung an das Gesicht ihres Mannes, deutlich wie eine Photographie, wie er sagte: ›Hältst du es für weise, Alix, diese – Blaubartstimmung heraufzubeschwören?‹ Warum hatte er das gesagt?
In seinen Worten hatte eine Warnung gelegen – fast eine Drohung. Genausogut hätte er sagen können: ›Du solltest lieber nicht in meinem früheren Leben spionieren, Alix! Wenn du es doch tust, könntest du einen häßlichen Schock bekommen.‹
Bis Freitagmorgen hatte Alix sich selbst überredet, *daß* es eine Frau in Geralds Leben gegeben hatte – eine Blaubartkammer, die er eifersüchtig vor ihr verschlossen halten wollte. Und ihre Eifersucht, endlich erwacht, war jetzt zügellos.
War es eine andere Frau, die er an jenem Abend um neun Uhr treffen wollte? War seine Geschichte von den Negativen, die er

entwickeln wollte, eine Lüge, die ihm gerade im rechten Moment eingefallen war?
Noch vor drei Tagen hätte sie geschworen, daß sie ihren Mann durch und durch kannte. Jetzt schien er ihr ein Fremder zu sein, von dem sie nichts wußte. Sie erinnerte sich an seinen unvernünftigen Ärger über den alten George, eine Laune, die überhaupt nicht zu seiner üblichen guten Stimmung paßte. Eine Kleinigkeit vielleicht, aber der Vorfall zeigte ihr, daß sie den Mann, der ihr Gatte war, nicht wirklich kannte.
Am Freitag mußten verschiedene Dinge aus dem Dorf besorgt werden, und Alix schlug am Nachmittag vor, daß sie gehen wollte und Gerald währenddessen im Garten bliebe; aber zu ihrer Überraschung widersprach er diesem Plan heftig und bestand darauf, selbst zu gehen, während sie zu Hause bliebe. Alix sah sich gezwungen nachzugeben, aber seine Hartnäckigkeit überraschte und alarmierte sie. Warum war er so ängstlich bestrebt, sie nicht ins Dorf gehen zu lassen?
Plötzlich kam ihr eine Erklärung in den Sinn, die recht einleuchtend schien. War es nicht möglich, daß Gerald tatsächlich Dick Windyford getroffen hatte, es ihr aber nicht sagen mochte? Auch bei ihr hatte sich die Eifersucht, die zur Zeit ihrer Heirat noch völlig schlief, erst später entwickelt. Konnte nicht bei Gerald dasselbe der Fall sein? War er vielleicht nur so ängstlich bestrebt, ein mögliches Wiedersehen zwischen ihr und Dick Windyford zu verhindern? Diese Erklärung paßte so gut zu den Tatsachen und war so tröstlich für Alix' verwirrten Geisteszustand, daß sie sich freudig damit zufriedengab.
Doch als die Teezeit verstrichen war, wurde sie wieder nervös und unruhig. Sie kämpfte mit einer Versuchung, die sie schon seit Geralds Fortgehen bedrängte. Schließlich gab sie nach und stieg zum Ankleidezimmer ihres Mannes hinauf, während sie gleichzeitig ihr Gewissen mit der Versicherung beruhigte, daß das Zimmer einmal gründlich aufgeräumt werden müsse. Und um den Vorwand der Hausfrauenpflicht aufrechtzuerhalten, nahm sie einen Staublappen mit.
›Wenn ich mich nur vergewissern könnte‹, dachte sie immer wieder. ›Wenn ich nur Gewißheit hätte.‹
Vergeblich sagte ihr eine innere Stimme, daß alle möglicherweise kompromittierenden Dinge bestimmt längst vernichtet waren. Sie hielt dem entgegen, daß Männer manchmal die gefährlichsten Beweisstücke aus übertriebener Sentimentalität aufbewahrten.

Der letzte Widerstand in Alix brach zusammen. Mit vor Scham brennenden Wangen durchstöberte sie atemlos ganze Stapel von Briefen und Dokumenten, zog die Schubladen heraus und durchsuchte sogar die Taschen der Anzüge ihres Mannes. Nur zwei Schubladen ließen sich nicht öffnen: die untere der Kommode und die obere rechte des Schreibtisches waren beide verschlossen. Doch Alix hatte inzwischen jegliches Schamgefühl verloren. Sie war überzeugt, daß sie in einer dieser Schubladen den Beweis für die Existenz dieser imaginären Frau aus Geralds Vergangenheit finden würde, von der sie sich in Gedanken verfolgt fühlte.
Sie erinnerte sich, daß Gerald seine Schlüssel sorglos unten auf der Anrichte hatte liegenlassen. Sie holte sie und versuchte einen nach dem andern. Der dritte Schlüssel paßte für die Schreibtischschublade. Fiebernd vor Neugier zog Alix sie auf. Ein Scheckheft und eine gut mit Geldscheinen gefüllte Brieftasche kamen zum Vorschein, und ganz hinten lag ein Päckchen mit einem Band verschnürter Briefe.
Ihr Atem kam unregelmäßig, während Alix das Band öffnete. Doch dann breitete sich eine tiefe, brennende Röte über ihr Gesicht aus, und sie ließ die Briefe in die Schublade zurückfallen, schob sie zu und verschloß sie wieder. Es waren ihre eigenen Briefe, die sie vor ihrer Heirat an Gerald geschrieben hatte.
Sie wandte sich jetzt der Kommode zu, mehr mit dem Wunsch, nichts ungetan zu lassen, als in der Erwartung, noch irgend etwas zu finden, was sie suchte.
Zu ihrem Ärger paßte keiner von Geralds Schlüsseln in die untere Schublade. Um sich nicht geschlagen zu geben, ging Alix durch die anderen Zimmer und brachte eine Auswahl von Schlüsseln mit. Mit Genugtuung stellte sie fest, daß der Schlüssel vom Kleiderschrank des Gästezimmers auch für die Kommode paßte. Sie schloß die Schublade auf und zog sie heraus. Doch nichts als eine Rolle von Zeitungsausschnitten lag darin, vor Alter bereits verstaubt und verfärbt.
Alix stieß einen Seufzer der Erleichterung aus. Sie warf aber trotzdem einen Blick auf die Ausschnitte; denn sie war neugierig, was für ein Thema Gerald so sehr interessierte, daß er sich die Mühe gemacht hatte, die staubige Rolle aufzuheben. Fast alle stammten aus amerikanischen Zeitungen von vor ungefähr sieben Jahren und befaßten sich mit der Gerichtsverhandlung gegen den notorischen Betrüger und Bigamisten Charles Lemaitre. Le-

maitre stand unter dem Verdacht, seine weiblichen Opfer beiseite geschafft zu haben. Unter dem Boden eines der Häuser, die er gemietet hatte, war ein Skelett gefunden worden, und von den meisten Frauen, die er ›geheiratet‹ hatte, wurde nie wieder etwas gehört.
Mit großartigem Geschick hatte er sich gegen die Anklage verteidigt, und einer der talentiertesten Anwälte der Vereinigten Staaten hatte ihm dabei geholfen. Das Urteil ›Freispruch wegen Mangels an Beweisen‹ hätte den Fall vielleicht am besten charakterisiert. Da es das in den Vereinigten Staaten jedoch nicht gab, wurde er in der Hauptanklage als ›nicht schuldig‹ befunden, jedoch wegen erwiesener Schuld in anderen Dingen zu einer langen Haftstrafe verurteilt.
Alix erinnerte sich an das Aufsehen, das dieser Fall seinerzeit erregt hatte, und ebenso an die Sensation bei der Flucht Lemaitres etwa drei Jahre später. Er war nie wieder gefaßt worden. Die Persönlichkeit des Mannes und seine außerordentliche Macht über Frauen waren damals lang und breit in den englischen Zeitungen diskutiert worden, und gleichzeitig wurde über seine Erregbarkeit vor Gericht, seine leidenschaftlichen Proteste und seine gelegentlichen plötzlichen physischen Zusammenbrüche berichtet, die man seinem schwachen Herzen zuschrieb, wenn auch die Unwissenden sie für Schauspielerei hielten.
Auf einem der Ausschnitte, den Alix gerade in der Hand hielt, war ein Bild von ihm, und sie studierte es interessiert – ein langbärtiger, gelehrt aussehender Herr.
An wen erinnerte sie dieses Gesicht nur? Plötzlich und mit einem Schock erkannte sie die Ähnlichkeit mit Gerald. In der Augenpartie glichen die beiden sich sehr. Vielleicht hatte er deshalb die Ausschnitte gesammelt. Ihr Blick wanderte zu dem Abschnitt unter dem Bild. Gewisse Daten, stand da, hatte man im Notizbuch des Angeklagten gefunden und behauptet, zu diesen Zeiten hätte er seine Opfer beseitigt. Dann wurde die Aussage einer Frau wiedergegeben, die den Häftling mit Sicherheit an einem Muttermal an seinem linken Handgelenk, dicht unter der Handfläche, wiedererkannte.
Alix ließ die Papiere fallen und begann zu schwanken. *An seinem linken Handgelenk, dicht unter der Handfläche, hatte ihr Mann eine kleine Narbe ...*
Das Zimmer drehte sich um sie. Hinterher kam es ihr sonderbar vor, wie sie sofort und mit so absoluter Gewißheit überzeugt

sein konnte: Gerald Martin war Charles Lemaitre! Sie wußte es und akzeptierte dieses Wissen augenblicklich. Unzusammenhängende Bruchstücke wirbelten durch ihr Gehirn und reihten sich aneinander wie Teile eines Puzzlespiels.

Der für das Haus gezahlte Preis – ihr Geld – einzig und allein ihr Geld; die Aktien und Obligationen, die sie ihm zur Verwaltung anvertraut hatte. Sogar ihr Traum erschien ihr jetzt in seiner wahren Bedeutung. Tief in ihrem Innern, in ihrem Unterbewußtsein, hatte sie Gerald Martin stets gefürchtet und ihm zu entrinnen gewünscht. Und es war Dick Windyford, dessen Hilfe ihr zweites Ich herbeigesehnt hatte. Auch das war ein Grund dafür, daß sie die Wahrheit so leicht, ohne zu zweifeln oder zu zögern, akzeptieren konnte. Sie sollte das nächste Opfer von Lemaitre werden. Vielleicht schon sehr bald . . .

Ein unterdrückter Aufschrei entfuhr ihr, als sie sich an die Eintragung in seinem Notizbuch erinnerte: *Mittwoch, 21 Uhr.* Der Keller mit den Steinplatten, die sich so leicht aufheben ließen! Schon einmal hatte er eines seiner Opfer im Keller vergraben. Alles war bereits für Mittwochnacht geplant gewesen. Aber daß er es vorher auf so methodische Weise niederschrieb – Wahnsinn! Nein, es war logisch. Gerald machte sich für alle seine Vorhaben im voraus Notizen zur Erinnerung: Mord war für ihn ein Geschäft wie jedes andere.

Doch was hatte sie gerettet? Was konnte sie möglicherweise gerettet haben? War er in letzter Minute weichherzig geworden? Nein. Wie ein Blitz kam ihr die Antwort – *der alte George.*

Sie verstand jetzt die scheinbar unmotivierte Wut ihres Mannes. Zweifellos hatte er sich schon den Weg bereitet, indem er jedermann erzählte, sie führen am Donnerstag nach London. Dann war George unerwartet am Mittwoch zur Arbeit gekommen, hatte London ihr gegenüber erwähnt, und sie hatte der Behauptung widersprochen. Zu riskant, sie in jener Nacht zu beseitigen, wenn der alte George womöglich ihre Unterhaltung weitererzählte. Doch was für ein Entrinnen! Wenn sie nicht zufällig diese unbedeutende Sache erwähnt hätte – Alix schauderte.

Doch sie durfte keine Zeit verlieren. Sie mußte sofort fliehen – bevor er zurückkehrte. Hastig legte sie die Rolle mit den Zeitungsausschnitten wieder in die Schublade, schob sie zu und verschloß sie. Und dann blieb sie regungslos stehen, wie zu Stein erstarrt. Sie hörte die Gartenpforte zur Straße knarren. *Ihr Mann war zurückgekehrt.*

Einen Augenblick blieb Alix noch steif vor Schreck stehen, dann schlich sie auf Zehenspitzen zum Fenster und spähte hinter dem Vorhang hinaus.

Ja, es war ihr Mann. Er lächelte vor sich hin und summte eine kleine Melodie. In der Hand hielt er einen Gegenstand, bei dessen Anblick das Herz der jungen Frau vor Entsetzen fast zu schlagen aufhörte. Es war ein nagelneuer Spaten.

Blitzartig kam ihr die instinktive Erkenntnis: *Heute abend sollte es geschehen ...*

Doch sie hatte noch eine Chance. Seine kleine Melodie summend, ging Gerald um die Ecke und hinter das Haus.

Ohne einen Augenblick zu zögern lief sie die Treppen hinunter und aus der Tür. Doch sie war kaum aus dem Haus, als ihr Mann von der anderen Seite her um die Ecke trat.

»Hallo«, sagte er, »wohin willst du denn so eilig?«

Alix kämpfte verzweifelt mit sich, ruhig und wie gewöhnlich auszusehen. Für den Moment war ihre Chance vereitelt, aber wenn sie umsichtig darauf achtete, seinen Argwohn nicht zu wecken, würde sie später wiederkommen. Vielleicht sogar gleich ...

»Ich wollte nur einmal bis zum Ende des Weges und zurück gehen«, sagte sie in einem Ton, der ihr selbst schwach und unsicher vorkam.

»Gut«, erwiderte Gerald, »ich werde dich begleiten.«

»Bitte nicht, Gerald – ich bin nur nervös – Kopfschmerzen – ich möchte lieber allein gehen.«

Er musterte sie aufmerksam. Einen Moment lang meinte sie Verdacht in seinen Augen aufblitzen zu sehen.

»Was ist denn los mit dir, Alix? Du bist ja blaß – und zitterst.«

»Nichts.« Sie zwang sich, brüsk zu sein – und zu lächeln. »Ich habe lediglich Kopfschmerzen. Ein Spaziergang wird mir guttun.«

»Schön, aber es nützt dir gar nichts, daß du mich nicht mithaben willst«, erklärte Gerald mit seinem unbeschwerten Lachen. »Ich komme, ob du's magst oder nicht.«

Sie wagte nicht, weiter zu protestieren. Wenn er Verdacht schöpfen würde, daß sie *wußte ...*

Mit einer Willensanstrengung brachte sie es fertig, ihre normale Art teilweise zurückzugewinnen. Doch sie hatte das unangenehme Empfinden, daß er sie ab und zu von der Seite ansah, als sei er noch nicht ganz beruhigt. Sie fühlte, daß sein Argwohn noch nicht völlig eingeschlafen war.

Als sie ins Haus zurückkamen, bestand er darauf, daß sie sich hinlegte, und brachte Eau de Cologne, um ihre Schläfen damit zu betupfen. Er war, wie immer, der zärtlich liebende Ehemann. Alix fühlte sich so hilflos, als läge sie an Händen und Füßen gebunden in einer Fallgrube.
Nicht eine Minute lang wollte er sie allein lassen. Er ging mit ihr in die Küche und half ihr, die einfachen kalten Gerichte, die sie schon vorbereitet hatte, ins Zimmer zu tragen. Das Abendessen brachte sie fast zum Ersticken, aber sie zwang sich, zu essen und sogar fröhlich und natürlich zu erscheinen. Sie wußte jetzt, daß sie um ihr Leben kämpfte. Sie war allein mit diesem Mann, meilenweit von jeder Hilfe, völlig in seiner Gewalt. Ihre einzige Chance bestand darin, seinen Verdacht soweit einzuschläfern, daß er sie ein paar Augenblicke lang allein ließ – lang genug, daß sie in die Diele zum Telephon gehen und Hilfe herbeirufen konnte. Das blieb jetzt ihre einzige Hoffnung.
Ein weiterer Hoffnungsschimmer flackerte in ihr auf, als sie sich daran erinnerte, wie er schon einmal seinen Plan verschoben hatte. Angenommen, sie erzählte ihm, daß Dick Windyford sie heute abend besuchen käme?
Die Worte standen schon auf ihren Lippen – als sie sie hastig wieder zurücknahm. Dieser Mann würde sich nicht ein zweites Mal zurückhalten lassen. In seiner gehobenen Stimmung lag unter seinem ruhigen Äußeren eine Entschlossenheit, daß ihr fast übel wurde. Damit würde sie das Verbrechen nur vorzeitig herausfordern. Er würde sie auf der Stelle umbringen und hinterher ruhig Dick Windyford anläuten, um ihm zu erzählen, daß sie plötzlich zu jemand anders hätten gehen müssen. Oh! Wenn nur Dick Windyford heute abend hierher käme! Wenn Dick ...
Plötzlich zuckte ihr ein Einfall durch den Kopf. Sie blickte ihren Mann scharf von der Seite an, als fürchtete sie, er könnte ihre Gedanken lesen. Mit dem Plan kehrte auch ihr Mut zurück. Alix wurde wieder so ungezwungen und natürlich, daß sie sich selbst bewundern mußte.
Sie bereitete den Kaffee und trug ihn auf die Veranda, wo sie oft an schönen Abenden saßen.
»Übrigens«, sagte Gerald plötzlich, »wir wollen später noch die Negative entwickeln.«
Ein Schauder rann Alix über den Rücken, aber sie erwiderte gleichgültig: »Kannst du nicht allein damit fertig werden? Ich bin heute ziemlich müde.«

»Es wird nicht lange dauern.« Er lächelte in sich hinein. »Und ich kann dir versprechen, daß du hinterher nicht müde sein wirst.«
Die Worte schienen ihn zu amüsieren. Alix schauderte. Jetzt oder nie mußte sie ihren Plan ausführen.
Sie erhob sich. »Ich will nur eben mal den Schlachter anrufen«, sagte sie gleichmütig. »Bleib nur ruhig sitzen.«
»Den Schlachter? So spät noch?«
»Sein Laden ist natürlich geschlossen, Dummchen. Aber ich kann ihn zu Hause erreichen. Morgen ist Sonnabend, und ich möchte, daß er mir gleich früh ein paar Kalbskoteletts bringt, bevor jemand anders sie mir wegschnappt. Der Gute tut alles für mich.«
Alix ging rasch ins Haus hinein und schloß die Tür hinter sich. Sie hörte Gerald rufen: »Laß die Tür offen«, und hatte schnell die ungezwungene Antwort zur Hand: »Dann kommen nur Nachtfalter herein. Ich ekle mich so vor ihnen. Hast du Angst, daß ich dem Schlachter eine Liebeserklärung machen will, Dummchen?«
Sie nahm hastig den Telephonhörer ab und verlangte die Nummer des *Traveller's Arms*. Alix wurde sofort verbunden.
»Bitte Mr. Windyford! Ist er noch da? Kann ich ihn sprechen?«
Doch dann setzte einen Augenblick lang ihr Herzschlag aus. Die Tür ging auf, und ihr Mann trat in die Diele.
»Geh bitte fort, Gerald«, sagte sie, als ob sie sich zierte. »Ich mag es gar nicht, wenn mir jemand beim Telephonieren zuhört.«
Er lachte nur und ließ sich in einen Sessel fallen.
»Ist es auch wirklich der Schlachter, den du da anrufst?« zog er sie auf.
Alix war verzweifelt. Ihr Plan war fehlgeschlagen. In einer Minute würde Dick Windyford an den Apparat kommen. Sollte sie es riskieren und ihn unumwunden zu Hilfe rufen?
Doch während sie nervös die kleine Taste im Hörer drückte und wieder losließ, welche die Stimme des Anrufenden am anderen Ende der Leitung hören läßt oder unterbricht, fiel ihr blitzartig ein neuer Plan ein.
›Es wird nicht einfach sein‹, dachte sie. ›Ich muß unbedingt einen klaren Kopf behalten und die richtigen Worte wählen. Ich darf keinen Augenblick unsicher werden; doch ich glaube, ich kann es schaffen. Ich *muß* es schaffen.‹
Und im selben Moment hörte sie die Stimme von Dick Windyford im Hörer.

Alix sog einen tiefen Luftzug ein. Dann drückte sie entschlossen die Taste und begann zu sprechen.
»*Hier ist Mrs. Martin – Villa Nachtigall. Bitte, kommen Sie* (sie ließ die Taste los) morgen früh mit sechs schönen Kalbskoteletts. (Sie drückte wieder die Taste.) *Es handelt sich bei mir um Leben und Tod* (sie ließ die Taste los), daß die Kalbskoteletts schön zart sind, denn mein Mann ist sehr wählerisch. *Bitte* (sie drückte die Taste) *kommen* (sie ließ die Taste los) Sie (sie drückte die Taste) *so früh wie möglich.* (Sie ließ die Taste los.) Vielen Dank, Mr. Hexworthy, und entschuldigen Sie, daß ich so spät noch angerufen habe. – Bis morgen früh also.«
Sie legte den Hörer wieder auf die Gabel und drehte sich zu ihrem Mann um; ihr Atem ging rasch.
»So also pflegst du mit deinem Schlachter zu reden!« sagte Gerald.
»Das ist eben Frauenart«, meinte Alix leichthin.
Innerlich fieberte sie vor Erregung. Er hatte keinen Verdacht geschöpft. Dick würde kommen, selbst wenn er es nicht verstanden hatte.
»Du scheinst ja auf einmal äußerst gutgelaunt zu sein«, bemerkte er, sie neugierig musternd.
»Allerdings«, erwiderte Alix. »Meine Kopfschmerzen sind fort.«
Sie setzte sich wieder auf ihren Platz und lächelte ihren Mann an, als er sich in seinen Sessel ihr gegenüber sinken ließ. Sie war gerettet. Die Zeiger der Uhr wiesen erst auf fünfundzwanzig Minuten nach acht. Lange vor neun würde Dick hier sein.
»Der Kaffee vorhin gefiel mir überhaupt nicht«, klagte Gerald. »Er schmeckte sehr bitter.«
»Ich hab eine neue Sorte ausprobiert. Wir werden sie nicht wieder trinken, wenn du sie nicht magst, Liebling.«
Alix nahm sich ihre Handarbeit vor und begann zu sticken. Gerald las ein paar Seiten in seinem Buch. Dann blickte er zur Uhr hoch und warf das Buch beiseite.
»Halb neun. Zeit in den Keller zu gehn und mit der Arbeit zu beginnen.«
Die Handarbeit entglitt Alix.
»Oh, doch nicht so früh. Warten wir bis neun!«
»Nein, meine Liebe – halb neun. Für die Zeit habe ich es festgesetzt. Um so eher wirst du zur Ruhe kommen.«
»Aber ich würde lieber noch bis neun Uhr warten.«
»Du weißt doch, wenn ich einmal eine Zeit festgesetzt habe,

bleibt es dabei. Komm mit, Alix. Ich warte keine Minute länger!«

Alix blickte zu ihm hoch, und trotz aller Selbstbeherrschung überkam sie ein Grauen. Die Maske war gefallen. Geralds Hände zuckten, seine Augen glänzten vor Erregung, und mit der Zunge fuhr er sich fortwährend über die trockenen Lippen. Er gab sich keine Mühe mehr, seine wahren Gefühle zu verbergen.

›Wie ein Wahnsinniger‹, dachte Alix, ›*er kann einfach nicht mehr warten.*‹

Mit langen Schritten kam er zu ihr herüber, packte sie bei der Schulter und riß sie auf die Füße.

»Komm mit, Mädchen – oder ich trage dich dorthin.«

Die Worte sollten fröhlich klingen, aber in ihrem Ton schwang eine kaum verborgene wilde Grausamkeit mit, die sie entsetzte. Mit äußerster Anstrengung riß sie sich los und preßte sich mit dem Rücken gegen die Wand. Sie war machtlos. Sie konnte nicht entkommen – sie war ihm ausgeliefert – und er kam auf sie zu.

»Also, Alix –«

»Nein – nein!« schrie sie und streckte ohnmächtig die Hände aus, um ihn abzuwehren.

»Gerald – bleib stehn – ich muß dir etwas sagen – etwas gestehen –«

Er blieb stehen. »Gestehen?« fragte er neugierig.

»Ja, gestehen.« Die Worte waren ihr ohne jeden Grund eingefallen, aber sie wiederholte sie verzweifelt, um seine einmal geweckte Aufmerksamkeit festzuhalten.

Ein verächtlicher Ausdruck trat in sein Gesicht.

»Ein früherer Liebhaber, nehme ich an«, sagte er höhnisch.

»Nein«, erwiderte Alix. »Etwas anderes. Man könnte es wohl – ja, man könnte es ein Verbrechen nennen.«

Augenblicklich erkannte sie, daß sie den richtigen Ton getroffen hatte. Seine Aufmerksamkeit war erneut geweckt, gefangen. Als sie das sah, kehrte ihre Beherrschung zurück. Sie fühlte sich wieder als Herrin der Situation.

»Du solltest dich lieber wieder setzen«, sagte sie ruhig.

Sie durchquerte das Zimmer zu ihrem alten Platz und setzte sich ebenfalls. Sie bückte sich sogar und hob ihre Handarbeit auf. Doch hinter ihrer äußerlichen Ruhe war sie fieberhaft dabei, eine Geschichte zu erfinden; denn was sie sich jetzt ausdachte, mußte seine Neugier wachhalten, bis Hilfe eintraf.

»Ich habe dir erzählt«, begann sie langsam, »daß ich fünfzehn Jahre lang als Stenotypistin gearbeitet habe. Das entsprach nicht ganz der Wahrheit. Dazwischen lagen zwei Unterbrechungen. Die erste ereignete sich, als ich zweiundzwanzig war. Ich begegnete einem Mann, einem älteren Mann mit einem kleinen Vermögen. Er verliebte sich in mich und hielt um meine Hand an. Ich sagte ja, und wir heirateten.« Sie machte eine Pause. »Ich brachte ihn dazu, sein Leben zu meinen Gunsten zu versichern.«
Sie sah, daß plötzlich ein brennendes Interesse im Gesicht ihres Mannes geschrieben stand, und fuhr mit gestärktem Selbstvertrauen fort.
»Während des Krieges arbeitete ich eine Zeitlang in der Apotheke eines Krankenhauses. Dort mußte ich mit allen möglichen seltenen Arzneimitteln und Giften hantieren.«
Überlegend hielt sie inne. Es gab keinen Zweifel mehr, er war jetzt brennend interessiert. Ein Mörder kann nicht anders, er muß an einem Mord Interesse finden. Darauf hatte sie mit Erfolg gesetzt. Verstohlen blickte sie auf die Uhr. Es war fünfundzwanzig Minuten vor neun.
»Es gibt ein Gift – ein feines weißes Pulver – eine winzige Prise davon bedeutet Tod. Aber vielleicht verstehst du ja etwas von Giften?«
Sie stellte diese Frage etwas ängstlich. Wenn er sie bejahte, mußte sie vorsichtig sein.
»Nein«, sagte Gerald; »so gut wie nichts.«
Erleichtert atmete sie auf.
»Aber bestimmt hast du schon von Hyoscin gehört? Das ist ein Arzneimittel, das, richtig dosiert, *todsicher* wirkt, jedoch absolut nicht nachweisbar ist. Ich stahl eine kleine Portion davon und verwahrte sie gut.«
Sie schaltete eine Pause ein, alle ihre Kräfte zusammennehmend.
»Weiter«, sagte Gerald.
»Nein. Ich habe Angst, es dir zu erzählen. Ein andermal.«
»Jetzt«, forderte er sie ungeduldig auf. »Ich will es jetzt hören.«
»Unsere Ehe dauerte einen Monat. Ich war sehr gut zu meinem ältlichen Mann, sehr freundlich und hingebend. Allen Nachbarn gegenüber lobte er mich. Jedermann wußte, was für eine liebende Frau ich war. Und jeden Abend bereitete ich eigenhändig unseren Kaffee. Eines Abends, als wir beide allein im Hause waren, tat ich eine Prise des tödlichen Alkaloids in seine Tasse –«

Alix machte wieder eine Pause und fädelte umständlich ihre Nadel ein. Sie, die niemals in ihrem Leben geschauspielert hatte, nahm es in diesem Augenblick mit der größten Schauspielerin der Welt auf. Sie ging förmlich auf in der Rolle der kaltblütigen Giftmischerin.

»Es ging äußerst friedlich vor sich. Ich saß da und beobachtete ihn. Einmal keuchte er ein wenig und verlangte nach Luft. Ich öffnete das Fenster. Dann sagte er, er könne sich nicht mehr von seinem Stuhl erheben. *Kurz darauf starb er.*«

Sie hörte auf zu lächeln. Es war Viertel vor neun. Bestimmt würde Dick bald kommen.

»Wie hoch«, fragte Gerald, »war die Versicherungssumme?«

»Ungefähr zweitausend Pfund. Ich habe damit spekuliert und fast alles verloren. Darauf nahm ich wieder Büroarbeit an. Aber ich hatte nie die Absicht, lange dabei zu bleiben. Etwas später lernte ich einen anderen Mann kennen. Da ich im Büro wieder unter meinem Mädchennamen arbeitete, wußte er nicht, daß ich schon einmal verheiratet war. Es war ein jüngerer Mann, recht gut aussehend und ziemlich vermögend. Wir heirateten in aller Stille in Sussex. Er wollte keine Lebensversicherung abschließen, aber natürlich machte er ein Testament zu meinen Gunsten. Genau wie mein erster Mann sah er es gern, wenn ich eigenhändig seinen Kaffee bereitete.«

Alix lächelte beziehungsvoll und fügte lächelnd hinzu: »Ich mache sehr guten Kaffee.«

Dann fuhr sie fort: »In dem kleinen Ort, in dem wir wohnten, hatte ich eine Anzahl Freunde. Sie waren sehr um mich besorgt, als mein Mann eines Abends nach dem Essen plötzlich an einem Herzschlag starb. Nur der Arzt war mir nicht sehr gewogen. Ich glaube zwar nicht, daß er mich verdächtigte, auf jeden Fall aber überraschte ihn der plötzliche Tod meines Mannes sehr. Ich weiß nicht recht, warum ich eigentlich wieder ins Büro ging. Wahrscheinlich war es die Macht der Gewohnheit. Mein zweiter Mann hinterließ mir etwa viertausend Pfund. Diesmal spekulierte ich nicht damit, sondern investierte es. Und dann, wie du ja weißt –«

Doch sie wurde unterbrochen. Gerald Martin, dessen Gesicht blutrot angelaufen war, deutete mit zitterndem Zeigefinger auf sie.

»Der Kaffee – mein Gott, der Kaffee!« keuchte er halb erstickt.

Sie starrte ihn an.
»Jetzt verstehe ich, warum er so bitter war. Du Teufelin hast es jetzt auf mich abgesehen!«
Seine Hände umklammerten die Sessellehnen. Er machte Anstalten, sich auf sie zu stürzen.
»Du hast mich vergiftet!«
Alix war vor ihm bis zum Kamin zurückgewichen. Von Furcht gepackt, öffnete sie die Lippen, um nein zu sagen – hielt jedoch inne. Im nächsten Augenblick würde er sie anspringen. Sie nahm all ihren Mut zusammen. Ihre Augen hielten ihn fest, bannten ihn an seinen Platz.
»Ja«, sagte sie. »Ich habe dich vergiftet. Das Gift arbeitet bereits in deinem Körper. Du kannst dich nicht mehr von deinem Stuhl erheben – du kannst dich nicht mehr bewegen –«
Wenn sie ihn nur an seinem Platz halten konnte – nur ein paar Minuten ...
Ah! Was war das? Schritte auf der Straße. Die Pforte knarrte. Die Schritte kamen den Gartenweg herauf – die Haustür öffnete sich –
»Du kannst dich nicht bewegen!« wiederholte sie.
Dann schlüpfte sie an ihm vorbei und floh Hals über Kopf aus dem Zimmer, um ohnmächtig in Dick Windyfords Arme zu fallen.
»Mein Gott, Alix!« rief er aus.
Dann wandte er sich an seinen Begleiter, einen großen, kräftigen Mann in Polizeiuniform.
»Sehen Sie doch bitte mal nach, was im Zimmer nebenan vor sich geht.«
Dick legte Alix sorgsam auf eine Couch und beugte sich über sie.
»Mein kleines Mädchen«, murmelte er. »Mein armes kleines Mädchen. Was hat man dir nur angetan?«
Ihre Augenlider flatterten, und ihre Lippen hauchten seinen Namen.
Dick wurde von dem Polizisten aufgestört, der ihn am Arm berührte.
»Im Nebenzimmer sitzt lediglich ein Mann im Sessel, Sir. Er sieht aus, als hätte ihm etwas einen gewaltigen Schreck eingejagt, und –«
»Ja?«
»Nun, Sir – er ist – tot.«

Der Klang von Alix' Stimme ließ sie zusammenfahren. Sie sprach mit geschlossenen Augen, als ob sie träumte.
»*Und kurz darauf*«, sagte sie, fast als zitiere sie etwas aus dem Gedächtnis, »*starb er –*«

Gurke

Mr. Eastwood blickte zur Decke. Dann blickte er auf den Fußboden. Vom Fußboden wanderte sein Blick langsam zur rechten Wand hinüber. Ernst und entschlossen richtete er den Blick plötzlich auf die vor ihm stehende Schreibmaschine.

Das jungfräuliche Weiß des Bogens war lediglich durch eine Überschrift verunstaltet, die in großen Buchstaben niedergeschrieben worden war.

»DAS GEHEIMNIS DER ZWEITEN GURKE«, lautete sie. Ein angenehmer Titel. Anthony Eastwood hatte das Gefühl, daß jeder, der diesen Titel läse, sofort von ihm angezogen und gefesselt sein würde. »Das Geheimnis der zweiten Gurke«, würden sie sagen. »Was kann das nur bedeuten? Eine richtige Gurke? Die zweite Gurke? Ich muß diese Geschichte unbedingt lesen.« Und sie würden von der vollendeten Leichtigkeit, mit der dieser Meister der Detektivgeschichte eine erregende Handlung um diese schlichte Gartenfrucht herum gewoben hatte, hingerissen und verzaubert werden.

Das alles war schön und gut. Wie jedermann wußte auch er genau, wie die Geschichte sein sollte – die Schwierigkeit war nur, daß er irgendwie mit ihr nicht zurechtkam. Die beiden wesentlichen Bestandteile einer Geschichte waren Titel und Handlung, der Rest war reines Handwerk. Manchmal führte der Titel von ganz allein zu einer Handlung, und dann ging alles Weitere automatisch. In diesem Fall schmückte der Titel jedoch nur den Anfang des Bogens, und nicht eine Spur von Handlung kam dabei zum Vorschein.

Wieder suchte Eastwoods Blick Inspiration bei der Decke, beim Fußboden und bei der Tapete, und immer noch nahm nichts feste Gestalt an.

»Die Heldin werde ich Sonja nennen«, sagte Anthony, um endlich einen Schritt weiterzukommen. »Sonja oder möglicherweise auch Dolores – ihre Haut wird die Färbung des Elfenbeins haben, aber nicht in der Art, wie sie durch Krankheit entsteht, und ihre Augen werden grundlosen Teichen ähneln. Der Held wird George heißen, oder vielleicht auch John – zumindest soll es ein kurzer und typisch englischer Name sein. Und der Gärtner – einen Gärtner werden wir wahrscheinlich auch brauchen, denn irgendwie muß diese verdammte Gurke schließlich geerntet werden; der Gärtner könnte Schotte sein, und im Hinblick auf die ersten Nachtfröste sollte er vielleicht in amüsanter Weise pessimistisch sein.«

Diese Methode funktionierte zwar manchmal, aber an diesem Vormittag schien dem nicht so zu sein. Obgleich Anthony nicht nur Sonja, sondern auch George und den Gärtner ganz deutlich vor sich sah, zeigten sie doch nicht die geringste Bereitwilligkeit, aktiv zu werden und irgend etwas zu unternehmen.

»Natürlich könnte ich auch eine Banane daraus machen«, überlegte Anthony verzweifelt. »Oder einen Salatkopf, oder Rosenkohl – wie wäre es eigentlich mit Rosenkohl? Brüsseler Kohl heißt er auch, und das könnte ein Kodewort für Brüssel sein – gestohlene Namensaktien – ein zwielichtiger belgischer Baron.«

Für einen kurzen Augenblick schien ein Lichtstrahl aufzuleuchten; aber dann erlosch er wieder. Der belgische Baron blieb im Dunkeln, und plötzlich erinnerte Anthony sich, daß erste Nachtfröste und Gurken unvereinbar waren; und damit fiel auch der Vorhang für die amüsanten Bemerkungen des schottischen Gärtners.

»Verdammt noch mal«, sagte Mr. Eastwood.

Er erhob sich und griff nach der *Daily Mail*. Immerhin bestand die Möglichkeit, daß irgend jemand auf eine Art und Weise zu Tode gekommen war, die einen transpirierenden Autor inspirieren könnte. Aber die Nachrichten dieses Vormittags waren größtenteils politisch und stammten aus dem Ausland. Angewidert schleuderte Mr. Eastwood die Zeitung von sich.

Nachdem er einen Roman vom Tisch genommen hatte, schloß er die Augen und stieß mit dem Zeigefinger auf die aufgeschlagene Seite hinunter. Das auf diese Weise vom Schicksal ausgesuchte Wort lautete ›Schaf‹. Unverzüglich entfaltete sich in Mr. Eastwoods Gedanken mit verblüffender Brillanz eine ganze Geschichte. Bezauberndes Mädchen – Liebhaber im Krieg umgekommen, ihr Verstand umnachtet, hütet Schafe in den schottischen Bergen – mystische Begegnung mit totem Liebhaber, Endeffekt – wie auf einem akademischen Bild – mit Schafen und Mondschein, Mädchen liegt tot im Schnee, und *zwei Fußspuren* ...

Es war eine wunderschöne Geschichte. Mit einem Seufzer und

betrübtem Kopfschütteln tauchte Anthony aus seinen Phantasievorstellungen auf. Er wußte nur zu gut, daß der betreffende Redakteur eine Geschichte dieser Art nicht wollte – mochte sie auch noch so wunderschön sein. Jene Art von Geschichte, die dieser Mann haben wollte und auf der er hartnäckig bestand – zufälligerweise bezahlte er auch sehr anständig dafür –, mußte von geheimnisvollen dunkelhaarigen Frauen handeln: mit einem Stich ins Herz umgebracht, ein junger Held ungerechterweise verdächtigt, und dann plötzlich die Aufdeckung des Geheimnisses und dank völlig unangemessener Hinweise der Beweis, daß die am wenigsten verdächtigte Person der Täter war - tatsächlich also ›DAS GEHEIMNIS DER ZWEITEN GURKE‹.
›Obgleich‹, überlegte Anthony, ›ich zehn zu eins wette, daß er den Titel ändert und irgendeinen völlig verrückten, etwa ‚Mord ist meistens gemeint', nehmen wird – und das, ohne mich zu fragen! Zum Teufel mit dem verdammten Telephon!‹
Ärgerlich schlenderte er hinüber und nahm den Hörer ab. Zweimal war er innerhalb der letzten Stunde bereits gestört worden: einmal war es eine falsche Nummer, und das andere Mal war er von einer leichtfertigen Dame der Gesellschaft, die er bitterlich haßte, die jedoch zu hartnäckig war, als daß er sie abweisen konnte, mit einem Mittagessen überfallen worden.
»Hallo!« knurrte er in den Hörer. Eine weibliche Stimme antwortete ihm: eine zärtliche Stimme mit leichtem ausländischem Akzent.
»Bist du da, Geliebter?« sagte die Stimme sanft.
»Ich – äh – ich weiß nicht«, sagte Mr. Eastwood vorsichtig. »Wer ist am Apparat?«
»Ich – Carmen. Hör zu, Geliebter. Ich werde verfolgt – bin in Gefahr – du mußt sofort kommen. Es geht jetzt um Leben und Tod.«
»Verzeihung«, sagte Mr. Eastwood höflich. »Aber ich fürchte, Sie haben die falsche Nummer ...«
Bevor er den Satz beenden konnte, unterbrach sie ihn.
»*Madre de Dios*! Sie kommen. Wenn sie merken, was ich tue, bringen sie mich um. Laß mich nicht im Stich. Komm sofort. Wenn du nicht kommst, ist das für mich der Tod. Du weißt: Kirk Street 320. Das Kennwort ist Gurke ... Schnell ...«
Er hörte ein leises Klicken, als sie am anderen Ende der Leitung den Hörer auflegte. »Verdammich noch einmal«, sagte Mr. Eastwood äußerst erstaunt.

Er ging zu seiner Tabaksdose hinüber und stopfte sich sorgfältig die Pfeife.

›Vermutlich‹, grübelte er, ›war es irgendeine merkwürdige Auswirkung meines unbewußten Ichs. Gurke – das kann sie einfach nicht gesagt haben. Die ganze Geschichte ist sehr ungewöhnlich. Hat sie nun Gurke gesagt, oder hat sie es nicht gesagt?‹

Unentschlossen wanderte er hin und her.

›Kirk Street 320. Ich möchte nur wissen, was das alles zu bedeuten hat. Wahrscheinlich wartet sie jetzt darauf, daß der andere auftaucht. Wenn ich es ihr doch nur hätte erklären können. Kirk Street 320. Das Kennwort ist Gurke – o Gott, unmöglich, absurd – Halluzinationen eines strapazierten Gehirns!‹

Böse blickte er zu der Schreibmaschine hinüber.

›Was hast du eigentlich für einen Sinn – das wüßte ich nun wirklich gern! Den ganzen Vormittag habe ich dich angestarrt, und was ist dabei herausgekommen? Ein Schriftsteller soll seine Handlungen aus dem Leben nehmen – aus dem Leben, verstehst du? Und das werde ich jetzt tun!‹

Er stülpte sich einen Hut auf den Kopf, blickte liebevoll auf seine unbezahlbare Sammlung alter Emaillen und verließ die Wohnung.

Wie die meisten Londoner wissen, ist die Kirk Street eine lange und ziemlich bunte Durchfahrtstraße; in der Hauptsache widmet sie sich antiquarischen Läden, wo alle Arten imitierter Waren zu Phantasiepreisen angeboten werden. Außerdem gibt es dort Altmessing-Läden, Glasläden sowie verkommene Gebrauchtwarengeschäfte und Läden mit getragener Bekleidung.

Nr. 320 widmete sich ganz dem Verkauf alten Glases. Gläserne Gegenstände aller Art füllten den Laden bis zum Überfluß. Anthony war gezwungen, sich bedachtsam zu bewegen, als er den Mittelgang entlangging, der von Weingläsern flankiert war, während Lüster und Kronleuchter leise klirrend über seinem Kopf pendelten. Eine sehr alte Dame saß im hinteren Teil des Ladens. Sie hatte einen knospenden Schnurrbart, um den so mancher Jüngling sie beneidet hätte, und ein grausames Benehmen.

Sie blickte Anthony an und sagte mit abweisender Stimme: »Na?«

Anthony war ein junger Mann, der sich leicht aus der Fassung bringen ließ. Unverzüglich erkundigte er sich nach dem Preis einiger Weißweingläser.

»Sechs Stück fünfundvierzig Shilling.«
»Ach – wirklich?« sagte Anthony. »Sehr nett, nicht? Und was kosten die hier?«
»Wunderschöne Stücke, altes Waterford. Die lasse ich Ihnen für achtzehn Guineen das Paar.«
Mr. Eastwood merkte, daß er sich selbst in Schwierigkeiten brachte: noch eine Minute, und wie hypnotisiert von den Augen der boshaften alten Frau, würde er irgend etwas kaufen. Und dennoch konnte er es nicht über sich bringen, den Laden wieder zu verlassen.
»Und der da?« fragte er und deutete auf einen Kronleuchter.
»Fünfunddreißig Guineen.«
»Aha!« sagte Mr. Eastwood bedauernd. »Das ist leider mehr, als ich mir leisten kann.«
»Was suchen Sie denn?« fragte die alte Dame. »Irgendein Hochzeitsgeschenk?«
»Richtig«, sagte Anthony und griff nach dieser Erklärung. »Aber es ist so schwer, das Passende zu finden.«
»So ist das also«, sagte die Dame und stand auf, als wäre sie zu einem Entschluß gekommen. »Hübsches altes Glas ist eigentlich nie verkehrt. Hier habe ich ein Paar alte Weinkaraffen – und hier ist ein hübsches kleines Likörservice, genau das Richtige für eine junge Frau . . .«
In den nächsten zehn Minuten litt Anthony Höllenqualen. Die Dame hatte ihn völlig in der Hand. Jedes nur denkbare Exemplar der Glasbläserkunst zog an seinen Augen vorüber. Er verzweifelte.
»Wunderschön, wunderschön«, rief er fast mechanisch aus, als er einen großen goldenen Kelch abstellte, der seiner Aufmerksamkeit aufgezwungen worden war. Dann platzte er heraus: »Übrigens – haben Sie vielleicht Telephon?«
»Nein, wir nicht. Gegenüber im Postamt ist eine Telephonzelle. Na, wie finden Sie den Kelch – oder wie wäre es mit diesen schönen alten Römern?«
Da Anthony keine Frau war, war er auch völlig unbewandert in der gelassenen Kunst, ein Geschäft zu verlassen, ohne etwas gekauft zu haben.
»Ich nehme lieber das Likörservice«, sagte er düster.
Mit Verbitterung im Herzen bezahlte er. Aber als die alte Dame das Päckchen einpackte, kehrte plötzlich sein Mut zurück. Schließlich würde sie ihn allerhöchstens für exzentrisch halten,

und außerdem – was, zum Teufel, kümmerte es ihn, was sie dachte? »Gurke«, sagte er deutlich und bestimmt.
Unvermittelt unterbrach die alte Frau das Verpacken des Likörservices. »Wie? Was haben Sie gesagt?«
»Nichts«, log Anthony schnell.
»Ach so! Ich dachte schon, Sie hätten ›Gurke‹ gesagt.«
»Das habe ich auch«, erwiderte Anthony herausfordernd.
»Soso«, meinte die alte Dame. »Warum haben Sie das denn nicht gleich gesagt? Einfach mir meine Zeit zu stehlen! Durch die Tür da drüben und die Treppe hoch. Sie wartet schon.«
Wie in einem Traum ging Anthony durch die Tür und stieg eine äußerst schmutzige Treppe hoch. Oben stand eine Tür ein Stück offen und gab den Blick in ein winziges Wohnzimmer frei.
Auf einem Stuhl saß, die Augen auf die Tür gerichtet und auf dem Gesicht einen Ausdruck gespannter Erwartung, ein Mädchen.
Und was für ein Mädchen! Sie hatte tatsächlich jene elfenbeinerne Haut, die Anthony so oft geschildert hatte. Und ihre Augen! So etwas von Augen! Engländerin war sie nicht; das sah er auf den ersten Blick. Vielmehr machte sie einen ausländischen, exotischen Eindruck, der sich selbst in der kostbaren Schlichtheit ihres Kleides zeigte.
Anthony blieb im Türrahmen stehen; er war irgendwie verlegen. Es schien an der Zeit zu sein, irgendwelche Erklärungen abzugeben. Aber mit einem Schrei des Entzückens sprang das Mädchen auf und warf sich in seine Arme.
»Du bist gekommen!« rief sie. »Du bist gekommen! Oh, gelobt seien die Heiligen und die heilige Madonna!«
Anthony, der nie eine günstige Gelegenheit ungenützt verstreichen ließ, reagierte genauso inbrünstig. Schließlich entwand sie sich ihm und blickte mit bezaubernder Schüchternheit zu seinem Gesicht hoch.
»Hätte ich dich doch nur nie kennengelernt«, erklärte sie. »Hätte ich es doch nur nie getan.«
»Bereust du es?« fragte Anthony matt.
»Nein, selbst deine Augen wirken anders – und du bist zehnmal hübscher, als ich es für möglich gehalten habe.«
»Wirklich?«
Sich selbst redete Anthony jedoch ein: ›Ruhig bleiben, mein Junge, ruhig bleiben. Die Situation entwickelt sich zwar sehr nett, aber verliere jetzt bloß nicht den Kopf.‹

»Ich darf dich noch einmal küssen ja?«
»Selbstverständlich«, sagte Anthony überzeugt. »So oft du willst.«
Es folgte ein sehr erfreuliches Zwischenspiel.
›Wenn ich bloß wüßte, wer – zum Teufel – ich bin‹, überlegte Anthony. ›Ich flehe nur zum Himmel, daß der Wirkliche jetzt nicht auftaucht. Wie süß sie ist!‹
Plötzlich trat das Mädchen einen Schritt zurück, und auf ihrem Gesicht zeigte sich vorübergehend Entsetzen.
»Hat man dich hierher verfolgt?«
»Um Himmels willen – nein!«
»Aber sie sind fürchterlich gerissen. Du kennst sie nicht so genau, wie ich sie kenne. Boris ist ein Schuft.«
»Die Sache mit Boris werde ich für dich regeln.«
»Du bist ein Löwe – jawohl, ein richtiger Löwe. Und die anderen, die sind nur *canaille* – alle! Übrigens: ich habe es! Wenn sie es wüßten, würden sie mich sofort umbringen. Ich hatte so Angst – ich wußte nicht, was ich tun sollte, und dann fielst du mir ein ... Psst, was war das?«
Es war ein Geräusch unten im Laden. Mit einer Kopfbewegung andeutend, daß er bleiben sollte, wo er wäre, schlich sie auf Zehenspitzen zur Treppe. Mit blassem Gesicht und aufgerissenen Augen kehrte sie zurück.
»*Madre de Dios*! Polizei. Sie kommen herauf. Du hast ein Messer? Einen Revolver? Oder was?«
»Mein liebes Kind, du erwartest doch nicht im Ernst von mir, daß ich einen Polizisten umbringe?«
»Ach, du bist wahnsinnig – wahnsinnig! Sie nehmen dich mit und hängen dich am Hals auf, bis du tot bist.«
»Was werden sie?« fragte Mr. Eastwood, und ein sehr unangenehmes Gefühl kroch an seiner Wirbelsäule auf und ab.
Auf der Treppe erklangen Schritte.
»Jetzt kommen sie«, flüsterte das Mädchen. »Bestreite alles. Das ist die einzige Möglichkeit.«
»Das dürfte mir nicht schwerfallen«, murmelte Mr. Eastwood *sotto voce*.
Nach kaum einer Minute betraten zwei Männer das Zimmer. Sie trugen zwar unauffällige Anzüge, hatten jedoch ein offizielles Gehabe, das auf lange Ausbildung schließen ließ. Der Kleinere der beiden, ein kleiner dunkler Mann mit ruhigen grauen Augen, war der Sprecher.

»Ich verhafte Sie, Conrad Fleckman«, sagte er, »wegen Mordes an Anna Rosenburg. Alles, was Sie sagen, wird als Beweis gegen Sie verwendet. Hier ist der Haftbefehl. Das beste für Sie ist, Sie kommen ohne viel Federlesens mit.«
Ein halberstickter Aufschrei entrang sich den Lippen des Mädchens. Mit gefaßtem Lächeln trat Anthony einen Schritt vor.
»Sie unterliegen einem Irrtum, mein Herr«, sagte er scherzhaft. »Ich heiße Anthony Eastwood.«
Seine Feststellung schien auf die beiden Kriminalbeamten nicht die geringste Wirkung zu haben.
»Darüber können wir uns noch später unterhalten«, sagte der eine – derjenige, der vorhin schon geredet hatte. »Inzwischen kommen Sie mit.«
»Conrad«, jammerte das Mädchen. »Conrad, laß dich nicht einfach mitnehmen.«
Anthony blickte die Kriminalbeamten an.
»Sie werden sicherlich nichts dagegen haben, daß ich mich von dieser jungen Dame verabschiede?«
Mit mehr Gefühl und Anstand, als er es erwartet hatte, bewegten die beiden Männer sich zur Tür. Anthony zog das Mädchen in die Ecke neben dem Fenster und redete schnell und kaum vernehmbar auf sie ein.
»Hör zu. Was ich eben sagte, ist wahr. Ich bin nicht Conrad Fleckman. Als du heute vormittag bei mir anriefst, muß man dir eine falsche Nummer gegeben haben. Ich heiße Anthony Eastwood. Ich bin auf deine Bitte hin gekommen, weil – eben, ich bin gekommen.«
Ungläubig starrte sie ihn an.
»Du bist nicht Conrad Fleckman?«
»Nein.«
»Oh!« rief sie in einem Ton tiefster Not. »Und ich habe dich geküßt!«
»Daran war nichts verkehrt«, versicherte Mr. Eastwood. »Die ersten Christen hatten den Kuß zur Gewohnheit erhoben. Was äußerst vernünftig war. Jetzt paß auf: ich werde also mit diesen Leuten mitfahren. Binnen kurzem werde ich beweisen, wer ich wirklich bin. Bis dahin werden sie dich in Ruhe lassen, so daß du deinen kostbaren Conrad noch rechtzeitig warnen kannst. Später . . .«
»Ja?«
»Ach Gott – nur folgendes: meine Telephonnummer ist North-

western 1743. Und gib acht, daß man dich nicht wieder falsch verbindet.«
Sie warf ihm einen bezaubernden Blick zu, halb trauernd, halb lächelnd.
»Ich werde es nicht vergessen – ich werde es bestimmt nicht vergessen.«
»Also gut. Auf Wiedersehen. Und wenn ...«
»Ja?«
»Um noch einmal auf die ersten Christen zurückzukommen: einmal mehr würde doch nicht allzuviel ausmachen, nicht wahr?«
Sie schlang die Arme um seinen Nacken. Ihre Lippen berührten die seinen kaum.
»Ich mag dich gern – ja, ich mag dich. Du wirst immer daran denken, was auch passiert, nicht wahr?«
Widerstrebend löste Anthony sich von ihr und näherte sich seinen Häschern.
»Ich bin bereit, mit Ihnen zu kommen. Wie ich annehme, haben Sie nicht die Absicht, diese junge Dame ebenfalls festzunehmen, nicht wahr?«
»Nein, Sir – das geht uns nichts an«, sagte der Kleine höflich.
›Anständige Burschen, diese Männer von Scotland Yard‹, überlegte Anthony, als er den beiden die schmale Treppe hinunter folgte.
Von der alten Frau war im Laden nichts zu sehen; Anthony hörte jedoch, wie es hinter einer Tür im rückwärtigen Teil des Ladens schnaufte, und vermutete, daß sie es war, die die Ereignisse mit Vorsicht beobachtete.
Wieder auf der schmutzigen Kirk Street, holte Anthony tief Luft und richtete sich an den kleineren der beiden Männer.
»Also, Inspektor – Sie sind doch wohl Inspektor?«
»Ja, Sir. Detective Inspector Verrall. Das hier ist Detective Sergeant Carter.«
»Also, Inspektor Verrall, jetzt ist wohl der Zeitpunkt gekommen, daß wir vernünftig miteinander reden – und auch, daß Sie mich anhören. Ich bin nicht dieser Conrad – wie hieß er noch? Mein Name ist Anthony Eastwood, wie ich bereits sagte, und von Beruf bin ich Schriftsteller. Wenn Sie mich zu meiner Wohnung begleiten wollen, werde ich wahrscheinlich in der Lage sein, meine Identität Ihnen gegenüber nachzuweisen.«
Irgend etwas in der sachlichen Art, in der Anthony sprach, schien

die Kriminalisten zu beeindrucken. Zum erstenmal huschte ein zweifelnder Ausdruck über Verralls Gesicht.
Carter war offenbar nicht so leicht zu überzeugen.
»Das könnte Ihnen so passen«, fauchte er. »Vielleicht erinnern Sie sich, daß die junge Dame Sie mit ›Conrad‹ anredete.«
»Aber das hat doch damit nichts zu tun. Meinetwegen gebe ich zu, daß ich mich aus – äh – persönlichen Gründen der Dame gegenüber als Conrad ausgab. Eine rein private Angelegenheit, verstehen Sie?«
»Und das sollen wir glauben, was?« bemerkte Carter. »Nein, Sir, Sie kommen mit. Halte mal das Taxi an, Joe.«
Ein vorüberfahrendes Taxi wurde gestoppt, und die drei Männer stiegen ein. Anthony machte einen letzten Versuch und wandte sich dabei direkt an Verrall als den leichter zu Überzeugenden.
»Hören Sie, mein lieber Inspektor – wem schadet es eigentlich, wenn Sie mit in meine Wohnung kommen und sich überzeugen, daß ich die Wahrheit sage? Sie können das Taxi warten lassen, wenn Sie wollen – das ist doch ein großzügiges Angebot. Keine fünf Minuten wird es dauern.« Verrall blickte ihn forschend an.
»Also gut«, sagte er plötzlich. »Es klingt zwar merkwürdig, aber ich glaube, daß Sie die Wahrheit sagen. Schließlich wollen wir uns auf der Wache nicht dadurch blamieren, daß wir den Falschen verhaftet haben. Wie ist die Adresse?«
»Brandenburg Mansions achtundvierzig.«
Verrall beugte sich vor und rief dem Taxifahrer die Adresse zu. Schweigend saßen die drei im Wagen, bis sie an ihrem Ziel angekommen waren, Carter aus dem Wagen sprang und Anthony von Verrall mit einer Handbewegung aufgefordert wurde, dem Sergeant zu folgen.
»Für Unannehmlichkeiten besteht kein Grund«, erklärte Verrall, als er ebenfalls ausstieg. »Wir werden so tun, als käme Mr. Eastwood mit zwei Freunden nach Hause.«
Anthony war für diesen Vorschlag ausgesprochen dankbar, und seine Achtung vor dem Criminal Investigation Department stieg von Minute zu Minute.
Im Hausflur hatten sie das Glück, Rogers, dem Portier, zu begegnen. Anthony blieb stehen.
»Ah – guten Abend, Rogers«, bemerkte er beiläufig.
»Guten Abend, Mr. Eastwood«, erwiderte der Portier respektvoll.

Er war Anthony zugetan, der ein Beispiel für liberale Gesinnung gab, welches von seinen Nachbarn nicht immer aufgegriffen wurde.
An der Treppe blieb Anthony stehen.
»Übrigens, Rogers«, sagte er beiläufig, »wie lange wohne ich eigentlich jetzt schon hier? Ich habe mich mit meinen Freunden gerade darüber gestritten.«
»Warten Sie, Sir – es müßten jetzt wohl bald vier Jahre sein.«
»Dasselbe habe ich gesagt.«
Anthony warf den beiden Kriminalisten einen triumphierenden Blick zu. Carter knurrte, aber Verrall lächelte strahlend.
»Gut, Sir, aber noch nicht genug«, bemerkte er. »Gehen wir nach oben?«
Anthony öffnete die Tür seiner Wohnung mit dem Wohnungstürschlüssel. Dankbar war er, daß ihm noch rechtzeitig einfiel, daß Seamark, sein Diener, nicht zu Hause war. Je weniger Zeugen bei dieser Katastrophe, desto besser.
Die Schreibmaschine stand noch so, wie er sie verlassen hatte. Carter schlenderte zum Tisch und studierte den auf dem Papier stehenden Titel. »DAS GEHEIMNIS DER ZWEITEN GURKE«, verkündete er mit verdrossener Stimme.
»Eine Geschichte von mir«, erklärte Anthony gleichgültig.
»Auch nicht schlecht, Sir«, sagte Verrall kopfnickend, und seine Augen blinzelten. »Übrigens – wovon handelt sie? Was war denn nun das Geheimnis der zweiten Gurke?«
»Jetzt haben Sie mich festgenagelt«, sagte Anthony. »Anlaß zu diesen ganzen Schwierigkeiten war nämlich diese zweite Gurke.«
Carter sah ihn gespannt an. Plötzlich schüttelte er den Kopf und klopfte sich bedeutungsvoll gegen die Stirn.
»Schön blöde, mein armer Freund«, murmelte er deutlich vor sich hin.
»Und jetzt, Gentlemen«, sagte Mr. Eastwood lebhaft, »an die Arbeit. Hier sind an mich adressierte Briefe, mein Scheckheft, und hier sind Mitteilungen meiner Verleger. Was wünschen Sie sonst noch?«
Verrall prüfte die Papiere, die Anthony ihm hingeschoben hatte.
»Ich für meinen Teil, Sir«, sagte er respektvoll, »benötige nichts mehr. Ich bin überzeugt. Ich kann jedoch nicht die Verantwortung auf mich nehmen, Sie freizulassen. Verstehen Sie – obgleich alles dafür spricht, daß Sie seit einigen Jahren hier als Mr.

Eastwood wohnen, ist es dennoch möglich, daß Conrad Fleckman und Anthony Eastwood ein und dieselbe Person sind. Ich muß daher die Wohnung durchsuchen, Ihnen die Fingerabdrücke abnehmen und mit der Zentrale telephonieren.«

»Anscheinend ein ziemlich umfassendes Programm«, bemerkte Anthony. »Ich kann Ihnen versichern, daß Ihnen alle strafbaren Geheimnisse, die Ihnen in die Hände fallen, zur Verfügung stehen.«

Der Inspektor grinste. Für einen Kriminalisten war er ungewöhnlich human.

»Wenn Sie sich vielleicht mit Carter in das kleine Zimmer am Ende des Korridors begeben wollen, Sir, solange ich zu tun habe.«

»Einverstanden«, sagte Anthony widerwillig. »Umgekehrt wird es wohl nicht möglich sein, nicht wahr?«

»Was soll das heißen?«

»Daß Sie und ich und ein paar Whisky mit Soda im kleinen Zimmer verschwinden, während unser Freund, der Sergeant, die schwere Aufgabe des Durchsuchens übernimmt.«

»Wenn es Ihnen lieber ist, Sir?«

»Es ist mir lieber.«

Sie überließen es Carter, den Inhalt des Schreibtisches mit geschäftsmäßiger Gewandtheit zu überprüfen. Als sie den Raum verließen, hörten sie, wie er den Hörer abnahm und Scotland Yard anrief.

»Es könnte schlimmer sein«, sagte Anthony, als er sich mit einem Whisky-Soda hinsetzte, nachdem er die Wünsche des Inspektors Verrall gastfreundschaftlich erfüllt hatte. »Soll ich zuerst trinken, nur um Ihnen zu beweisen, daß der Whisky nicht vergiftet ist?«

Der Inspektor lächelte. »Das alles verstößt gegen die Vorschriften«, bemerkte er. »Aber wir kennen uns in unserem Beruf einigermaßen aus. Von Anfang an war mir klar, daß wir einen Fehler begangen hatten. Aber man muß natürlich die üblichen Vorschriften einhalten. Sie können auch nicht so einfach vom roten Teppich runter, nicht wahr, Sir?«

»Wahrscheinlich nicht«, sagte Anthony bedauernd. »Außerdem sieht der Sergeant auch nicht allzu umgänglich aus, nicht?«

»Ach, im Grunde ist Detective Sergeant Carter ein feiner Kerl. So leicht kann dem keiner etwas weismachen.«

»Das habe ich bereits festgestellt«, sagte Anthony.

»Übrigens, Inspektor«, fügte er hinzu, »spricht irgend etwas dagegen, daß ich einige Einzelheiten über mich erfahre?«
»Welcher Art, Sir?«
»Mann Gottes, merken Sie denn nicht, daß ich vor Neugierde vergehe? Wer war Anna Rosenburg, und warum habe ich sie ermordet?«
»Das alles werden Sie morgen in der Zeitung lesen, Sir.«
»Was du heute kannst besorgen, das verschiebe nicht auf morgen«, zitierte Anthony. »Ich bin überzeugt, daß Sie meine völlig gesetzmäßige Neugierde befriedigen dürfen. Lassen Sie Ihre offizielle Zurückhaltung einmal beiseite und erzählen Sie!«
»Das ist gegen die Vorschriften, Sir.«
»Mein lieber Inspektor, wo wir uns so schnell angefreundet haben.«
»Also gut, Sir. Anna Rosenburg war eine deutsche Jüdin, die in Hampstead wohnte. Ohne sichtlich etwas dafür zu tun, wurde sie Jahr für Jahr ständig reicher.«
»Bei mir ist es genau umgekehrt«, bemerkte Anthony dazu. »Ich tue sichtlich etwas und werde dafür von Jahr zu Jahr ärmer. Vielleicht ginge es mir besser, wenn ich in Hampstead wohnte. Ich höre immer wieder, daß Hampstead ausgesprochen anregend sein soll.«
»Es gab eine Zeit«, fuhr Verrall fort, »wo sie mit gebrauchter Kleidung handelte . . .«
»Das erklärt alles«, unterbrach Anthony ihn. »Ich erinnere mich, daß ich nach dem Krieg meine Uniform verkaufte – nicht die aus Khaki, sondern die andere. Die ganze Bude hing voller roter Hosen und goldener Litzen, die äußerst vorteilhaft ausgebreitet waren. Es erschien ein dicker Mann in einem karierten Anzug mit seinem Rolls-Royce und einem Faktotum nebst Koffer. Ein Pfund zehn Shilling bot er für das ganze Zeug. Schließlich legte ich noch einen Jagdmantel und ein paar Zeissgläser dazu, um auf zwei Pfund zu kommen, und auf ein Zeichen klappte das Faktotum den Koffer auf, schaufelte alles hinein, und der Dicke reichte mir eine Zehn-Pfund-Note und fragte, ob ich herausgeben könne.«
»Vor etwa zehn Jahren«, fuhr der Inspektor fort, »lebten in London verschiedene politische Flüchtlinge aus Spanien, unter ihnen ein gewisser Don Fernando Ferrarez mit seiner jungen Frau und einem Kind. Sie waren sehr arm, und die Frau war krank. Anna Rosenburg kam in das Haus, wo die Leute wohn-

ten, und fragte, ob sie etwas zu verkaufen hätten. Don Fernando war nicht da, und seine Frau faßte den Entschluß, sich von einem wunderhübschen spanischen Schal zu trennen, der wunderbar bestickt war und zu den letzten Sachen gehört hatte, die Don Fernando ihr vor ihrer Flucht aus Spanien geschenkt hatte. Als Don Fernando heimkehrte, bekam er einen fürchterlichen Wutanfall, als er hörte, daß der Schal verkauft sei, und versuchte vergeblich, ihn zurückzukaufen. Als es ihm wenigstens gelang, die fragliche Frau, die alte Kleidungsstücke gekauft hatte, wiederzufinden, erklärte diese, sie hätte den Schal an eine Frau verkauft, deren Namen sie nicht kenne. Don Fernando war verzweifelt. Zwei Monate später wurde er mitten auf der Straße mit einem Dolch angegriffen und starb später an den Verletzungen. Von dieser Zeit an schien Anna Rosenburg merkwürdigerweise in Geld zu schwimmen. In den folgenden zehn Jahren wurde nicht weniger als achtmal in ihr Haus eingebrochen. Vier der Versuche wurden vereitelt und nichts kam abhanden; bei den übrigen viermal befand sich unter der Beute auch ein bestickter Schal.«

Der Inspektor verstummte, und erst einer drängenden Geste Anthonys folgend, fuhr er fort:

»Vor einer Woche traf Carmen Ferrarez, die junge Tochter Don Fernandos, aus einem französischen Kloster kommend, hier ein. Ihre erste Handlung bestand darin, Anna Rosenburg in Hampstead aufzusuchen. Angeblich hat sie der alten Frau eine heftige Szene gemacht, und als sie das Haus verließ, wurden ihre Abschiedsworte von einem der Diener mitgehört.

›Sie haben ihn noch!‹ schrie sie. ›Die ganzen Jahre hindurch sind Sie durch ihn reich geworden – aber eines verspreche ich Ihnen feierlich: letzten Endes wird er Ihnen Unglück bringen. Sie haben kein moralisches Recht auf ihn, und der Tag wird kommen, an dem Sie sich wünschen, Sie hätten den Schal der tausend Blüten nie gesehen.‹

Drei Tage später verschwand Carmen Ferrarez auf mysteriöse Weise aus dem Hotel, in dem sie wohnte. In ihrem Zimmer wurde ein Zettel mit einem Namen und einer Adresse gefunden – der Name lautete Conrad Fleckman. Ferner fand man eine Notiz von einem Mann, der behauptete, mit gebrauchter Kleidung zu handeln, und anfragte, ob sie die Absicht hätte, einen bestickten Schal zu verkaufen, von dem er annahm, daß sie ihn besaß. Die auf der Notiz angegebene Adresse war falsch.

Es ist klar, daß der Schal den Mittelpunkt dieser ganzen mysteriösen Geschichte bildet. Gestern morgen erschien Conrad Fleckman nun bei Anna Rosenburg. Sie schloß sich mit ihm für gut eine Stunde ein, und als er sie verließ, mußte sie sich zu Bett legen, so blaß und erschüttert war sie durch die Unterhaltung. Sie ordnete jedoch noch an, daß Fleckman jederzeit vorgelassen würde, wenn er sich meldete. Gestern abend stand Anna Rosenburg auf und verließ gegen neun Uhr ihre Wohnung; seitdem ist sie nicht zurückgekehrt. Heute morgen wurde sie in dem Haus, in dem dieser Conrad Fleckman wohnt, erstochen aufgefunden. Neben ihr auf dem Fußboden lag – was glauben sie wohl?«

»Der Schal?« keuchte Anthony. »Der Schal der tausend Blüten.«

»Etwas viel Entsetzlicheres. Etwas, das die ganze mysteriöse Geschichte mit dem Schal erklärt und seinen geheimen Wert deutlich macht ... Entschuldigen Sie, aber ich glaube, das ist der Chef ...«

Tatsächlich hatte es draußen geläutet. Anthony zügelte seine Ungeduld, so gut es ihm möglich war, und wartete auf die Rückkehr des Inspektors. Soweit es seine eigene Lage betraf, war er jetzt erleichtert. Sobald man ihm die Fingerabdrücke abgenommen hätte, würde man den Irrtum feststellen.

Und dann würde vielleicht Carmen anrufen ...

Der Schal der tausend Blüten! Was für eine seltsame Geschichte – genau die, die einen angemessenen Hintergrund für die atemberaubende dunkle Schönheit des Mädchens abgeben würde.

Carmen Ferrarez ...

Er riß sich aus seinen Phantastereien. Wie lange dieser Inspektor nur brauchte. Er stand auf und riß die Tür auf. In der Wohnung war es merkwürdig still. Waren sie etwa schon weg? Doch bestimmt nicht, ohne sich von ihm zu verabschieden.

Er schlenderte in das nächste Zimmer. Es war leer – und das Wohnzimmer war ebenfalls leer. Seltsam leer! Irgendwie wirkte alles kahl und wüst. Du lieber Himmel! Seine Emaillen-Sammlung – das Silber!

Wie von Sinnen rannte er durch die Wohnung. Überall das gleiche. Alles war ausgeplündert. Jedes Stück von Wert war verschwunden – und Anthony hatte beim Sammeln einen sehr guten Geschmack bewiesen.

Mit einem Aufstöhnen taumelte Anthony in einen Sessel und verbarg den Kopf in den Händen. Erst das Läuten der Wohnungsklingel schreckte ihn hoch. Er öffnete die Tür und stand Rogers gegenüber.

»Entschuldigen Sie, Sir«, sagte Rogers. »Aber die Herren meinten, Sie brauchten vielleicht irgend etwas.«
»Die Herren?«
»Ihre beiden Freunde, Sir. So gut ich konnte, habe ich ihnen beim Verpacken geholfen. Glücklicherweise hatte ich zufällig zwei Kisten im Keller stehen.« Seine Augen blickten zu Boden. »So gut ich konnte, habe ich auch das Stroh zusammengefegt, Sir.«
»Hier oben haben Sie die Sachen eingepackt?« stöhnte Anthony.
»Ja, Sir. War das denn nicht Ihr eigener Wunsch, Sir? Der große Herr forderte mich dazu auf, und da Sie hinten in dem kleinen Zimmer mit dem anderen Herrn sprachen, wollte ich nicht stören.«
»Nicht ich sprach mit ihm«, sagte Anthony. »Er redete vielmehr mit mir – zum Teufel mit ihm.«
Rogers hüstelte. »Und es tut mir aufrichtig leid, daß es nötig war, Sir«, murmelte er.
»Nötig?«
»Daß Sie sich von Ihren Schätzen trennen mußten, Sir.«
»Was? Ach ja! Ha ha!« Er lachte verbissen auf. »Wahrscheinlich sind sie mittlerweile schon weggefahren, was? Diese – meine Freunde, meine ich.«
»O ja, Sir, schon vor einiger Zeit. Ich verstaute die Kisten im Taxi, und der große Herr ging noch einmal nach oben, und dann kamen beide heruntergelaufen und fuhren sofort weg ... Verzeihung, Sir, aber stimmt irgend etwas nicht, Sir?«
Rogers hatte gut fragen. Das ächzende Stöhnen, das Anthony entfloh, hätte überall Argwohn erweckt.
»Gar nichts stimmt – vielen Dank, Rogers. Aber ich bin mir völlig im klaren, daß man Ihnen nicht den geringsten Vorwurf machen kann. Lassen Sie mich allein – ich muß schnell mal telephonieren.«
Fünf Minuten später war zu beobachten, wie Anthony seine Geschichte dem Inspektor Driver, der mit einem Notizblock in der Hand ihm gegenüber saß, ausführlich berichtete. Ein unsympathischer Mann, dieser Inspektor Driver, und (wie Anthony überlegte) einem wirklichen Inspektor so gar nicht ähnlich! Ziemlich theatralisch, wenn man genau hinsah. Wieder einmal ein schlagender Beweis dafür, daß die Kunst der Natur überlegen ist. Anthony kam zum Ende seines Berichtes. Der Inspektor klappte sein Notizbuch zu.

»Und?« fragte Anthony besorgt.
»Sonnenklar«, sagte der Inspektor. »Das war die Patterson-Bande. In letzter Zeit hat sie sich verschiedene derart gerissene Sachen geleistet. Großer blonder Mann, kleiner dunkler Mann, und das Mädchen.«
»Das Mädchen?«
»Ja – ebenfalls dunkel und verdammt gut aussehend. Tritt gewöhnlich als Lockvogel auf.«
»Ein – ein spanisches Mädchen?«
»Vielleicht bezeichnet sie sich als Spanierin. Geboren wurde sie jedenfalls in Hampstead.«
»Habe ich nicht gesagt, daß Hampstead eine anregende Gegend ist?« murmelte Anthony.
»Ja, der Fall ist also sonnenklar«, sagte der Inspektor und erhob sich, um zu gehen. »Sie hat hier angerufen und Sie mit ihrer Geschichte geleimt – in der Annahme, Sie würden dann auch bestimmt kommen. Dann geht sie zur alten Mutter Gibson, die nichts dagegen hat, ihr Zimmer gegen ein Trinkgeld vorübergehend an Leute abzutreten, die es schrecklich finden, sich vor aller Augen zu treffen – Liebhaber, verstehen Sie, nichts Kriminelles. Sie fallen prompt darauf herein, die beiden fahren mit Ihnen hierher, und während der eine Ihnen einen Bären aufbindet, verschwindet der andere mit der Beute. Das waren todsicher die Pattersons – genauso arbeiten sie immer.«
»Und meine Sachen?« fragte Anthony besorgt.
»Wir werden tun, was wir können, Sir. Aber die Pattersons sind ungewöhnlich gerissen.«
»Diesen Eindruck habe ich auch«, sagte Anthony verbittert.
Der Inspektor verabschiedete sich, und kaum war er gegangen, läutete es bereits an der Tür. Anthony öffnete. Ein kleiner Junge mit einem Paket im Arm stand vor ihm.
»Für Sie, Sir.«
Mit einer gewissen .Überraschung nahm Anthony es an sich. Eigentlich rechnete er nicht mit einem Paket irgendwelcher Art. Als er es in das Wohnzimmer gebracht hatte, schnitt er die Schnur auf.
Es war das Likörservice!
»Verdammt!« sagte Anthony.
Dann erst fiel ihm auf, daß sich am Fuß eines der Gläser eine winzige kunstvolle Rose befand. Seine Gedanken eilten in jenes Zimmer im ersten Stock zurück, das in der Kirk Street lag.

»Ich mag dich gern – ja, ich mag dich. Du wirst immer daran denken, was auch passiert, nicht wahr?«
Das hatte sie gesagt. *Was auch passiert* ... Hatte sie damit etwa gemeint ...
Anthony nahm sich wieder nachdrücklich zusammen.
»Das genügt nicht«, ermahnte er sich.
Sein Blick fiel auf die Schreibmaschine, und mit entschlossenem Gesicht setzte er sich hin.
DAS GEHEIMNIS DER ZWEITEN GURKE
Sein Gesicht wirkte wieder verträumt. Der Schal der tausend Blüten. Was hatte man eigentlich auf dem Fußboden neben ihrem leblosen Körper gefunden? Jenes entsetzliche Ding, das das ganze Geheimnis erklärte?
Nichts, natürlich, da es sich nur um eine erfundene Geschichte gehandelt hatte, die seine Aufmerksamkeit fesseln sollte, und der Erzähler hatte nur jenen alten Trick aus Tausendundeiner Nacht angewandt: die Geschichte zu unterbrechen, wenn sie am spannendsten war. Aber war es denn so unmöglich, daß tatsächlich irgend etwas Entsetzliches existierte, was das ganze Geheimnis erklärte? Daß es immer noch existierte? Vielleicht, wenn man sich gründlich damit beschäftigte?
Anthony zog den Bogen aus der Schreibmaschine und ersetzte ihn durch einen neuen. Dann tippte er die Überschrift.
DAS GEHEIMNIS DES SPANISCHEN SCHALS
Schweigend schaute er sie eine Weile an.
Dann begann er, rasend schnell zu tippen ...

. . . weitere in:

Agatha Christie
Ausgewählte Geschichten

Zeugin der Anklage *(veränderte Fassung nach dem Film mit Sir Charles Laughton und Marlene Dietrich)*
Der Unfall · Die spanische Truhe · Das Geheimnis des blauen Kruges · Das Wespennest · Die Mausefalle · Die Doppelsünde · Am falschen Draht.
Deutsch von Maria Meinert, Marfa Berger und Ingrid Jacob.
Ein Diogenes Sonderband